HET GEHEIM VAN VERLOREN ZAKEN

Sheridan Hay

Het geheim van verloren zaken

Vertaling Titia Ram

2007
DE BEZIGE BIJ
AMSTERDAM

2 1. 05. 2007

Cargo is een imprint van uitgeverij De Bezige Bij, Amsterdam

Copyright © 2007 Sheridan Hay
Copyright Nederlandse vertaling © 2007 Titia Ram
Oorspronkelijke titel *The Secret of Lost Things*
Oorspronkelijke uitgever Doubleday, New York
Omslagontwerp Marry van Baar
Omslagillustratie Getty Images
Foto auteur Marion Ettlinger
Vormgeving binnenwerk Peter Verwey, Heemstede
Druk Wöhrmann, Zutphen
ISBN 978 90 234 2282 2
NUR 302

www.uitgeverijcargo.nl

Voor Michael, mijn eigen storm

'...want ervaring is de enige ware kennis...'

Herman Melville, *De maskerade*

Deel Een

Een

Ik ben voor het begin van dit verhaal geboren, voordat ik ging dromen over een plek als de Arcade, voordat ik wist dat mannen als Walter Geist ook buiten fabels bestaan, buiten sprookjes. Ik zou een heel andere tijd in de Arcade hebben gehad als hij er niet was geweest, als hij niet blind was geweest. Toen ik hem leerde kennen, waren zijn ogen vrijwel onbruikbaar, en als hij die aandoening niet zou hebben gehad, zou ik nooit iets hebben geweten over het verloren boek van Herman Melville. De blindheid van Walter Geist is belangrijk, maar die van mij, ten aanzien van hem, is de blindheid waarmee ik moeite blijf hebben. Die blindheid is de reden dat ik dit verhaal heb geschreven. Als ik bij mijn eigen begin begin, zul je begrijpen hoe ik in de Arcade terechtkwam en waarom die zo belangrijk voor me is geworden.

Ik ben geboren op 25 april, het exacte jaar is onbelangrijk; ik ben niet meer zo jong dat ik wil vertellen hoe oud ik ben, maar niet zo oud dat ik ben vergeten wat voor meisje ik was.

Mijn verjaardag heeft wel een andere betekenis: 25 april is *Anzac Day*, de belangrijkste herdenkingsdag op de Australische kalender. Het is de dag dat Australiërs takjes rozemarijn op hun borst spelden om de oorlogsslachtoffers te gedenken, om dat eerste grote verlies, bij Gallipoli, waar rozemarijn op de stranden groeit, te memoreren. 'Rozemarijn is om te herdenken,' zegt Ophelia als ze gek is geworden van verdriet. 'Vergeet dat niet.'

Het was 25 april op de eilandstaat Tasmanië, toen mijn

moeder de stekelige takjes rozemarijn op de harten geprikt zag, de dag dat ze naar de gratis kliniek ging om van mij te bevallen, dat ze over het drukke plein liep in een poging de jaarlijkse parade van haveloze oorlogsveteranen en de toekijkende inwoners van het stadje te omzeilen. De sterke plant bleef haar de hele, zware bevalling bij: niet als symbool van verlies, ze kreeg immers mij, maar als symbool van herdenking.

Vandaar dat Anzac Day de reden is dat ik Rosemary heet. Behalve mijn naam heeft ook mijn beroep die functie: herdenken. Herdenken is per slot van rekening een soort plicht, misschien de laatste plicht die je iemand verschuldigd bent.

Ik heb verder geen voornamen. Mijn achternaam is Savage. Die naam is me ook door mijn moeder gegeven, alleen door mijn moeder. Ze heeft me mee naar huis genomen, naar het kleine appartementje dat ze boven een winkeltje bij het plein in het centrum van het stadje huurde. Opmerkelijke Hoeden was het enige winkeltje in zijn soort op Tasmanië en we zijn er opgegroeid, mijn moeder en ik. Maar we waren net een stel goudvissen en konden er alleen zoveel groeien als de kom ons toestond. We pasten ons aan onze omstandigheden aan, maar leefden wel in een kom, van de rest van de stad afgescheiden door een doorzichtige muur. Moeder kwam van het vasteland, ze was een buitenstaander, en iedereen wist dat mevrouw Savage een aanduiding was die één enkel, onbetwistbaar feit niet kon verhullen: er was in geen velden of wegen een echtgenoot te bekennen.

Maar verhullen was mijn moeders werk. Hoeden kunnen per slot van rekening heel wat verbergen. Hoeden kunnen een vrouw die van het vasteland is gekomen om een klein, keurig winkeltje te openen – zwanger en ogenschijnlijk zonder partner – zelfs een bepaalde mate van erkenning opleveren.

'Die hoeden zijn onze redding geweest,' zei mijn moeder vaak. 'Vandaar dat ik ze opmerkelijk noem. Ze hebben ervoor gezorgd dat respectabele mensen niet om me heen konden.'

Verbeeldingskracht was onze redding. Vooral die van haar. Ik denk graag dat verbeeldingskracht het geschenk is dat ik van haar heb gekregen.

Opmerkelijke Hoeden heeft van mijn moeder plaatselijk een icoon van goede smaak en een beschermvrouwe van ijdelheid gemaakt. Als er klanten waren, wist ze binnen een paar tellen wat hun hoofdmaat was door alleen maar naar hen te kijken. Ze onthield de maten van vaste klanten, samen met een andere karakteristieke eigenschap, die voor haar in directe relatie stond met hun hoedenmaat.

Als ze onze welvarende en ambitieuze huisbaas, meneer Frank, op het dorpsplein tegenkwam, zei ze: 'Geen wonder dat meneer Frank een 78 heeft. Met al die enorme ideeën heeft hij de extra ruimte wel nodig.'

Of dan zei ze dat mevrouw Pym, de bloemiste, hoeden was komen passen om naar de Cup te dragen: 'Ze vond niets wat ik aanbood, mooi, Rosemary. Met haar 44 is ze natuurlijk een speldenkop. Daar zit geen ruimte in voor een gedachte, laat staan dat ze een beslissing kan nemen.'

Hoeden waren orakels, wichelroeden van gedrag, maar hoewel moeders manier om het karakter van haar mede-Tasmaniërs uit te leggen vaak accuraat was, werd onze geïsoleerde positie er niet minder om en werd de minachting van het stadje uitgespeeld tegen haar eigen vorm van snobisme. Die afzondering werkte natuurlijk ook in op onze verbeeldingskracht, op onze illusies, waardoor we nog meer werden afgescheiden. Ons bestaan werd alleen oppervlakkig erkend en we hoorden er nooit bij. Ik hielp na schooltijd in de winkel. Als er al ooit klasgenootjes geïnteresseerd in me zouden zijn geweest, of beter gezegd: als ze nieuwsgierig naar me zouden zijn geweest, want vriendschap werd niet gestimuleerd.

We hadden elkaar.

'Het is belangrijk om op school goed je best te doen,' adviseerde moeder. 'Je moet veel lezen.' En dan tikte ze met haar wijsvinger tegen haar slaap om haar woorden extra nadruk te geven. 'Je hele toekomst ligt onder je hoed.'

Ze had het nooit over mijn lichaam. Nooit, alleen heel werktuiglijk als ze me er essentiële informatie over moest geven. Moeder wist uit de eerste hand dat lichamen narigheid veroorzaakten.

Ze had één goede vriendin, Esther Chapman, een van mijn mentoren en eigenaresse van Chapman's, de enige boekwinkel in het stadje. Juffrouw Chapman (die ik van jongs af aan Chaps noemde) hielp me te onderwijzen en nam me mee naar alle theatergezelschappen die ons stadje aandeden, met een sterke voorkeur voor de Shakespearegroep die af en toe aanspoelde op de kust van Tasmanië. Chaps leerde me al lezen voordat ik naar school ging en ik maakte me haar speciale woorden eigen, die ze citeerde uit haar favoriete toneelstuk. Chaps vond boeken essentieel en zag hoeden als efemeer verschijnsel, als gril, als objecten die moeder en mij uiteindelijk geen zekerheid zouden bieden.

Ze maakte zich zorgen om ons.

'Boeken zijn geen stapels papier, maar verstand op een plank,' zei ze nadrukkelijk tegen moeder. 'En hoeden zijn geen boeken... mensen hebben ze niet nodig.'

'Zeg dat in de zomer maar tegen een kale man,' plaagde moeder haar. 'Of tegen een vrouw met een alledaags gezicht.'

Maar Chaps maakte zich terecht zorgen.

Tegen de tijd dat ik klaar was met school, was Opmerkelijke Hoeden vooral opmerkelijk gezien het feit dat de winkel nog steeds open was. Hoeden waren niet meer modieus, niet langer datgene wat de gegoede burgerij onderscheidde van het plebs. Het verging hoeden net zo als het handschoenen en kousen was vergaan. Zelfs de vaste klanten kwamen uiteindelijk nog maar sporadisch, zelfs zij waren niet immuun voor de grillen van mode en vergankelijkheid. Het stadje zelf begon ook in verval te raken.

Moeders gezondheid liet al een tijdje te wensen over: als het slecht ging met de winkel, ging het ook niet goed met haar. Ze was een kleine, donkere vrouw en werd mager en bleek van de zorgen. Moeder kromp en ik groeide. Als er geen klanten waren, moest ik na school hoeden passen van moeder. Ik had er de goede lengte voor, zei ze. Het tafereel vrolijkte haar op.

Als ik 's middags uit school kwam, trof ik haar weleens doezelend op de kruk achter de hoge toonbank aan. Ze zei dat ze alleen tot rust kwam als het licht was, dat ze zich prettig voelde in de open winkel en dat ze haar eindeloze nachten doorbracht met wachten tot het weer dag werd. Toen ik uiteindelijk ontdekte hoe diep we in de schulden zaten, begreep ik op slag waarom moeder last had van slapeloosheid.

Op een dag in april, een paar maanden na mijn eindexamen, kwam ik laat in de ochtend een keer van de achtertrap af lopen die ons flatje met de winkel verbond, en trof moeder ingestort achter de toonbank aan. Ze haalde geen adem en haar gezicht was helemaal blauw, alsof ze in elkaar was geslagen.

Moeder stierf een dag later in dezelfde gratis kliniek waar ze van mij was bevallen. De stad, de staat en heel Australië herdachten door een groteske wending van het lot publiekelijk mijn persoonlijke verlies, ik werd die dag namelijk achttien. Anzac Day. Ik had die takjes rozemarijn op de revers niet nodig om me eraan te helpen herinneren dat ik iets moest herdenken.

Ik zou het nooit vergeten.

Moeders begrafenis, een week later, was een korte, onpersoonlijke aangelegenheid. Ik stond nog vol ongeloof bij de koperen deur van de neptombe, een geval in art-decostijl dat het crematorium huisvestte, op de hoogste heuvel boven de stad. Vijf vaste klanten waren zo vriendelijk de plechtigheid bij te wonen. De twee mannen hielden respectvol hun hoed tegen hun borst en de vrouwen verschenen heel attent met een opmerkelijke hoed op hun hoofd. Ik bedankte hen samen met Chaps, die nu officieus mijn voogdes was.

De dienst was nietszeggend. Moeder en ik waren niet gelovig, behalve dan dat we verbeeldingskracht aanbaden en een soort fictief leven leidden, waarvan de dood, in al zijn realiteit, een farce had gemaakt.

We kwamen na de dienst ongemakkelijk bij elkaar op de parkeerplaats bij de tombe, waar de vaste klanten plechtig vertrokken in hun auto's, achter elkaar aan de steile helling af. Ik zag hoe ze kleiner werden en elk hun eigen weg gingen bij het kruispunt, de stad eronder een handjevol rode daken, lukraak over de lage groene heuvels uitgespreid, zonder orde of patroon, onzorgvuldig. Het was een smalle, lelijke plek op een onvoorstelbaar mooi eiland. Ik had het stadje nog nooit zo klein en gewoontjes gevonden.

'Ze is er niet meer, Chaps,' was het enige wat ik uit kon brengen. Ik snakte naar adem.

Na een tijdje kwam de begrafenisondernemer naar ons toe lopen, met moeders as in een afgesloten houten kistje.

'Je zei dat je de eenvoudigste wilde, juffrouw Rosemary. Dat is deze. Het is Huon-vurenhout, Tasmaans hardhout. Heel sterk en duurzaam.'

Hij klopte met zijn knokkels op het hout. Ik huiverde. Chaps kende hem, en als enige begrafenisondernemer in de stad die niet al te schijnheilig was, was hij gelukkig ook de goedkoopste. Maar hij was te nerveus aangelegd voor zijn branche en vreemd onhandig in het omgaan met verdriet. Hij bleef maar kletsen, hoewel hij zich wel bewust was van mijn verdriet. Misschien dat hij juist daardoor zo onrustig werd dat hij zijn zenuwen te lijf ging door zo veel mogelijk informatie te verstrekken.

'Mijn leverancier heeft me verteld dat de Huon-den wel duizend jaar oud kan worden. Dat is bijna een eeuwigheid. Is dat niet bijzonder?' Hij praatte verder: 'En het hout heeft een heel specifieke geur.' Hij snoof. 'De bomen groeien aan de westkust van het eiland...'

'Ja. Dank u,' onderbrak Chaps hem. Ze pakte me bij mijn elleboog en probeerde me naar haar auto te leiden. Ik voelde me als aan de grond genageld.

Ik klampte het kistje met beide handen vast en kon me niet bewegen. Het voelde warm en rook een beetje rot. Er liepen tranen over mijn wangen, die mij net zo deden schrikken als de nerveuze begrafenisondernemer.

Chaps duwde me uiteindelijk toch naar haar auto en reed met me naar haar huisje. Ik voelde me als verlamd en kon niet uitstappen, dus startte ze de auto weer, en we reden in stilte over de lange Tasmaanse wegen naar de kust.

'De oceaan,' zei Chaps uiteindelijk om te verklaren dat de bestrate weg eindigde in zand en dat de zee zich, met witte kopjes op de golven, weids voor ons uitstrekte.

Chaps draaide haar raampje open zodat ik het zout kon ruiken en de pure, frisse *Roaring Forties*, de sterke westenwind die naar de onderkant van de wereld blaast, kon voelen. Ik stikte bijna in de schoonste lucht op aarde en probeerde op adem te komen. Ik staarde naar de oceaan en voelde me tegelijkertijd omsloten en alleen. Er was niets tussen mij, daar op het Tasmaanse eiland, en het met ijs bedekte Antarctica, behalve de lege, open zee, onbewoond en onwetend. Ik boog me over het Huon-kistje heen, maar kon geen woord zeggen totdat de nacht kwam, koud en alles omhullend, door diezelfde wind over de zuidelijke Grote Oceaan geblazen.

'Wat moet ik nu doen?' mompelde ik uiteindelijk.

Chaps, die nooit om een aforisme verlegen zat, zei niets.

Twee

Ik ging in mijn vroege jeugd vrijwel elk jaar een keer met mijn moeder naar Sydney, op het vasteland, om hoeden en fournituren te kopen. We brachten mijn verjaardag altijd in de stad door; die viel natuurlijk op een nationale feestdag. Dan logeerden we in een pension in Surrey Hills, aan Sophia Street. Moeder kende de pensionhoudster, Merle, van voordat ze naar Tasmanië was verhuisd, toen ze een leven had geleid waarover ik niets wist. Haar eigen leven voordat dat van mij begon.

Merle was een dikke, boze vrouw met kleine ogen en geverfd haar. Ze leek op een ekster, helemaal zwart-wit en altijd op zoek naar hapjes. Haar pension was goedkoop, het rook er naar gekookte groente en ik werd er tot mijn vijfde, toen ik oud genoeg was om met moeder naar de leveranciers te gaan, uren achtergelaten bij Merle.

Die uren dat ik in mijn vroege jeugd van mijn moeder was gescheiden, staan in mijn geheugen gegrift als ademnood. Ik kan mijn adem niet echt al die tijd hebben ingehouden, maar het gevoel van ademloosheid hoort als een souvenir bij de herinnering aan moeders afwezigheid. Bang de gecreëerde balans te verstoren en er de oorzaak van te zijn dat moeder nooit meer zou terugkomen, bleef ik muisstil in de muffe zitkamer zitten. Haar terugkeer werd gekenmerkt door diep inademen en zwaar uitademen: er stroomde weer leven door het kadavertje dat ik was geworden.

'Ik heb nog nooit zo'n stil kind gezien, mevrouw Savage,' zei Merle dan afkeurend terwijl ze haar grote, gladde hoofd schudde. 'Het is niet goed om zo braaf te zijn. Ik pas graag op haar, het is geen enkele moeite, maar het lijkt wel of ze alleen voor u leeft.'

'Ik ben de enige die ze heeft,' zei moeder vaak.

'Volgend jaar mag je met me mee naar de leveranciers, lieverd,' beloofde moeder. 'Ik wil je niet alleen laten als je dat niet fijn vindt.'

En zo begonnen de jaarlijkse bezoekjes aan de fourniturenleveranciers, de werkplaatsen vol konijnenvellen en beverbont, gepolijste houten hoofden op metalen blokken (met schroeven die uit de nekken staken), apparaten waarmee hoedenbollen werden gemaakt. De winkels waren licht en koel, maar in de werkplaatsen erachter was het warm en klam, de lucht zwaar van de condensatie van de stoom die werd gebruikt om hoeden schoon te maken en van schimmel te ontdoen.

De leveranciers waren allemaal aardig tegen me. Ik werd afgeleid en beziggehouden met felgekleurde knopen en zijden linten terwijl moeder haar bestellingen plaatste en de laatste mode bekeek. Ik werd als een prieelvogel aangetrokken tot alles wat glinsterde. Ik kreeg driehoekig gesneden boterhammetjes en melk met een gestreept papieren rietje uit een koud glas. Ik was een sultane en telde mijn schatten, die uit prullaria bestonden.

Foys leverde accessoires aan alle grote warenhuizen. In de toonkamer voor fournituren stond een muur vol houten laatjes, vijftig jaar eerder getimmerd, die een enorme hoeveelheid curiosa behuisden: ritsen, knopen, stukjes bont en vel, zijden bloemen, lovertjes die doorzichtig waren als schubben, verfmonsters, veren van exotische vogels, snoepjes en fruit van was. De muur vol laatjes bevatte honderden felgekleurde bijous die speciaal waren ontworpen om hoeden, revers, schoenen en riemen mee af te werken. Er lagen ornamenten van over de hele wereld in: marcasieten uit Tsjechoslowakije, glinsterend als metalen diamanten, en spelden met bergkristal uit Frankrijk, die onder in de onderste laden lagen: het leken wel schatkisten.

Ik stelde me altijd voor dat de oneindige variëteit aan objecten in die laatjes luttele momenten voordat iemand aan de knop trok en de lade opende, materialiseerde, alsof mijn wens de spulletjes te zien ze te voorschijn toverde. Voor mijn kleine zelf leek die muur alles op te bergen, de som van de hele wereld.

De meisjes in de werkplaats vertelden mijn moeder dat ik heel mooi zou worden, 'dat kan niet anders, met dat haar', zeiden ze dan. Moeder keek bedenkelijk. Ik had dik rood haar dat niet bij mij leek te horen. Ik moet op mijn vader hebben geleken, en waarschijnlijk had ik ook zijn groene ogen en huid vol sproeten. Moeders donkere haar contrasteerde met haar onpeilbare blauwe ogen en ze had een perfecte huid, de kleur van thee met heel veel melk. Ze had een fijne botstructuur en was compact gebouwd, met een pronte boezem. Je kon je niet voorstellen dat ik haar kind was, zo weinig leken we op elkaar.

Bij Foys en andere leveranciers werd konijnenbont tot fijn vilt geperst voor bolhoeden, gleufhoeden en de typisch Australische arbeidershoeden (met ouderwetse namen als Drover en Squatter). De duurste werden met geïmporteerd beverbont gemaakt en alleen gedragen bij heel speciale gelegenheden, om mee te pronken.

Helemaal achter in de werkplaats van Foys was een duistere belendende ruimte, die vol lag met huiden en waar het scherp naar loog rook; ik vond het al doodeng om er alleen maar langs te lopen. Ik voelde vreemd mee met de bergen levenloze pelzen die lagen te wachten tot ze tot iets nuttigs zouden worden gevormd. Ik had me net zo leeg en ademloos gevoeld als die gevilde dieren gedurende de uren dat mijn moeder me bij Merle had achtergelaten. De keerzijde van al die glinsterende snuisterijen was deze lugubere graftombe. Schijn bleek te bedriegen.

Toch voelde ik me gelukkig in Sydney. Ik was gek op de stad. We waren er anoniem en ik had toen al het gevoel dat steden meegaand waren; dat ze voor je aan de kant gingen en ruimte voor je maakten. Ik was in de stad geen meisje zonder vader. Ik was niet eens Rosemary. In een stad loopt niemand die tegen je zegt wie hij denkt dat je bent, wie hij wil dat je bent. We waren één keer per jaar speciaal en een volledig geheel.

Hier begon ik aan mijn plakboek van stadstaferelen, van allerlei plaatsen, gemaakt met knopen en stukjes lint die ik bij de leveranciers verzamelde en nauwkeurig op de grote bladzijden plakte.

Er was in die tijd een woord dat in Sydney in prachtig rondschrift op straathoeken stond gekalkt. Sydney stond erom bekend, het woord stond onder de voeten van de bewoners en bezoekers gekalkt, als een brief die uit een enkel woord bestond, maar gericht was aan elk individu in de menigte.

'Wat staat daar?' vroeg ik moeder terwijl ik wees naar wat ik als gekrabbel zag, in dat jaar dat ik vijf was. De letters leken helemaal niet op die in de boeken die ik van Chaps had gekregen.

'Er staat *Eternity*, liefje,' antwoordde moeder terwijl ze mijn hand pakte.

'Er woont hier een man die dat woord al dertig jaar lang overal opschrijft. Het is beroemd. Ik kan me niet herinneren dat het er ooit niet was, het hoort helemaal bij het straatbeeld.'

Ze sloeg haar arm om me heen.

'Wat betekent het?'

'Dat zullen we nooit weten, Rosemary. Letterlijk betekent het "voor eeuwig en altijd". Maar er bestaat niets wat eeuwig en altijd blijft bestaan. In elk geval niets menselijks. Uiteindelijk komt aan alles een eind. Dat moet je goed onthouden, lieverd.'

Ze keek verstrooid de drukke straat in en staarde langs mijn gezicht de verte in.

'Onthoud dat goed, Rosemary,' zei ze. 'Aan alles komt een eind.'

Ik kwam pas weken na de dood van moeder een beetje tot rust van de manische activiteit die de dagen na de crematie kenmerkte. Ik werd beheerst door een gekte. Ik sloot Opmerkelijke Hoeden, verkocht de voorraad, bracht spullen terug naar leveranciers en probeerde krediet op te bouwen dat ik tegen de schulden kon afzetten. Ik werd geholpen en geadviseerd door Chaps en meneer Frank (die met dat grote hoofd). Het kon niet anders. Het is niet waar dat degene die sterft al zijn schulden inlost: ik kon de winkel net zomin behouden als ons leven samen. Moeder en ik hadden geleefd in een complex web van krediet en uitgestelde betalingen, dat toen ze er eenmaal niet meer was, een enorm kluwen onvermogen bleek te zijn.

Ik maakte de flat schoon, de drie kamers waarin ik mijn hele leven had gewoond. Ik vond het vreselijk om zonder haar in die ruimte te zijn, alles in dat huis deed me aan haar afwezigheid denken. Ik bewaarde de enige foto die ik van haar had, hij was genomen voordat ik was geboren. Ze had sindsdien altijd achter het fototoestel gestaan, met mij als onderwerp.

Ik voelde me die eerste dagen een slaapwandelaar, maar het was niet alsof ik wakend in een droom leefde, zelfs geen nachtmerrie, het was het tegenovergestelde. Mijn hele leven tot haar dood was de droom geweest en deze realiteit – die zonder moeder, die waar elk object waarvan ik had gedacht dat het van mij was, werd verkocht of teruggebracht, waar alles wat bekend voor me was, verdween – had al die tijd verstopt liggen wachten achter alles waarvan ik hield.

De leveranciers waren vriendelijk, maar zakelijk. De meisjes van Foys waren de enigen die me een kaartje stuurden.

Ik verkocht de meubels en de inboedel van de flat, maar toen ik alle rekeningen had betaald, was er bijna geen geld over. Chaps liet me in haar logeerkamer slapen en zei dat ik moest rusten. Mijn manie nam af en maakte plaats voor lethargie. Chaps spoorde me aan naar haar boekwinkel te komen, waar ik al tijdens de schoolvakanties had gewerkt, gewoonlijk om de voorraad op te nemen. Het was gezellig en veilig in Chapman's Boekwinkel en de taakjes die we samen uitvoerden hielpen een golf van afschuwelijke passiviteit op afstand houden.

'Niemand sterft zo arm dat er niets achterblijft,' zei Chaps op een middag terwijl we samen een doos boeken stonden uit te pakken. 'Jij bent wat je moeder heeft achtergelaten, Rosemary. Je moet integer omgaan met die nalatenschap. Ik weet dat je dat zult doen.'

Haar raadgevingen werden een dagelijkse aangelegenheid. Ik luisterde alleen maar.

'Je moet het overlijden van je moeder als een uitweg zien. Als een ontsnapping. Je moet aan je eigen leven beginnen,' probeerde ze me te overtuigen.

Esther Chapman nam de mogelijkheid me te adviseren heel serieus. Ze was altijd een soort tante voor me geweest en ik hield van haar. Maar ik voelde me na alles wat ik de voorgaande weken had gedaan, na alles wat ik had verloren, willoos van verdriet. Ik had voor de dood van moeder geen wanhoop gekend, ondanks het feit dat ik er achttien jaar lang op af was gestevend.

Chaps was stoïcijns en dat hielp. Ze had haar eigen moeder na een lang ziekbed verloren en woonde nog in het huis waar ze was opgegroeid. Haar vader, een soldaat van het Anzac, een leger dat bestond uit soldaten uit Australië en Nieuw-Zeeland, was omgekomen tijdens de Eerste Wereldoorlog. Als ze een oude vrijster werd genoemd, zei Chaps: 'En zo ben ik veel beter af, niet dat het iemand wat aangaat.' Ze had net als moeder een positie van sociale onzichtbaarheid, en die overeenkomst was wat hen in eerste instantie tot elkaar had aangetrokken. Ze waren rariteiten, leefden langs de zijlijn en waren net niet helemaal respectabel. Chaps was te belezen om volledig geaccepteerd te worden door de gemeenschap. Boeken hadden haar overdreven onafhankelijk gemaakt.

Aan de foto's in haar keurige huis te zien begon Chaps naarmate ze ouder werd steeds meer op haar moeder te lijken. Beiden hadden een kippenborst, een klein grijs hoofd en grote, lichte ogen die oprechtheid uitstraalden. Ik zette de enige foto die ik van mijn moeder had naast een van Chaps' moeder in de woonkamer. Het zilveren lijstje was niet echt oud, maar de foto van moeder was tijdloos. Het was een zwart-witfoto, genomen toen ze een jaar of achttien was, zo oud als ik toen was, maar ik zou er nooit achter komen wie hem had gemaakt. Haar jeugdige gezicht keek me levendig aan, vol geheimen over haar verleden, haar toekomst, en, zo stelde ik me voor, meer levend dan ik was op datzelfde, ongevormde moment.

Aan het einde van die eerste maand liep ik, ziek van mijn eigen slaperige verdriet, met het Huon-kistje het huisje van Chaps uit, en ik ging ermee in haar keurige tuintje zitten. De bloembedden die zich aan drie kanten van de tuin herhaalden, met de oranje, rode en gele kopjes, hadden een positieve invloed op mijn melancholie. Hun dichte blaadjes, die wel groene tongetjes leken, maakten me verwijten. Ik plukte een paar rode bloemen, mama's lievelingskleur, en legde die boven op het kistje.

Ik knielde om een groot, open blad te bekijken, een bijna perfecte cirkel. Er balanceerde een zilveren druppel water op het oppervlak, glanzend als een balletje kwikzilver. Ik pakte het blad voorzichtig vast en draaide de waterdruppel in zijn groene wereld rond... een piepklein balletje ordelijkheid, geïsoleerd en beheerst. Dat ik me zo op die druppel concentreerde, maakte een flard wanhoop bij me los, ongeveer van dezelfde omvang, in de buurt van mijn hart.

'Help me,' bad ik tot de waterdruppel. 'Ik wil moeder. Ik wil alles terug. Ik wil mijn leven terug.'

Chaps kwam vroeg thuis van de winkel. Ik hoorde haar in de keuken met de waterketel rommelen en theezetten. Ze riep me in het kleine huis.

'Ik ben hier, Chaps!' antwoordde ik.

'O, ik vroeg me al af waar je was, lieverd,' zei ze terwijl ze naar buiten kwam lopen. 'Heerlijk, hè, in de tuin. Waarom zit je op je knieën? Het lijkt wel of je tot de bloemen zit te bidden.'

'Ik voel me er beter door,' zei ik gegeneerd. 'Ze zien er zo gelukkig uit met hun vrolijke kopjes. Maar die bloemen ruiken naar mieren...'

'Het is Oost-Indische kers en ik heb geen idee hoe mieren ruiken.' Ze trok haar wenkbrauwen op. 'Maar jij ongetwijfeld wel.'

De ketel begon te fluiten en ze liep even naar binnen om hem uit te zetten en de thee te maken.

'Ik zie dat je haar as mee naar de tuin hebt genomen,' zei ze terwijl ze met een dienblad naar buiten kwam lopen.

Misschien dat ze een uiteenzetting overwoog over mijn sentimentele band met het Huon-kistje, maar die hield ze dan voor zich. Ze zette het dienblad op een smeedijzeren tafeltje neer en ging op een bijpassende stoel zitten.

'Ik wil ergens met je over praten,' zei ze met een serieus gezicht.

'Ik weet al wat je gaat zeggen, Chaps.'

'Dat denk je maar,' zei ze terwijl ze twee koppen thee inschonk.

'Je gaat me weer vertellen dat ambivalentie fataal is,' zei ik tegen het blad.

Ze zei al de hele week dergelijke dingen.

'Je gaat tegen me zeggen dat ik woorden moet geven aan

mijn verdriet. Je gaat zeggen dat ik moet kiezen, beslissen, aan mijn leven moet beginnen. Je gaat voorstellen dat ik haar as begraaf...'

'Nou, dat zijn allemaal dingen die ik zou kunnen zeggen,' onderbrak Chaps me. 'En het zijn dingen die ik heb gezegd, maar het is niet wat ik nu wilde zeggen.'

Ze ging met een theatraal verrast gebaar rechtop zitten. Ze aarzelde even en toen haalde ze diep adem.

'Ik heb vandaag een ticket voor je gekocht. Een vliegticket. Ik ga er niet met je over in discussie... ik kan het betalen. Raad eens waar je naartoe gaat?'

Ik staarde haar aan en was niet in staat te antwoorden. Wilde ze dat ik vertrok? Stuurde ze me weg?

'Kun je het niet raden?' vroeg ze. 'Ik dacht dat dat eenvoudig zou zijn.'

Ik zei niets.

'Je bent gek op steden, maar de enige stad waar je ooit bent geweest, is Sydney. Daar ga je niet naartoe, dus die kun je van je lijstje schrappen.'

Ik had geen idee wat zij had gedaan, of wat ik had gedaan dat ze van me af wilde. Ik had geen geld voor een opleiding. Ik had geen vervoer. Voor zover ik het kon zien, had ik niets behalve haar affectie voor mij, een kistje vol as en een zwartwitfoto van iemand die ik meer dan het leven had liefgehad.

'Toe dan, raad maar!'

Ik kon het niet raden. Ik werd weer overvallen door dat nieuwe, overrompelende gevoel, de snelle en onvoorspelbare beweging van gebeurtenissen die op me af kwamen denderen; alsof ik in een auto stapte nadat ik mijn hele leven had gelopen. Ik was ervan uitgegaan dat ik met Chaps in Tasmanië zou blijven, dat zij me het boekenvak zou leren. Dat ik zou leven zoals zij: stil en in mijn hoofd.

'Ik heb een ticket...' – er viel een dramatische stilte en ze liep rood aan, wat ik haar nog nooit had zien doen – 'naar New York voor je gekocht!'

Ik liet het blad los, liet me op mijn hielen zakken en barstte na een moment van totale verwarring in tranen uit.

'Rustig maar. Ik gooi je het huis niet uit, hoor, lieve Rosemary.' Chaps boog voorover en klopte me op mijn schouder en rug. Ze was heel onhandig met liefhebbende gebaren. Haar stem bleef ferm.

'Niet huilen, je moet plannen maken!' zei ze, en ze gaf me de zakdoek die ze altijd in de mouw van haar vest had zitten. Ik had nooit een zakdoek bij me.

Ik veegde mijn gezicht en neus af.

'Goed zo. Als je er even rustig over nadenkt, zul je zien dat je er helemaal aan toe bent. Het beste deel van je leven ligt niet in het verleden. De dood van je moeder is een breuk in je leven, maar je bent niet gebroken. Je kunt de breuk lijmen door te gaan leven, door een ander leven te gaan leiden dan jij of je moeder zich kon voorstellen.'

'Maar ik heb me wel een leven voorgesteld, Chaps,' zei ik met een dikke stem. Dat had ik, maar ik was bang. Banger dan ik me ooit had gevoeld. 'Ik wil weggaan en reizen. Ik wil dingen ontdekken, dingen leren. Maar ik ben bang. En nu heb jij het allemaal voor me geregeld. Je hebt me mijn excuus ontnomen.'

Ik snoot mijn neus in de zakdoek.

'Ik heb niets gedaan behalve de beslissing voor je nemen waar je moet beginnen, Rosemary. En die was gemakkelijk vanwege je plakboek met al die foto's van New York en andere steden. Ik nam aan dat je er altijd al naartoe hebt willen gaan, dat die stad een soort fetisj voor je is geworden; je verzamelt er als sinds je een klein meisje was knipsels van. Ik heb je alleen maar een duwtje gegeven. Je moeder zou hetzelfde hebben gedaan.'

Chaps kreeg nu ook tranen in haar ogen. Maar ze zei krachtig: 'Je moet weg, Rosemary. Je moet naar het buitenland! Dat zou ik hebben gedaan, meid, meteen, als ik de kans had gekregen.'

Ze keek me met troebele grijze ogen aan. Chaps kon heel fel zijn. 'Ik heb die kans nooit gekregen, Rosemary. De kans om echt opnieuw te beginnen, te vertrekken en niet meer terug te kijken. Je moet gaan. Je moet aan je leven beginnen! Dat zou je moeder willen, lieve Rosemary. Dat is wat ik voor je wil. Een grotere wereld. Je weet nu waar je moet beginnen. We hebben nog een paar weken om alles te regelen.'

New York was een droom. Een veelvoud van Sydney, meer kon ik me op dat moment, vanuit het oogpunt van Tasmanië, niet voorstellen van zo'n grote stad. Ik had inderdaad al van kinds af aan een plakboek van New York, maar het boek was ondergeschikt aan de vrijheid die de foto's symboliseerden. Die vrijheid lag in de afmetingen van de stad: een viskom waar je nooit uit kon groeien. Ik had ansichtkaarten met hoge gebouwen erop die afstaken tegen de hemel; scheef invallende lichtstralen die het prachtige interieur van een station of bibliotheek verlichtten. De ruimtes tussen de foto's had ik gevuld met lintjes, knopen en stukjes gekleurd vilt.

Ik had me niet bewust voorgesteld hoe het zou zijn om naar New York te gaan, of naar een andere stad dan Sydney, toen moeder nog leefde. Maar Chaps had de vorm van mijn diepste wens geraden: ik dacht dat mijn vader in een stad woonde. Ik wist niet waar. Een plaats die vrij, anoniem en ver weg was. Het tegenovergestelde van moeder. Vader kon alleen maar vreemd zijn. Onbekend en mysterieus.

Mijn vader was een stad; mijn plakboek een poging hem echt te maken. In de afwezigheid van een echte foto kon elke gezichtloze man op de ansichtkaarten of knipsels hem zijn. Veel van de foto's waren oude straatscènes en moeder zei er altijd over: 'Kijk eens naar al die mannen die een hoed dragen! Dat was nog eens een tijd om een hoedenwinkel te hebben!'

Ze raadde nooit waarom ik die plakboeken maakte... ik wist het zelf niet eens. Mijn vader was in een stad, welke stad dan ook, en ik verzamelde bewijs, aanwijzingen dat hij echt bestond. Hij had lang daarvoor een transformatie ondergaan.

Aangezien moeder me geen enkel tastbaar detail gaf om mee te bouwen, was mijn verbeelding net zo realistisch voor me als feiten dat waren. Ze kende hem nauwelijks en wat ze wel over hem wist, vertelde ze me niet, en zou ze me nooit meer vertellen.

Esther Chapman heeft zo veel voor me gedaan door me zo te laten gaan. Ze moet als lezer van fabels hebben aangevoeld dat ik er een voor mezelf nodig had. Een tegengif tegen catastrofe. Mijn wereld had alle betekenis verloren, zij was de enige die ik nog had, en ze wist dat een stad de remedie zou zijn tegen het beschermde leven dat ik had geleid, tegen het leven dat ik had verloren.

Maar degene die ik ermee tot leven riep, was ik zelf.

Drie

Ik arriveerde 's avonds laat in New York, onvoorbereid op een leven waarvan ik me alleen heel vaag had kunnen voorstellen hoe het zou zijn. Het waaide hard en de landing was ruw. Ik had nog niets van mijn bestemming gezien omdat het zwaar bewolkt was; de grond werd pas enkele seconden voordat de wielen van het vliegtuig het beton raakten zichtbaar. Ik voelde mezelf hard landen, alsof ik op de aarde werd gesmeten.

Ik had driehonderd dollar op zak. Mijn plakboek en de foto van mijn moeder lagen onder mijn kleren in mijn koffer. Chaps had me met tranen in haar ogen twee cadeaus gegeven toen ze afscheid van me nam op het vliegveld: een ketting met groene stenen (de kleur van mijn ogen) waarvan ze me verzekerde dat hij een amulet tegen verder hartzeer was. En een boekje, haar persoonlijke favoriet, zei ze, ingepakt in het blauwige papier van haar winkel. Ik kon het niet openmaken: het pakpapier van Chapman's Boekwinkel was net zo vertrouwd voor me als het behang op mijn kinderkamer, er zelfs een surrogaat voor. Ik zei tegen Chaps dat ik het dicht zou laten tot de dag dat ik wanhopig behoefte zou hebben aan een geschenk. Ik twijfelde er niet aan dat die dag zou komen; op dit moment was de reis het cadeau dat ik nodig had. Ik deed echter wel direct de ketting om. Bescherming tegen hartzeer kon niet wachten.

Moeders as zat in het kistje, dat ik in een oranje sjaal had gewikkeld en op de bodem van een handtas had gezet die ik zo dicht mogelijk bij me hield.

Mijn aankomst was onopvallend. Het regende en de stad

werd erdoor versluierd. Toen de taxi me probeerde af te zetten bij het familiehotel dat Chaps voor me had geboekt, bleek dat niet meer te bestaan. Wat ik niet had kunnen weten, was dat ik in New York aankwam in het laatste jaar van een moeilijk decennium voor de stad. New York zelf begon te ontwaken uit jaren van depressie en in heel veel goedkope hotels woonden permanent mensen op kosten van de staat.

Ik stemde doodsbang met de chauffeur in hem meer te betalen voor een rit verder de stad in naar een hotel waarvan hij wist dat het goedkoop en, volgens hem, veilig was. Het Martha Washington vrouwenhotel had een armoediger adres (29th Street 29, of 30th Street 30, afhankelijk van welke ingang je nam), maar het was open, betaalbaar en er was een kamer vrij. Uit heel weinig bleek dat het ooit een indrukwekkende instelling was geweest, zelfs een goed gedijende, met vele kamers. Het hotel, dat in 1902 was gebouwd, was vervallen. Meer dan zeventig jaar nadat het was geopend waren de bovenverdiepingen gesloten voor renovaties die nooit zouden worden uitgevoerd. Het restaurant was al dertig jaar eerder dichtgetimmerd.

Achter de gehavende receptiebalie zat een vrouw met een koptelefoon op naar een piepkleine zwart-wittelevisie te kijken. Ze was een opvallende donkere verschijning, van een jaar of zestig, met aristocratische gelaatstrekken. Nadat ik haar aandacht had weten te vangen, legde ze met een zwaar Spaans accent de hotelregels uit: een week vooruit betalen, het beddengoed werd een keer per week verschoond, geen gasten op de kamer, niet roken, niet koken, geen herrie.

Ik was niet van plan regels te gaan overtreden. Ik was net achttien, was mijn moeder en mijn land kwijt, kletsnat en zo diepbedroefd dat ik verzoop in mijn natte kleren, zo piepklein en kinderlijk voelde ik me.

Ik betaalde de taxichauffeur, betaalde een week huur en strompelde naar mijn kamer aan het eind van een donkere gang. Ik haalde het Huon-kistje uit mijn koffer en zette het naast mijn kussen.

'Kom terug,' zei ik hardop tegen moeder met een nauwelijks hoorbare en bevende stem. 'Kom naar me toe.'

Ik lag uren wakker van verdriet, angst en het geluid van de auto's die over straat reden, het licht van hun koplampen de kamer in schijnend als bliksemflitsen, hun banden spetterend door gaten in de weg waar zich plassen regenwater hadden gevormd.

Er scheen de volgende dag een hete junizon en het was verrassend heet. Gedurende die vroege zomerweek probeerde ik mijn grijsbruine kamer zo veel mogelijk te ontwijken. Het stonk er vroeg in de middag al. De kamer had één raam met melkglas erin en tralies ervoor, tegenover het bed. Ik moest het dichthouden vanwege de herrie op straat en omdat de wind de geuren van een Indiaas restaurant verderop in de straat tot deze vleugel van het Martha Washington meevoerde.

Ik deelde in eerste instantie een smerige badkamer met twee vrouwen die een kamer hadden op dezelfde gang als ik. Ze hadden net zo goed spoken kunnen zijn. Ze liepen rond, sloegen met deuren en laden, maar ik heb hen allebei alleen maar van achteren gezien... op de aftocht. Ze verdwenen al snel helemaal, een lot waarvan ik vreesde dat het elke nieuweling in de stad was beschoren. Als ik tijdens de heetste uren van de dag in mijn kamer was, had ik het gevoel dat ik zat opgesloten in mijn hachelijke situatie, gevangen in een steeds kleiner wordende kist, met geen enkele ontsnapping behalve slaap. Ik werd vroeg wakker, zorgde dat ik als eerste in de badkamer was en rende er snel weer uit. Mijn leven hing ervan af.

De donkere vrouw van de receptie bleek in het Martha Washington te wonen. Ik hoorde haar in het Spaans praten met een strenge man van wie ik aannam dat hij de eigenaar was en begroette haar elke dag als ik de deur uit ging om de stad te verkennen, net zozeer omdat ik beleefd wilde zijn als dat ik iets hardop wilde zeggen. Maar na een paar dagen zonder reactie gaf ik het op. Ze was óf volledig in beslag genomen door de televisie, óf ze was doof. Of ze had gewoon geen zin om antwoord te geven.

De labyrintische stad lag op me te wachten. Hij verwachtte me. Ik werd erdoor opgeslokt, omringd door een bevolking die druk was en een doel had, een remedie tegen verdriet en tegelijk een katalysator ervan. Ik was zielsalleen en leefde in eerste instantie zonder regelmaat, te gefragmentariseerd en overweldigd om die te kunnen organiseren. Ik zag geen perspectief. Op het overbekende Empire State en het Chrysler Building(motieven in mijn plakboek) na was geen enkel gebouw vertrouwd, maar zelfs die twee panden waren onherkenbaar door mijn gewijzigde perspectief vanaf de straat. Ik vergat te eten en er gingen hele dagen voorbij zonder dat ik een woord hardop zei. En als ik wel sprak, was het vaak niet meer dan een bedankje of een simpel verzoek: 'Mag ik melk in mijn thee?' Mijn eigen stem begon me vreemd in de oren te klinken. Niemand sprak me aan, niemand kende mijn naam en mijn anonimiteit voelde af en toe als een rauw genot in mijn borstkas, vrijheid in de meest letterlijke zin van het woord, terwijl ze op andere momenten een bron van verlammende angst was. Ik wist toen nog niet dat emotie zich over het algemeen op die manier manifesteert: uit tegengestelde richtingen en plotseling, op het moment dat je je er het minst bewust van bent en je het verst van jezelf af staat.

Ik ervoer extreme vervreemding en moest mezelf eraan herinneren dat ik de jonge vrouw was die ik in etalageruiten zag. Ze had geen familie. Niemand wachtte thuis op haar. Toch bestond ze. Ze werd gereflecteerd in het glas, met haar wilde, rode haar overeind alsof het zich was doodgeschrokken.

Ik had geld en werk nodig. Ik moest weten wie ik zou worden. Ik liep steeds grotere rondjes om het Martha Washington, mijn innerlijke kompas steeds gericht op 29th Street. Mijn eigen gezicht was het enige wat me bekend voorkwam en ik was op zoek naar iets anders wat ik herkende te midden van al het nieuwe.

Door een bizar toeval was ik in de textielwijk aan de oostelijke rand van New York terechtgekomen. De straten rond het Martha Washington stonden bekend om hun fourniturenleveranciers en de kleine etalages lagen vol hoeden en petten, pruiken en handtasjes, glinsterend applicatiewerk en allerlei andere fournituren. Het voelde alsof moeder zelf de eerste plek waar ik zonder haar zou wonen had geselecteerd. Het was bijna of ik in de spiegel keek, of ik in Australië was. Moeder en Opmerkelijke Hoeden, de werkplaats van Foys, alles wat ik kende was ver weg, aan de andere kant van alles, en toch werd ik in New York omringd door bekende emblemen.

Ik waagde me steeds verder de stad in en liep zelfs meerdere malen langs de Arcade zonder te beseffen wat het was: de grootste tweedehandsboekwinkel van de stad. Ik kende de reputatie ervan als magazijn van verloren zaken niet: boeken die iemand ooit had gehad, maar nu kwijt was, of nooit had gehad, maar heel graag wilde hebben. Ik had niets van Herman Melville gelezen, ik kende alleen zijn beroemde naam (gewoon een van de vele uit de nogal beperkte voorraad bij Chapman's). En ik wist al helemaal niets over de waarde van zeldzame manuscripten. Ik dacht dat alle boekwinkels op elkaar leken. Maar de Arcade behoorde tot een heel andere categorie en aangezien ik toen in alle opzichten hopeloos verdwaald was, bleek hij onweerstaanbaar toen ik er eenmaal voet over de drempel zette.

De charme van de Arcade is vreemd absoluut, maar die dag was hij ook intens persoonlijk. Toen ik de winkel binnen kwam, liep ik recht in een beeld uit mijn verzameling ansichtkaarten, in een foto uit mijn plakboek. Ik stond in een ruimte waarvan ik had gedacht dat ze denkbeeldig was. Ik had wat dat betreft de onmiskenbare indruk dat ik de Arcade te voorschijn had getoverd, hem had gematerialiseerd, als een lap stof die was geweven uit een onuitgesproken behoefte.

Als je eenmaal door de onopvallende ingang bent binnengetreden, gaat het plafond in een enorme boog omhoog naar de achterkant van de winkel, een uitgestrekte ruimte die je blik naar boven trekt op zoek naar nog een firmament. Dat is er natuurlijk niet; het plafond is gewoon een holle, stoffige koepel, als de binnenkant van een schedel. (Beide zijn kluizen, schatkamers vol kennis.) Hoe kan zo'n onopvallend portaal de ingang zijn van zo'n indrukwekkende ruimte? Ik werd plotseling overvallen door het gevoel dat ik er naar binnen was gelokt.

Je moet begrijpen dat de Arcade een stad op zichzelf is; een eiland. Dat boekwinkels dat zijn, is wat altijd wordt gehoopt, maar de Arcade is de belichaming van de oorspronkelijke wens achter al die hoop. New York werd plotseling een realiteit toen ik de winkel binnen liep. De Arcade was bevolking, massa, de belichaming van een stad. Boeken stonden er opgestapeld als krioelende New Yorkers, onzichtbaar in hun gebouwen, maar nuttig als bijen in hun korf. Ik was het gezoem van het leven, dat uit de menigte voortkwam die de stad vulde, gaan ervaren, maar het zoemende leven in de Arcade klonk betrouwbaarder. Chaps had altijd tegen moeder en mij gezegd dat boeken verstand op een plank waren. Hier was dat zo, boeken leken geen levenloze objecten, er straalde een soort leven uit de stapels die op de tafels voor me lagen.

Ik liep naar een overvolle tafel en legde mijn hand op de stapel die het dichtstbij stond, luisterend, wachtend. Ik weet het nog precies. En opening, een begin. Ik moet hier werken, dacht ik. Ik ga hier werken. Het was minder een uiting van vertrouwen dan van wanhoop. Ik verraste mezelf ermee.

Ik keek om me heen in het zachte, gedimde licht. Ik schrok niet van de slordige willekeur in de Arcade, van de kleine stukjes orde in de meer algemene chaos; van het vuil, de stilte en af en toe een uitbarsting van plotseling geluid. Of van de onvaste positie van de stapels boeken, die de zwaartekracht leken te tarten en voorover leken te hellen naar een gevoeld maar ongezien centrum. Ik was thuis. Stofdeeltjes dwarrelden door het weinige zonlicht dat er door de vieze ramen naar binnen scheen. Enorme gedimde lampen hingen aan zware kettingen boven de geconcentreerd voorovergebogen hoofden van de klanten.

Ik draaide me naar de ingang om te controleren of het buiten echt die gewone zonnige dag eind juni was. Het was binnen koel en onverklaarbaar tijdloos.

Ik liep over een paadje dat tussen stapels boeken door slingerde; je kon er alleen voetje voor voetje overheen, een paar centimeter per stap in een poging de opgestapelde titels te ontwijken die er tegen planken leunden die vol stonden met boeken waarvan je alleen de rug kon zien. Ik bleef staan bij een verhoging, een oase van ruimte in de chaos. Er stond een kleine man achter de eikenhouten reling en hij torende op zijn podium boven de langste klant uit. Hij stond oude boeken van een prijsje te voorzien, maar zijn lichaamstaal leek meer op die van een priester achter een spreekgestoelte. Op het koperen naambordje dat vanaf zijn eikenhouten bureau de winkel in glansde, stond: GEORGE PIKE, EIGENAAR.

Zijn gebaren waren geoefend en repetitief. Aan Pikes linkerzijde stond een stapel boeken. Hij pakte een boek van de stapel en bestudeerde fronsend de band op scheuren en beschadigingen. Toen sloeg hij het boek snel en behendig open op de titelpagina. Zijn blik bestudeerde het auteursrecht en zijn duim ging snel langs alle pagina's van het boek. Aan het eind gekomen sloot hij het boek en opende het weer op de eerste pagina. Hij pakte een potlood van achter zijn oor en schreef in krullend filigrein iets in de rechterbovenhoek. Hij stak het potlood weer achter zijn oor en wreef met zijn wijsvinger onder zijn neus. Toen verdween de frons van zijn voorhoofd. Hij legde het boek aan zijn rechterzijde en nu hij het had geprijsd, reikte hij onmiddellijk naar een nieuw van de linkerstapel.

Hij herhaalde de bewegingen als een enkel gebaar, elke serie identiek. Het gebeurde onbewust; een ruwe magie. Er leek geen ruimte te zijn voor overweging, voor het afwegen van verschillende mogelijkheden. Pike leek de enige arbiter, het hart van de onderneming.

Ik had mezelf plechtig beloofd dat ik in de Arcade zou gaan werken en Pike was overduidelijk de kapitein. Ik wilde in de buurt zijn van zulk meesterschap, van zulke zekerheid. Ik greep het bestaan van de plek aan als een boei die midden op open zee drijft.

'Pardon, meneer. Ik ben Rosemary Savage,' zei ik tegen Pike. Mijn eigen accent klonk vreemd, nasaal in mijn oren.

Hij was er niet aan gewend te worden gestoord. Ik sprak snel verder, geschokt door mijn eigen overmoed, door de scherpte van de wanhoop die me vooruitduwde.

'Ik heb al eerder in een boekwinkel gewerkt, meneer Pike. En ik moet hier werken.'

Hij keek op van zijn taak om mijn aanmatigende gedrag te registreren. Zijn opgetrokken wenkbrauwen waren het enige teken van belediging op zijn nogal alledaagse gezicht. Hij was een anachronisme. Zijn gestreepte gilet, zijn overhemd dat boven de ellebogen met bandjes zat opgerold, alles suggereerde een man die zijn kleding al tientallen jaren niet had gewijzigd. Hij had een wasachtige snor, een teint donkerder dan zijn witgrijze haar, en hij streek er met een vinger overheen voordat zijn wenkbrauwen weer zakten en hij naar het boek in zijn hand staarde.

'Moet je hier werken?' zei hij met een vreemd ijle stem. Het leek alsof hij tegen het boek sprak in plaats van tegen mij, alsof hij het brutale ding vroeg of het echt zo veel lef had. 'Denk je dat ik die vraag zelden krijg?' vroeg hij het boek.

Ik wist niet wat ik moest zeggen. Er stond al te veel op het spel. Ik keek naar hem op en gokte dat zijn verhoging hem ruim zestig centimeter boven de rest van de ruimte uit deed torenen. Ze was ontworpen om de vloer in een bepaalde hoek te raken, de hoogte te maskeren en het doel te verhullen. Het was een podium. Pike was zo te zien een kop kleiner dan ik met mijn een meter vijfenzeventig, maar dat dat tot me doordrong, maakte hem niet minder imposant. Hij doemde boven me op, geflankeerd door boeken.

Ik had mijn toekomst in Pikes handen gelegd en ik vraag me nu af of hij dat ook besefte. Er viel een lange stilte terwijl hij zijn litanie van gebaren maakte. Die bewegingen waren klaarblijkelijk het proces dat hij nodig had om de prijs van een boek vast te stellen, alsof hij zichzelf er zo op instelde om de waarde te kunnen bepalen.

Hij legde het boek rechts van zich neer.

Ik wachtte. Ik haalde diep adem.

'Wat we hier nastreven, is de milde verveling van orde. Probeer niet overdreven interessant te doen, juffrouw.' Hij las me net zo eenvoudig als het boek dat hij had neergelegd. 'Zoek de poëzieafdeling en zet alles wat nog op de vloer ligt op de plank.' Hij maakte een afwijzend handgebaar. 'Je zult wel rijp zijn voor poëzie,' voegde hij er met een lagere stem aan toe.

Nam hij me nu ter plekke aan?

'En alfabetisch op dichter, denk erom. Alleen op dichter. Geen geneuzel met redacteuren en vertalers... dat is allemaal poppenkast. Je alfabetiseert op dichter of George Pike neemt je niet aan. En alle anthologieën moeten eruit. Alfabetisch, verder niets. Sommige dingen moeten voorspelbaar blijven.'

Ik had zijn woorden ademloos gevolgd, ondanks het feit dat ze niet tot mij leken gericht. Had hij nou gezegd dat ik rijp was voor poëzie?

'Eh, ja, meneer. Meneer Pike, eh, alfabetisch, geen probleem.'

'Zorg dat je de poëzieafdeling vindt en dan komt de manager zo kijken of je geschikt bent.'

Hij pakte een nog niet geprijsd boek van de linkerstapel.

Ik haastte me verder de Arcade in en vond de poëzieafdeling halverwege een toren die gevaarlijk dicht naar de toiletten leunde, in een hoek van het pand. Ik begon direct aan het sorteren van boeken die zo te zien nooit in een bepaalde volgorde op de plank waren gezet. De sectie begon op ooghoogte. Erboven stonden boeken over het occulte. De nevenschikking van onderwerpen kwam op me over als opzettelijk en maar zelden alfabetisch. Ik moest om bij een plank te kunnen over een hoge stapel boeken op de vloer leunen, waardoor het onhandig was de boeken te verplaatsen en ik mijn armen onnatuurlijk ver uit moest strekken. Ik besloot kleine stapeltjes van de plank te pakken en ze zittend op de vloer te ordenen. Dat had ook geen zin, aangezien ik alles wat ik had gealfabetiseerd steeds opnieuw moest indelen, waardoor het leek alsof ik alleen maar een beetje stond op te ruimen. Werd mijn geduld getest, werd er gekeken of ik hier echt wilde werken, kreeg ik een praktijkles in hoe overweldigend het was om ook maar in een klein deel van de boeken in de Arcade enige orde aan te brengen?

Ik had na een halfuur nauwelijks één plank geordend en stond met mijn rug naar het pad een paar boeken van de plank los te wrikken toen ik ineens het gevoel kreeg dat er iemand naar me stond te kijken. Ik hoorde lispelend gefluister en draaide me om. De boeken vielen uit mijn handen.

Nog geen zestig centimeter van me vandaan stond een albino van wie ik de leeftijd moeilijk kon schatten. Zijn ogen maakten willekeurige bewegingen achter zijn knijpbril. Ik werd meteen getroffen door zijn blik, die niet was te vangen. Hij deed een stap naar achteren en stootte een stapel boeken om die ik apart had gezet. Hij negeerde zijn eigen onhandigheid en reageerde geoefend onverschillig op mijn schrik. Ik had nog nooit zo iemand gezien, noch een gezicht dat zo verdedigend minachtend stond.

'Walter Geist, manager van de Arcade,' fluisterde hij terwijl hij zich omdraaide. 'Meekomen.'

Ik raapte de boeken die ik had laten vallen op, propte ze op de plank en haalde mijn achterstand op hem in terwijl zijn schouder achter een stapel boeken op de hoek van een pad verdween.

Terwijl ik die curieuze figuur volgde fantaseerde ik dat hij de belichaming was van hoe iemand eruit zou zien als hij in de Arcade was geboren en de halfduistere ruimte nooit had verlaten. Dan zou al je pigment verdwijnen en je ogen zouden worden verpest door het zwakke licht, tot je alleen nog maar passief als een platvis op de bodem van de oceaan zou liggen.

Geists witte oren deden me terwijl ik zo achter hem aanliep, denken aan een delicaat zeewezen dat plotseling aan licht wordt blootgesteld, kwetsbaar en naakt. Het leek wel of hij een beetje verdween, alsof hij zich instinctief terugtrok uit het licht om te voorkomen dat hij werd opgemerkt. Ik vond hem tegelijk fascinerend en angstaanjagend, tegengestelde gevoelens die ik altijd bij hem zou blijven houden. Nu ik hem daar in mijn herinnering weer volg, voel ik opnieuw de trekkracht van zijn vreemdheid, die schok die aantrok.

Hij ging me voor naar een kantoortje helemaal achter in de winkel, als een rif hoog in een hoek van het enorme plafond gebouwd. Ik volgde hem een smalle houten trap op. De gammele leuning zat los.

'Hier wachten.' Hij wees naar de overloop voor de deur naar het kantoortje.

'Ik heet Rosemary, meneer Geist. Rosemary Savage,' zei ik, moe van de anonieme manier waarop hij tegen me sprak. Ik stak mijn hand naar hem uit; dat leek me gepast, zelfs dapper, ik had het Amerikanen zien doen. Zijn handen bleven strak achter zijn rug verborgen. Hij liep het kantoortje in en kwam er met een stapeltje formulieren in zijn hand weer uit.

'Als je deze even wilt invullen. In blokletters graag.'

Hij gaf me een pen en tuurde naar de activiteit op de benedenverdieping. Gezien vanaf die overloop hoog in de ruimte was de chaos in de Arcade overduidelijk, met uitzondering van Pikes eiland, waar zijn bewegingen wel gechoreografeerd leken, een kleine flikkering geconcentreerde activiteit. Ik leunde over de reling en volgde de beweging van Geists hoofd om te zien wat zijn aandacht trok. Een dikke man zat in een door stapels boeken gevormd doodlopend steegje op de vloer, zijn benen wijd als die van een peuter. Hij zat met zijn ene hand de bladzijden van een boek over fotografie om te slaan en de andere lag verborgen onder de zware kaft, die open op zijn schoot lag. Ik kon zelfs vanaf de overloop zien dat hij naar naaktfoto's zat te kijken.

'Waar kijk je naar?' vroeg Geist.

'Eh, naar waar u naar keek,' zei ik nerveus.

'Dat bedoel ik niet,' zei hij. 'Wat zie je?'

Ik beschreef de dikke man die de foto's zat te bestuderen.

'Arthur!' schreeuwde Geist over de reling naar beneden. 'Jij zou die boeken op de plank zetten.'

'Ik bekijk alleen de inventaris even, Walter,' antwoordde Arthur sardonisch met zijn duidelijk gearticuleerde Britse accent.

Hij keek naar me op en duwde een dikke wijsvinger tegen zijn lippen om me tot stilte te manen. Had ik hem verklikt?

Kon Geist niet zien wat ik had gezien? Arthur wendde zich weer tot zijn naakten en de hand onder de boekenkaft bewoog ritmisch.

Geist stampte ongeduldig met zijn kleine voet en ik zag dat hij elegante, glanzende laarzen droeg; hun gladde zwarte neuzen staken onder zijn broekspijpen vandaan als de glanzende koppen van kleine zeehonden.

'Meneer Geist, heeft u misschien iets hards om onder het papier te leggen?' vroeg ik; ik had moeite leesbaar te schrijven zonder de ondersteuning van een bureau. Ik wilde hem en mezelf bovendien afleiden van Arthur.

'Nee,' antwoordde hij met zijn beweeglijke blik nog steeds over de gammele reling naar beneden gericht. Hij zette zijn bril af, stak hem in zijn borstzak en bleef staan wachten tot ik het formulier had ingevuld, zijn houding net zo huiveringwekkend als zijn uiterlijk.

Nu ik dichter bij hem stond, zag ik dat Geist niet zo oud was als ik in eerste instantie had gedacht, hij was misschien twintig jaar jonger dan Pike, achter in de veertig. Geist was een onvoltooide versie, een slechte kopie van de meesterlijke Pike, maar net zozeer een wezen uit een andere tijd. Alles aan hem was ziekelijk bleek. Zijn haar was wit en wollig, de schaapachtige uitweg uit zijn zachte gezicht. Zijn kleren waren minder perfect verzorgd dan zijn laarzen; zijn broek was een beetje sleets rond de zakken. Ik vulde de formulieren in en gaf ze aan hem terug.

'Je begint morgenochtend om negen uur,' instrueerde hij me zonder de indruk te wekken dat hij me aansprak, een tactiek die hij misschien van Pike had overgenomen.

'Je werkt tot zes uur. Je gaat voorlopig als factotum werken. Dat betekent dat je niet op een bepaalde afdeling werkt, aangezien je geen expertise hebt, maar dat je de taken uitvoert die je worden opgedragen. Je gaat geen klanten helpen, die zou je alleen maar frustreren met je onwetendheid.'

'Ik heb al eerder in een boekwinkel gewerkt, meneer Geist,' zei ik verdedigend.

Hij zette zijn bril weer op, de rand tussen de rimpels in zijn voorhoofd. Hij moest fronsen om hem op zijn plaats te houden. Of hij fronste omdat hij me onbeschoft vond. Hij leunde naar mijn gezicht toe en zijn neusvleugels gingen open terwijl hij mijn geur leek op te snuiven.

'Niet in deze, juffrouw Savage,' zei hij. 'En onderbreek me niet. Je verdient zeventig dollar per week. Om een voorschot vragen heeft geen zin. Zijn er nog vragen?'

'Nee,' zei ik, bang mijn baan te verliezen.

'Mooi. Er is één arbeidsvoorwaarde die je goed moet begrijpen.' Geists roze oren schoven een stukje naar achteren. 'George Pike tolereert geen diefstal van geld of boeken. Als er een vermoeden van diefstal is, volgt ontslag op staande voet.' Die laatste waarschuwing werd nadrukkelijk gefluisterd.

Ik zag zijn woorden later op een poster staan in de damestoiletten en bij de klok waar alle werknemers aan het begin en einde van de dag klokten. Er hing ook zo'n poster, precies in de zichtlijn, aan de muur boven de trap die naar de grotachtige kelder van het pand leidde. Het lezen van de verklaring voelde alsof ik herhaaldelijk op mijn donder kreeg, en herinnerde werkgevers en personeel er paradoxaal genoeg aan dat diefstal op een bepaalde manier als vanzelfsprekend werd gezien.

Toen ik op weg de winkel uit langs het podium liep, riep George Pike me, op de hem typerende wijze in de derde persoon naar zichzelf verwijzend: 'George Pike tolereert geen diefstal van geld of boeken!'

Ik zou nog ontdekken dat diefstal echt een probleem was. De Arcade werd regelmatig geteisterd door winkeldieven, maar wat nog erger was: er waren meerdere schandalen geweest waarbij belachelijk duur geprijsde boeken waren betrokken. Hun herkomst was fictief gemaakt om ze aantrekkelijker te maken, een proces dat Pike creatief taxeren noemde. Die schandalen trokken alleen maar meer klanten, zowel verkopend als kopend. Met andere woorden: de Arcade leed onder diefstal, maar profiteerde er evengoed van.

'Waarom zeg je me geen gedag meer?' vroeg de donkere dame bij de receptie toen ik het Martha Washington binnen liep. Ze had haar koptelefoon afgezet en ik hoorde blikkerig gejammer, het geluid van stripfiguren die striptaal spreken.

'Het spijt me,' zei ik in een poging vriendelijk te blijven, 'maar ik ben ermee opgehouden omdat je nooit iets terugzei. Toen heb ik het opgegeven.'

'Je moet niet opgeven!' zei ze raadselachtig. 'Je bent hier net. Dat is wat er kan gebeuren in New York. Dat je het opgeeft. Ik weet er alles van. Ik kom uit Argentinië. Het hotel is van mijn broer. Ik heet Lillian. Lillian La Paco. Blijf alsjeblieft hallo zeggen, juffrouw. Je bent de enige die dat doet.'

'Prima, Lillian,' beloofde ik. 'Ik ben Rosemary,' waarop ik voor de tweede keer die dag mijn hand uitstak, maar deze keer werd hij aangenomen.

'Rosemary Savage,' zei ik tegen haar terwijl we elkaar de hand schudden. 'Leuk je te leren kennen, Lillian, en ik zal hallo tegen je blijven zeggen. Ik ben absoluut niet van plan het op te gaan geven. Ik heb net een baan gekregen. Mijn eerste echte baan.'

'Aha,' zei Lillian met een alwetende blik in haar ogen. 'Dan gaat het beginnen!'

'Ja,' knikte ik, tevreden met haar aankondiging. 'Ja, nu gaat het allemaal beginnen.'

Ik liep naar mijn kamer aan het eind van de gang en deed de deur op slot. Ik had bij een kraampje een pond kersen gekocht om te vieren dat ik werk had en zat er op het eenpersoonsbed van te genieten. Ik voelde me optimistisch; ik voelde weer lucht in mijn leeggelopen lijf.

Nu ik werk had, zou het vast wel iemand opvallen als ik op mijn achttiende tragisch zou komen te overlijden doordat ik, laten we zeggen, was gestikt in een kersenpit. Ik kon stoppen met fantaseren over de gruwelijke dingen die me konden overkomen en Chaps een brief schrijven om zowel haar als mezelf gerust te stellen. Ik hoefde niet langer over straat te dwalen op zoek naar een teken. Ik had al meer gevonden dan ik me had kunnen voorstellen.

Ik trok het Huon-kistje onder zijn zijden doek vandaan en vertelde wat er die dag was gebeurd: hoe vreemd, maar imponerend Pike was; hoe bizar Geist was en dat ik nu al zeker wist dat hij me niet aardig vond; Arthur, die als een grote obscene baby met zijn naakten op de kunstafdeling zat.

Ik miste moeder met een intense pijn die ik alleen kon verdragen door me ervan los te maken. Een pijn die zo diep ging dat ik hem begon te zien als een scheef invallende lichtstraal, die voelde alsof hij ineengedoken aan een kant mijn lichaam in schoot. Als ik de pijn in een soort transparante globe kon opsluiten, zou ik er niet door worden overweldigd. Als ik niet naar het hele duistere geheel zou kijken, kon ik ertegen. Tegen haar praten hielp. Chaps had tegen me gezegd dat ik woorden aan mijn verdriet moest geven.

Ik kuste het gladde Tasmaanse hardhout, zette het weg en ging achterover tegen de kussens zitten om van de rest van de kersen te genieten. Ik spuwde een pit de kamer in, mikkend op de metalen emmer die dienstdeed als prullenbak, en ik hoorde een bevredigende tik toen ik doel trof.

'Dit is het begin,' zei ik tegen moeder. 'Als jij je geen zorgen maakt, doe ik het ook niet.'

Ik moest naar mijn werk; ik werd om negen uur verwacht. Ze zouden Rosemary Savage daar kennen en het zou opvallen als ik zou verdwijnen. Ik was een inwoner van een grote, misschien wel de grootste, stad. En nog beter: ik zou altijd genoeg boeken te lezen hebben.

Vier

De Arcade had een geheel eigen logica en werd bestuurd door een reeks arbitraire regels die was bedacht en werd uitgevoerd door George Pike. Paperbacks werden niet op de plank gezet. Als ondergeschoven kindjes van de hardcovers werden ze nooit op de plank gezet, maar op een berg op tafels bij de ingang gesmeten en lukraak geprijsd: één dollar vijftig, of het nu fictie of geschiedenis betrof, een boek van duizend pagina's of nog geen honderd.

Pike hield niet van nieuwigheid. Een 'nieuw' boek (een dat de afgelopen twee jaar was gepubliceerd en in een harde kaft uitgegeven) kwam niet over zijn eikenhouten tafel, maar werd direct naar de enorme kelder met laag plafond gestuurd om er door Walter Geist te worden geprijsd. Pike gaf niets om die boeken, hoewel hij wel dagelijks een overzicht van de acquisitie ontving, voor een kwart van de uitgeversprijs, en de verkoop, voor de helft van de uitgeversprijs. Als iemand dus een boek aanbood dat de uitgever voor zestien dollar had verkocht, gaf Geist de aanbieder daar een kwart van, vier dollar, en dan stond het in de kelder van de Arcade voor acht dollar te koop.

Hij had elk boek met harde kaft in de Arcade een keer in zijn handen gehad en herinnerde zich meer van die boeken dan menselijk mogelijk leek.

Pike had een flinke staf van excentrieke medewerkers, en het bleef een mysterie waarom hij mij had aangenomen. Ik was niet excentriek, tenzij het feit dat ik een achttienjarige wees uit Tasmanië was, me dat maakte. Een flink aantal van de werknemers bij de Arcade had bovendien nogal buitensporige ambities. De staf bestond uit mislukte schrijvers, dichters, musici en zangers en werd gekenmerkt door de klerkachtige frustratie van degenen die niet worden erkend, die niet worden gepubliceerd. De duizenden boeken die bij de Arcade werden verkocht, staken in het bijzonder de draak met literaire aspiraties. De niet-meer-in-druk zijnde status van het grootste deel van de inboedel was aanvullend bewijs van de onzinnige droom werk gepubliceerd te krijgen. De Arcade had, als monument aan de letterkunde, de sfeer van een graftombe.

'Je werkt vanochtend bij Oscar Jarno op non-fictie,' dirigeerde Geist me op mijn eerste werkdag. 'En je voert zijn opdrachten uit.'

'Dat komt wel goed, Walter,' zei Oscar met zijn milde en zelfverzekerde stem.

Hij was geluidloos naar ons toe komen lopen. Hij glimlachte en tikte bijna zonder dat ik het voelde mijn arm aan. Ik was onder de indruk van hoe hij eruitzag en geraakt door zijn gebaar, het eerste vriendelijke sinds ik er voor het eerst was binnengekomen. Oscar had bijzondere ogen, ze waren koperkleurig en groot; warm als de zon die het hart van de Arcade nooit bereikte.

'Let maar niet op Walter,' vertrouwde Oscar me toe terwijl hij me wegleidde van de manager en met me naar het achterste deel van de winkel liep, met mijn elleboog in zijn hand. Zijn aanraking deed me naar adem snakken; ik wilde geen woord dat hij zei missen.

'Hij kan er niets aan doen dat hij zich zo overdreven gedienstig gedraagt,' ging Oscar verder. 'Walter moet het gevoel hebben dat hij alles onder controle heeft. Je moet een beetje toegeeflijk naar hem zijn.'

Ik had meteen het gevoel dat Oscar Jarno me in vertrouwen nam. Toen we bij de non-fictieafdeling waren aangekomen, liet hij mijn elleboog los, en hij duwde zijn vinger tegen zijn bleke voorhoofd, boven zijn slaap, alsof hij een beetje hoofdpijn had.

'Je blouse is gemaakt van een soort gewaste taf dat hier niet gemakkelijk is te krijgen. Mag ik even kijken hoe het de verf opneemt?'

Hij voelde zacht aan mijn mouw en ik had er op dat moment alles voor over om zijn aandacht vast te houden.

'Prachtig,' zei hij terwijl hij me aankeek. 'Het is faille.'

Oscar was iets langer dan ik en op een poëtische manier aantrekkelijk. Zijn hoofd had een perfecte vorm, alsof het was gebeeldhouwd, en het contrast van zijn gouden ogen tegen zijn bleke huid was dramatisch. Verder was er weinig dramatisch aan hem – hij sprak zacht en gearticuleerd – maar zijn gezicht trok me als een magneet aan: zijn gladde jukbeenderen, het brede voorhoofd boven expressieve ogen.

Toen ik hem leerde kennen, werkte Oscar al vijf jaar bij de Arcade. Omdat hij stil en betrouwbaar was, was Pike gaan accepteren dat hij alleen op de non-fictieafdeling werkte en dat alles wat Oscar deed in die buitenwijk van twaalf hoge kasten gedaan werd met een minimum aan opwinding. Oscar had flink wat fans onder de klanten. Hij bracht het grootste deel van zijn werkdagen op een kruk door, schrijvend in een zwart schrift, en hij hoefde nooit zware boekendozen in of uit te laden. Niemand stelde vragen bij zijn speciale status.

Hij wist heel veel over heel veel onderwerpen, maar textiel was zijn persoonlijke hobby. Zijn moeder was kleermaakster geweest en had hem de naam en eigenschappen van de verschillende stoffen geleerd.

Pike maakte nu en dan gebruik van Oscars kennis; hij verzocht hem zeldzame banden te bekijken en een uitspraak over de herkomst te doen, of hij vroeg hem hoe ze het best konden worden gerepareerd. Oscar had ervaring met restauratiewerk en esoterische materialen als velijn. Ik ging tijdens de dagen dat hij me opleidde al snel inzien hoe waardevol hij voor de Arcade was. Pike riep Oscar vanaf zijn podium, en ik liep achter hem aan terwijl hij zich ernaartoe haastte (Oscar bewoog alleen snel als hij door Pike werd geroepen).

'Oscar,' zei Pike scherp terwijl hij naar een klant gebaarde, die bij zijn podium stond met een boek in zijn handen.

'Dat is *Het hofleven in het oude Frankrijk*, dat op weg terug zou moeten zijn naar de afdeling zeldzame drukken om te worden gerepareerd, maar het is ontvoerd door deze kerel. Hoewel ik het risico loop dergelijk gedrag ermee te stimuleren, vraag ik je het te bekijken.'

Klanten probeerden altijd boeken te snaaien voordat Pike de kans had gehad ze te taxeren, voordat ze een waarde en categorie toegewezen hadden gekregen. Die klanten wilden ongetwijfeld geloven dat ze iets hadden ontdekt wat meer waard was dan Pike besefte.

Oscar nam het boek terwijl ik toekeek voorzichtig in zijn handen en bestudeerde het gehavende bindwerk met een glimlach rond zijn mondhoeken. Oscar was mager. Zijn huid was zo fijn en droog dat hij een heel klein beetje geluid maakte als Oscar in een bezorgd gebaar met zijn hand over zijn voorhoofd streek. Hij had donker haar en een wijkende haarlijn en ik zou al snel gaan genieten van de manier waarop er daardoor meer van zijn opmerkelijke gezicht te zien was.

'Het is ingebonden in Chardonnet-zijde,' zei Oscar met een zachte gezaghebbende stem. 'Zo genoemd naar de Franse chemicus die het proces heeft uitgevonden waarmee die wordt geproduceerd.'

Pike kneep waarderend zijn oogleden halfdicht, blij met de gelegenheid het versleten boek overdreven duur te kunnen verkopen door wat Oscar er net over had gezegd.

'De eerste Chardonnet-zijde is in 1891 commercieel geproduceerd in Frankrijk,' voegde Oscar er overbodig aan toe, aangezien de klant het al bezitterig uit zijn handen stond te trekken.

'Dank je, Oscar,' zei Pike, waarmee hij hem wegstuurde.

Pike reikte naar beneden van zijn podium en nam het boek van de klant aan. Toen voerde hij automatisch zijn ritueel uit – hij bladerde naar de titelpagina, keek naar de auteursrechten, ging met zijn duim langs alle pagina's van het boek, sloeg het dicht, opende het weer op de eerste pagina, pakte een potlood van achter zijn oor – en zette er een nieuwe prijs in. Toen gaf hij het terug aan de klant.

'Dit is schandalig, Pike!' zei de man razend. 'Dit is diefstal!'

'Rosemary,' fluisterde Oscar toen we terugkwamen op zijn afdeling, 'weet jij wat de gangbare naam voor Chardonnet-zijde is?'

'Nee,' zei ik op mijn hoede. 'Ik heb geen idee.'

'Kunstzijde,' zei hij terwijl hij een lach onderdrukte. 'Die wordt gemaakt van geëxtrudeerde houtpulp. Het is natuurlijk helemaal geen zijde. Help me herinneren dat ik je de geschiedenis van zijde vertel.'

Hij legde zijn fijne, smalle hand over zijn mond, ging op zijn hoge kruk zitten, pakte zijn zwarte schrift en begon snel iets op te schrijven.

Oscars gezicht was net van laagjes papier-maché gemaakt, waardoor het uitdrukkingsloos werd als hij zat te schrijven. Hij leek wel een levensgrote marionet; een groot welgevormd hoofd op een zacht, dun lichaam. Als Oscar naar me keek, gloeiden zijn ronde ogen alsof ze licht reflecteerden, maar ik kwam er uiteindelijk achter dat dat een trucje was dat zijn stralende oogkleur met je uithaalde. Zijn irissen waren echt goudkleurig.

Een ander trucje dat Oscar vaak gebruikte om een gesprek met je te kunnen aanknopen, was zeggen dat je interessante kleding droeg. Hij had een gereserveerde aard, was flegmatiek, maar wist heel goed dat aandacht voor iemands kleding de drager ervan vleide. Ik neem aan dat hij dat van zijn moeder, de kleermaakster, had geleerd.

Oscar was gewild bij vaste klanten die op zoek waren naar een ingewijde die voor hen opkwam, iemand uit de staf die iets speciaals voor hen wilde doen en geheimen met hen deelde. Oscar speelde altijd in beide teams.

De Arcade werd dagelijks bezocht door meerdere bibliofielen die obsessief op zoek waren naar nieuwe aanwinsten; boeken die op een stapel lagen te wachten om op de plank te worden gezet nadat Pike er een prijsje in had gezet. Oscar was vooral populair bij twee rivaliserende kenners van de Amerikaanse Burgeroorlog, die hem probeerden te paaien met koffie en af en toe een lunch. Er verschenen weleens kleine in stof ingepakte pakketjes (net Chinese wenskoekjes), steekpenningen voor het achterhouden van boeken voor de verkoop. Oscar was niet speciaal geïnteresseerd in de Burgeroorlog, behalve dan in de uniformen, maar hij wist welke boeken er op zijn afdeling stonden en kon onderlegd discussiëren met verzamelaars uit verscheidene vakgebieden: geschiedenis, biografie, filosofie, antropologie, wetenschap.

Ik koos er bewust voor om te trachten hem te evenaren. Oscar was intelligent en het meeste wat hij las of hoorde, bleef hem bij. Hij schreef alles op. Ontvankelijk als ik was, begon ik ook met een schrift rond te lopen, vastberaden dezelfde opmerkzame houding als Oscar aan te nemen.

Ik kan me als ik nu in dat schrift lees, alles nog herinneren uit die dagen, mijn eerste maanden in de stad, mijn tijd als leerling. Mijn herinnering aan dat meisje is glashelder: ze was zo ongevormd, zo gretig, dat ze elk detail verorberde, het door haar lichaam liet absorberen als ze dacht het later te kunnen gebruiken, als ze vermoedde dat het haar tot steun zou kunnen zijn als haar wereld, nog een keer, in duigen zou vallen.

Lillian en ik begonnen langzaam vriendinnen te worden in het Martha Washington, stapje voor stapje, want ze was prikkelbaar.

'Waar zit je naar te kijken, Lillian?'

'Ik zit niet te kijken, Rosemary,' antwoordde ze, en haar ogen keken heel even weg van het televisiescherm.

'Het ziet er wel uit alsof je zit te kijken,' waagde ik.

'Schijn bedriegt. Vooral hier. Ik zit niet te kijken, ik zit na te denken. De televisie helpt me nadenken, en soms helpt hij me om niet na te denken.'

'Ik begrijp niet hoe je kunt nadenken met dat ding op je hoofd en het geluid zo hard.'

'Ik heb het geluid nodig. Mijn oren zijn slecht. Maar ik zit toch na te denken,' zei ze terwijl ze haar koptelefoontje af zette.

'Waar denk je dan aan, Lillian?' vroeg ik. Ik wilde haar leren kennen, ik had behoefte aan een vriendin. Ze was iets ouder dan moeder, maar jonger dan Chaps. Ze was de enige die ik buiten de Arcade kende en de eerste die ik in New York had ontmoet.

Lillian slaakte een enorme zucht en sloot haar ogen tegen de tranen die erin opwelden. 'Ik kan niet vertellen waaraan ik denk,' zei ze met een geëmotioneerde stem.

Ik kon niet bevroeden wat ik had losgemaakt met mijn vraag. Ik wilde mijn excuses aanbieden, verward en gegeneerd dat ik per ongeluk zo achteloos was geweest, dat ik haar overstuur had gemaakt. Maar Lillian riep zichzelf zichtbaar tot de orde, concentreerde zich op de televisie, en haar gezichtsuitdrukking veranderde snel in een van minachting.

'Nou,' zei ze terwijl ze haar neus ophaalde, 'wat ik bijvoorbeeld denk als ik naar de televisie kijk, is dat Amerikanen dom zijn!'

Ze gebaarde naar de kleine televisie.

'Ik vind Amerikanen helemaal niet dom,' zei ik, en ik

dacht aan Pike en Oscar. 'Ik werk in een enorme boekwinkel en het wemelt daar van de briljante Amerikanen. Lezers!'

'Pff,' zei Lillian glimlachend, hersteld doordat we van onderwerp waren veranderd, door haar gevoel voor humor. 'Je denkt alleen maar dat ze briljant zijn,' ze imiteerde mijn accent, 'omdat je nog een kind bent.'

'Lillian, ik ben achttien, hoor,' zei ik verontwaardigd.

Ze knikte, alsof ze daarmee zei: precies, je bent nog een kind.

'Hebben ze Spaanstalige boeken in die winkel van jou?' vroeg ze.

'Dat weet ik niet, maar ik wil wel voor je kijken. Volgens mij kun je in de Arcade alles vinden wat er bestaat.'

'Je kunt er niet vinden wat ik zoek,' zei ze met een donkere blik in haar ogen. 'Maar neem maar Spaanse boeken voor me mee als ze die hebben. Ik betaal je wel. Misschien moet ik weer gaan lezen. Zodat ik die sufferds vergeet.'

Voordat ze haar hoofdtelefoontje weer opzette en haar aandacht weer op de televisie richtte, gaf ze me een brief.

'Deze is voor je gekomen,' zei ze, 'uit je eigen land.'

'Dank je, Lillian.'

Het was een brief van Chaps. Ik rende naar mijn kamer, gretig om mijn eerste post in Amerika te lezen. Hij was teleurstellend kort:

5 juli
Lieve Rosemary,
Dank je voor je ansichtkaart. Het is eenzaam in Tasmanië zonder jou, zonder je moeder, maar zoals ik graag zeg: eenzaamheid is een goede oefening voor de eeuwigheid.
Ik vond het bemoedigend van je te horen en ben dolblij dat je zo snel werk hebt gevonden... en in een boekwinkel! Ik kan geen betere baan voor je bedenken, mijn

lieve Rosemary. Mijn eigen winkeltje heeft me een waardig en moreel leven gegeven en ik geloof dat ik betekenisvol werk doe. Boeken verkopen heeft mijn leven vormgegeven en boeken lezen heeft mijn geest op een manier gekneed die denk ik anders niet mogelijk was geweest. Dat je op zo'n bijzondere plek werkt, geeft me veel voldoening. (Misschien heb ik je er al die tijd voor opgeleid!) Maar waar het om gaat, is dat je ook levenservaring opdoet, en niet alleen woorden op een pagina leest.

Je zult interessante mensen ontmoeten, je zult lezen, je zult kunnen leven zoals jij dat wilt. Ik heb natuurlijk over de Arcade gehoord, maar ik had nooit gedacht dat jij je weg ernaartoe zou vinden.

Ik ben ervan overtuigd dat je moeder altijd bij je is, maar ik kan me voorstellen dat haar afwezigheid bij tijd en wijle ondraaglijk voelt, zoals dat voor mij het geval is. Wees niet bang om lief te hebben. Zoek naar liefde. Ik wil dat jij het leven leidt waarvoor ik niet heb gekozen. Grijp het met beide handen aan, lieve Rosemary.

Heel veel liefs,

Esther Chapman

PS Heb je je pakje al opengemaakt? Onthoud dat een boek altijd een geschenk is.

George Pike was geen extraverte persoon. Als hij aan het werk was op zijn podium, in een dagdroom van prijzen, waren zijn gebaren eerbiedig en ritualistisch. Het was de bedoeling dat hij onbereikbaar was, dat hij boven ons allen stond. Geist was zijn aangever en handlanger. Pike voelde een diepe liefde voor boeken, maar hij was niet uit esoterische overwegingen de baas van de Arcade. Zijn belangrijkste motivatie was duidelijk: Pike was dol op geld.

Op rustige momenten – als we met zijn allen stonden te wachten op een nieuwe zending, of als we op vrijdag in de rij stonden om ons magere loon van Geist in ontvangst te nemen – was ons favoriete tijdverdrijf het bespreken van de geruchten over Pikes legendarische rijkdom, zijn zuinigheid, zijn gierigheid. Elk tweedehandsboek ging door zijn elegante handen omdat hij niemand genoeg vertrouwde om het bepalen van een prijs aan over te laten. Niemand anders kon dat ook: de waarde werd niet alleen afgewogen tegen een objectieve marktwaarde, maar ook tegen zijn eigen, persoonlijke idee over wat het waard was, wat de aanschaf hem had gekost en wat de verkoop ervan voor hem zou opleveren. De marge en zijn winst werden onmiddellijk in een tabel gezet, het resultaat van jaren obsessief overwegen, een telraam in zijn hoofd waarop kralen heen en weer werden geschoven in een stille, volhardende herijking.

Dat Pike extreem rationeel was ingesteld, betekende niet dat zijn waardeoordeel niet arbitrair was. Het was eigenaardig en absoluut, bijna puberaal in zijn despotische hardnekkigheid.

Pike verving op bepaalde momenten gedurende de dag en bij sluitingstijd Pearl, de opmerkelijke caissière van de Arcade, toen een nog niet geopereerde transseksueel, die achter de enige kassa zat. Dan haalde Pike de grote biljetten, de cheques en de creditcardbonnetjes eruit, waarmee hij via de kapotte houten trap naar het kantoortje achter in de winkel verdween. Kort daarna zat hij dan opeens weer (alsof het een goocheltruc was) op zijn podium, achter zijn bureau, met een potlood achter zijn linkeroor, meditatief boeken te prijzen. Pike kromp aanzienlijk als hij zijn podium verliet, maar zodra hij er weer op stond, had hij zijn gewichtigheid weer terug.

Dat er maar één kassa was, was een voorbeeld van hoe ouderwets het er in de Arcade aan toe ging en het bewijs van Pikes achterdocht waar het geldzaken betrof, waar het diefstal betrof. Tegenstrijdigheid was er aan de orde van de dag en efficiëntie was onbelangrijk.

Hoewel er af en toe even iets minder werd verkocht, stond er over het algemeen een kronkelende rij langs en voorbij de tafels met paperbacks voor de kassa te wachten. Klanten werden ongeduldig en af en toe zelfs agressief terwijl ze daar stonden. Het was onder de werknemers een soort sport om al geïrriteerde klanten nog kwader te maken terwijl ze stonden te wachten, een spel dat ik in eerste instantie schokkend vond, onbekend als ik was met dergelijke onbeleefdheid, opgevoed door moeder en Chaps om klanten als koning te behandelen.

'Ik sta al een halfuur in de rij!' klaagde een chagrijnige klant dan.

Waarop Bruno Gurvich, een brede Oekraïner die paperbacks op de tafels uitzocht, reageerde met: 'Dan heb je godvergeten mazzel. Dat betekent dat Pearl er flinke vaart achter zet! Gisteren had je hier minstens een uur gestaan.'

Bruno was muzikant; hij had het temperament van een anarchist en zijn adem stonk als de vaatdoek van een barman. Hij logenstrafte de opvatting dat boekverkopen een verfijnd beroep is, zoals Chaps het graag zag, volledig.

Bruno knipoogde naar me toen hij zag hoe ontzet ik op zijn gedrag reageerde. 'Je hoeft niet zo geschokt te kijken hoor, meid,' zei hij terwijl hij een berg paperbacks voor me neergooide. 'Het maakt Pike niet uit hoe je de klanten behandelt, zolang ze maar boeken kopen. Er lopen twee zaken wegens bedreiging tegen me omdat ik vorig jaar wat klanten heb lastiggevallen rond Kerstmis, toen het hartstikke druk was. Dit stelt niets voor.'

Hij probeerde ongetwijfeld indruk op me te maken.

'Daar zou ik maar niet over opscheppen, Bruno, als ik mijn baan wilde houden.'

Geist was achter me verschenen, hij sloop altijd rond en mijn nekharen gingen recht overeind staan van zijn lispelende stem en zijn witheid, die wel een zichtbaar verwijt leek.

'Dat is aan Pike, niet aan jou,' zei Bruno smalend, en hij liep weg.

'Als ik jou was, zou ik bij hem uit de buurt blijven,' waarschuwde Geist, die onaangenaam dicht bij me in de buurt stond. 'Hij is schorem.' Hij stotterde een beetje. 'Kom maar naar me toe als hij zich onbetamelijk gedraagt.'

Ik zag Geist tegen een tafel botsen terwijl hij terug naar de kelder liep, en ik stelde me voor dat hij op weg terug was naar de zeebodem.

Pearl Baird, de caissière, was na Geist Pikes meest gewaardeerde personeelslid. Ik was gek op haar. Ze was zichzelf Pearl gaan noemen naar de bijbelse parabel en had er inderdaad alles voor over om haar vrouwelijke zelf te worden, een parel te worden. Als ze achter de kassa zat met haar glinsterend vermiljoenkleurige lippen in een zakelijke streep, had ze geen enkele moeite met haar repetitieve taak.

Het leven had haar geleerd geduldig te zijn.

Hoewel ze een liefhebbende aard had, was Pearl slinks in haar minachting voor rusteloze klanten die hun boeken, die ze veel te lang hadden moeten vasthouden, geld of creditcards vijandig voor haar neersmeten. Pearl opende op haar gemak elk boek, zocht het prijsje op en sloeg het aan op de kassa, haar uitgestrekte vinger gecomplementeerd met een lange nagel. (Ze was trots op haar nagels en lakte ze in de prachtigste kleuren.) Ze mompelde dingen als 'zwijnen voor parels' tegen de onaangenaamste types, maar haar superieure houding sprak over het algemeen boekdelen.

'Wij meisjes moeten een front vormen tegen al die geflipte mannen hier,' zei Pearl ter introductie tegen me in de damestoiletten. Ze stond haar lippenstift bij te werken terwijl ik mijn handen waste. We keken naar elkaar via de spiegel boven de wastafel en glimlachten op hetzelfde moment.

'Wij meisjes moeten elkaar steunen, jij en ik,' zei ze. 'We zijn nu al vriendinnen, dat zie ik.'

Pearl was lang en had enorme handen en voeten, een prachtig lang, bruin gezicht en een zangerige stem die als een klok door de toiletruimte galmde. Ze wilde operazangeres worden en bracht het grootste deel van haar twee pauzes van een kwartier in de ruimte bij de damestoiletten op een kapot bankje van vinyl door, wanneer ze door een stapel bladmuziek bladerde of mee zat te neuriën op een bandje dat ze draaide op een recorder die ze zelf had meegenomen. Ze nam repeteren heel serieus en bleef een moeilijke zin oneindig vaak herhalen, oefenend op uitspraak en intonatie. Ze volgde lessen bij een professionele lerares, die werd betaald door haar Italiaanse vriendje, Mario. Hij was gek op Pearl en had beloofd haar operatie te betalen nadat ze het voorgeschreven jaar als vrouw had geleefd.

Pearl verdiende het onwillige respect van George Pike omdat ze zo'n ijverige en consequente kracht was, maar nog meer omdat ze werk wilde doen dat niemand langer dan een dag volhield. Alleen Pike en Walter Geist vervingen Pearl als ze pauze had. Ze zag het meteen als iemand had geprobeerd Pikes prijs te wijzigen en was meedogenloos als er fraude werd vermoed. Klanten die werden verdacht van diefstal, waren onder haar leiding met gespreide ledematen op de stoep voor de Arcade terechtgekomen, nadat ze door Bruno als dronkaards uit een bar naar buiten waren gesmeten.

Ik begrijp nu dat Pearls meedogenloze eerlijkheid deels te verklaren is aan de hand van haar veranderlijke seksualiteit. De waarheid was cruciaal voor haar; ze kende die van haarzelf en had geen andere keuze dan ernaar te leven.

Oscar kende de bijzondere details en trieste verhalen van veel van de personeelsleden van de Arcade. Hij ontlokte ontboezemingen met zijn stiltes, of met vleierij. Met zijn toegang tot de naslagwerken zocht hij details op die zijn begrip van iemands persoonlijkheid konden verdiepen. Oscar was een getalenteerd onderzoeker en was zo nieuwsgierig dat het aan voyeurisme grensde. Hij zei graag dat de wereld bestond om op papier te eindigen, en dat dat dan net zo goed zijn schrift kon zijn.

Hij vertelde mij bijvoorbeeld dat het Pearls droom was om Cherubino te mogen zijn, de puberjongen in Mozarts *Le Nozze di Figaro*, een rol die over het algemeen wordt vertolkt door een vrouw die een man speelt, maar ze wist dat ze daar met haar vijfendertig waarschijnlijk te oud voor was, en dat de hormonen die ze slikte een ravage aanrichtten in haar lichaam en haar stem verwoestten. Oscar had gezegd dat als Pearl dacht dat ze een kans maakte om operazangeres te worden, de medicijnen haar geest hadden aangetast. Het duurde even voor het tot me doordrong hoe wreed hij kon zijn.

Ik dacht dat Oscars schriften, in tegenstelling tot mijn armzalige pogingen in die van mij, vol stonden met onvoltooide biografieën van mensen die hem inspireerden of een interessant woord leverden, het beginpunt van een onderzoek. Hij zou in zijn gekrabbelde handschrift 'Cherubino' bij Pearl kunnen hebben geschreven, gevolgd door een korte schets van Mozarts leven, een samenvatting van de plot van de opera, of de details van een sekseoperatie. Oscar wist dat Walter Geist leed aan oculocutaan albinisme. Hij vertelde me dat Geists ogen altijd bewogen omdat hij nystagmus had. Oscar wist alles van Gallipoli en de Anzacs, en ik had hem natuurlijk zelf verteld waarom ik Rosemary heette. Hij wist dat de buidelwolf is uitgestorven. Hij wist dat ik mijn moeder vreselijk miste; dat ik me vaak eenzaam voelde.

Hij was mijn gids in de Arcade, uitlegger van de vreemde geschiedenissen en de bewoners ervan. De hele winkel was op vele manieren zijn werk, zijn poging om de wereld te begrijpen. Ik zou uiteindelijk achter enkele van Oscars eigen geheimen komen. Nadat we samen een maand op zijn afdeling hadden gewerkt, vertelde hij me over zijn vroege fascinatie met textiel.

Oscar bewaarde als kind een oude hoedendoos onder zijn bed, die hij van zijn moeder had gekregen. Hij zat vol met kleine lapjes zachte stof die ze van de zomen en naden van jurken die ze had versteld, had geknipt: stofjes die veel chiquer en exotischer waren dan wat zij zich konden veroorloven. De hoedendoos was Oscars schatkist en favoriete speelgoed.

Hij pakte er stukjes stof uit – ragfijne chiffon, glanzende zijde, dik fluweel – en streelde ermee over zijn gezicht. De doos was zijn bron van troost en welbehagen, en hoewel de volwassen Oscar zich altijd geheel in een zwarte pantalon met een smetteloos wit overhemd kleedde, had hij zijn fascinatie met textiel nooit verloren. Hij kende al de chique namen en adjectieven: mousseline, tule, crêpe de Chine, damast, moiré, zefier, batist. Hij wist hoe ze werden gemaakt, gekleurd, bewerkt, geweven.

Stukjes stof waren Oscars enige speelgoed geweest, maar naarmate hij ouder was geworden, was hij steeds meer een boekenwurm geworden. Hij had ook geen vader gehad, was zijn moeder volledig toegewijd en had tot haar dood bij haar gewoond. Oscars moeder was als meisje met haar ouders uit Polen geëmigreerd, maar ze was in onmin met hen geraakt vanwege Oscars vader, die haar kort na de geboorte van hun zoon had verlaten.

Hoewel hij tien jaar ouder was dan ik, zag ik Oscar als mijn wederhelft, een duplicaat dat toevallig in Amerika was geboren, zo overeenkomstig waren onze omstandigheden. Ik vond dat we perfect bij elkaar pasten: zijn oneindige onderzoek de aanvulling op mijn eindeloze nieuwsgierigheid. Hij had alles wat belangrijk was van zijn moeder geleerd: ze had hem leren lezen, ze had hem geleerd een ordelijk leven te leiden en hoe belangrijk het was om zo veel mogelijk te onthouden. Wat de reden was dat hij altijd een schrift bijhield; zijn moeder had een kleermakstersschrift gehad, dat vol stond met maten en eigenschappen van haar klanten.

Hij had haar geïmiteerd, net zoals ik hem kopieerde, en had een leven vol fragmentarische observaties ingeprent.

Als ik ouder was geweest, of hoe dan ook een volwassen vrouw, zou ik misschien niet zo geïmponeerd zijn geweest door Oscars leven, door zijn verhaal, door onze overeenkomsten. Dan zou ik het idee van hem en mij alsof we een geheime pagina uit een minnaarsboek waren, misschien niet hebben aangegrepen. Maar mijn hart nam een loopje met me.

Vijf

Robert Mitchell werkte al veertig jaar voor George Pike, maar hun langdurige samenwerking had hun relatie er niet minder vijandig op gemaakt. Hun professionele interactie was niet mogelijk geweest als meneer Mitchell niet vier verdiepingen boven Pike had gewerkt. Pike beperkte hun contact tot veelvuldige telefoongesprekken, over het algemeen kleingeestig gemopper over geld en, in het bijzonder, de kosten van het repareren van extreem oude banden en manuscripten waarvan de broosheid een toegewijde voorvechter in meneer Mitchell vond. De aandacht waarmee hij voor de beschadigde boeken zorgde, leek in het verlengde te liggen van zijn interesse in het wel en wee van de bonte mengeling van personeelsleden, die graag in de gammele lift naar zijn winkeltje in de winkel gingen. We maakten ruzie over wie er naar hem toe mocht. Zijn aanwezigheid vulde de ruimte waar de zeldzame drukken werden bewaard met vriendelijkheid, een eigenschap die ik nog steeds associeer met de geur van pijptabak.

Het begeleiden van klanten naar de afdeling bijzondere drukken op de vierde verdieping van de winkel was mijn favoriete taak, toen ik eenmaal echt als factotum was begonnen. Het was een gelegenheid om een gesprek met een verzamelaar te voeren over zijn voorkeuren en obsessies, en elke keer dat ik iemand naar boven bracht, leerde ik iets nieuws. Een tripje naar de afdeling bijzondere drukken betekende dat ik bij meneer Mitchell op bezoek kon en de vanilleachtige geur van zijn pijp kon inademen. Ik adoreerde hem.

De eerste keer dat ik er een klant naartoe bracht, stond meneer Mitchell boven te wachten toen ik de liftkooi probeerde open te sjorren. Pike had al gebeld dat we eraan kwamen om te vertellen dat de klant die ik begeleidde kredietwaardig was.

'Wat een aangename verrassing, jongedame. Jij moet onze nieuwe aanwinst uit Australië zijn. Rosemary, om te herdenken, als ik me niet vergis. Ik ben Robert Mitchell,' zei hij terwijl hij hoffelijk zijn hand naar me uitstak. 'Wat leuk je te ontmoeten.'

Hij was achter in de zestig, had sneeuwwitte plukjes recht overeind staand haar en het gelaat van iemand met een te hoge bloeddruk. Hij was groot en kwam professioneel over op een uitgezakte, ex-atletische manier. Hij was lang, had een enorme buik, die van zijn borstbeen naar beneden golfde in zijn hoge broek met een riem eromheen, en zijn gezicht deed me denken aan een vriendelijke vogel. Ik vond het bijzonder toevallig dat hij zo op het soort kaketoe leek dat ik zo lang had willen hebben (maar niet had gemogen omdat moeder geen zin had in de herrie en de viezigheid). Het was een grote vogel, roze met wit, een inheemse bewoner van Australië en vernoemd naar een historische figuur, een hoogwaardigheidsbekleder van vroeger, ene majoor Mitchell.

'Oscar zei al dat ik het leuk zou vinden om u te leren kennen,' zei ik. Ik voelde me hier veel meer op mijn gemak dan vier verdiepingen daaronder. Het contrast met de oorlogszuchtige paperbackjongens, Jack en Bruno, kon niet groter zijn geweest.

'Dat zei Oscar ook al tegen mij. Hij zei ook dat je hier heel ver van huis bent. Helemaal uit het land van Van Diemen. Een zeldzaam mooie plaats, heb ik gehoord. Een wild eiland. Ik hoop dat je je hier welkom voelt,' zei hij, en hij herhaalde: 'Ik hoop echt dat je je hier welkom voelt.'

De warmte die hij uitstraalde, sijpelde bij me naar binnen

als de melancholie die ik dagelijks zorgvuldig buitensloot. Misschien doordat ik die dag buitengewoon veel last had van heimwee, of doordat mijn eigen verloren vader in mijn verbeelding niet vriendelijker tegen me had kunnen zijn, of gewoon doordat onverwachte vriendelijkheid je recht in de kern van je verdriet raakt, prikten er tranen achter mijn oogleden.

'Nou, Rosemary, je bent heel ver van huis,' zei meneer Mitchell nog een keer terwijl hij registreerde hoe emotioneel ik was, 'maar ik hoop dat je je hier welkom voelt. En veilig.' Hij pakte mijn hand vast en gaf er een vriendelijk klopje op. Ik moest me van hem afwenden. 'En wie heb je voor me meegebracht naar mijn arendsnest?' vroeg hij op zakelijke toon terwijl hij mij de gelegenheid gaf tot mezelf te komen. 'Wie is er meegekomen om de oneindige rijkdommen in mijn kamertje te komen bewonderen?' Dat wist hij natuurlijk allang. De klant schraapte ongeduldig zijn keel; hij wilde nu weleens geholpen worden.

'Ah, meneer Gosford! Ja, de eerste druk van Beckett, als ik me niet vergis? Ik verwachtte al dat u daarvoor zou komen.'

Meneer Mitchell en de verzamelaar, Gosford, liepen van de lift naar de eerste van meerdere ruimtes die vol lagen met oude drukken en folio's.

'Waar zijn we, Whoroscope?' riep hij, en hij reikte naar een plank die rechts van zijn bureau hing.

'Rosemary, heb je zin om wat bij te leren?' vroeg meneer Mitchell, die ondertussen nog steeds naar het boek zocht.

Oscar had me geïnstrueerd. Een van meneer Mitchells favoriete bezigheden was doceren. (Oscar noemde het voordrachten geven.) Hij wachtte nooit op toestemming van de gegadigde student, maar begon gewoon te kletsen terwijl hij ondertussen een boek zocht.

'Eens even kijken, Whoroscope, Whoroscope. U heeft geluk, meneer Gosford,' zei hij toen hij uiteindelijk het boek vond. 'Rosemary, dit weet je misschien niet,' zei hij opgewonden, 'maar Beckett heeft zijn eerste gedicht in één nacht geschreven! Hij wilde duizend franc winnen in een wedstrijd waarvoor hij een gedicht moest schrijven van maximaal honderd regels. Ja, inderdaad. Een gedicht over tijd.' Hij stond even stil te peinzen. 'Tijd, wist je dat?' zei hij toen. 'En die wedstrijd heeft hij dus gewonnen. Ah, daar staat het.'

Hij overhandigde het boek aan meneer Gosford alsof het een prijs was, een beloning voor zijn geduld. Het boekje had een baksteenrode omslag en een witte band, en was bedrukt met een imprint van de uitgever. Het zei me niets dat het een boek van Beckett was; die kende ik niet. Wat mij opviel, was dat het een klein, prachtig object was en dat beide mannen het wilden hebben.

'Een van de honderd die Beckett heeft gesigneerd, meneer Gosford. Een beetje stoffig, een beetje flets geworden in de bovenhoek, maar zonder ezelsoren en een mooi exemplaar. Een koopje voor 10.000 dollar. Ik heb Pike gesproken en u bent kredietwaardig. We sturen u de rekening.'

Hij leunde weg van Gosford, een perfect getimed gebaar, alsof hij genoot van het moment. Hij was even stil.

'Rosemary, je hoeft niet op ons te wachten,' zei hij toen. 'Meneer Gosford is te vertrouwen, dat verzeker ik je.'

Ik liet hem achter om de handtekening te bemachtigen. Het was gebruikelijk dat een klant die een boek van zeldzame drukken wilde kopen, naar de benedenverdieping van de Arcade werd begeleid om rechtstreeks naar Pearl bij de kassa te lopen. Dat ritueel werd natuurlijk uitgevoerd om de kans op diefstal te verkleinen, maar in het geval van extreem waardevolle boeken werd er van tevoren toestemming geregeld. Klanten als meneer Gosford kregen maandelijks een rekening omdat ze zo veel en zo vaak aankopen deden.

Na mijn eerste bezoek ging ik dus alleen in de lift naar

beneden, maar ik verwelkomde elke kans naar meneer Mitchell te mogen en me te laten verwarmen door zijn affectie en zijn kennis. Hij herinnerde me aan mijn eenzaamheid, maar het was tegelijkertijd een geruststellend gevoel om die te erkennen.

Het kwam ook voor dat klanten naar de kelder werden ge-escorteerd. Walter Geist werkte er onder een enkele lichtpeer die aan een koord aan het lage plafond hing en de kale peer wierp schaduwen over de vouwen van zijn gezicht, waar de enige duisternis de schaduw rond zijn mondholte en neusgaten was. Ik liep minstens twee of drie keer per dag met nieuwe boeken naar Geist als ik recensenten van grote New Yorkse kranten en tijdschriften begeleidde. Ze keken angstig en steels om zich heen, bang dat ze een collega tegen het lijf zouden lopen. Het was een stiekeme onderneming, niet echt stelen, maar ook niet bepaald eerlijk.

Het verkopen van boeken die je gratis kreeg toegestuurd werd gezien als een van de bonussen van het werk als recensent. Het was niet praktisch om alle boeken die je voor een krant of tijdschrift had gerecenseerd (of die je niet had gerecenseerd) te bewaren, en de uitgevers wisten dat de Arcade recensie-exemplaren inkocht – ze wisten dat ook zij meewerkten aan het vullen van Pikes zakken – hoewel het over het algemeen niet werd bestraft. Als er klanten waren die moesten worden geëscorteerd, brulde Pearl: 'Recensent!' of 'Zeldzame drukken!' en degene die dan toevallig in de buurt was, rende naar voren om de wachtende klant op te vangen. Dat vond ik niet vervelend, ik vond klanten begeleiden leuker dan boeken op de plank zetten.

Ik maakte vaak een praatje met de vaste klanten, vroeg hun of ze me nog een titel konden aanraden, of ze de boeken die ik voor ze naar de kelder droeg positief of negatief hadden beoordeeld. Ik raakte op die manier aan de praat met meerdere literatoren en mensen uit de uitgeversbranche. Mijn schrift uit die periode staat vol met aanbevelingen voor boeken waarvan ik zeker weet dat ik ze nooit ga lezen. Maar ik had een sterke voorkeur voor verzamelaars boven mensen die boeken kwamen brengen. Verzamelaars waren hoe dan ook gepassioneerd; opportunistisch, maar op een andere manier. Hun band met boeken, geloofde ik toen, kwam meer voort uit liefde dan financiële overwegingen. Verzamelen heeft iets erotisch.

Als Geist het totaalbedrag had uitgerekend van de boeken die hem in de kelder werden aangeboden, krabbelde hij het op een geel vierkant papiertje, waarmee de klant dan naar boven liep om in de rij bij de kassa te gaan staan wachten. Pearl nam het briefje aan en betaalde het geld uit. Bepaalde journalisten trokken zich dan terug in een café, waar ze hun onverdiende winst opdronken, elk glas een ironische toost op Pikes financiële gezondheid.

Hun achting was niet wederzijds. Pike verwees naar recensenten als 'profiteurs' en liet Geist alles afhandelen wat met nieuwe boeken te maken had.

De kelder was het domein van Walter Geist; de vierde verdieping was van meneer Mitchell. De hemel en de hel, grapten we. Met ons op de begane grond in een soort voorgeborchte en Pike die alwetend boven ons uittorende.

Mijn concurrenten voor de favoriete taak iemand naar de afdeling zeldzame drukken te begeleiden, waren Bruno (die per definitie in de buurt was van Pearl bij de kassa, aangezien hij de paperbacktafels verzorgde) en zijn collega met het onverzorgde gezicht, Jack. Pike had dit tweetal als paperbackmannen aangewezen en hun nabijheid tot Pearls gebulderde roepen betekende dat ze heel wat tijd in de kelder of bij meneer Mitchell boven doorbrachten.

Jack Conway was net als ik een immigrant. Hij was muzikant, traditioneel fluitist, en een Ier. Het puntje van zijn neus was er afgebeten tijdens een kroeggevecht en was nu een abrupte rand. De huid vol glanzende littekens zag bleek, waardoor het net leek of hij een leesteken midden op zijn gezicht had, dat de rest van zijn rossige gelaat accentueerde. Het leek Jack niet uit te maken hoe hij eruitzag en zijn verkorte neus had weinig effect op zijn aantrekkelijkheid voor vrouwen. Hij had een Franse vriendin, Rowena, een norse dichteres die vaak naar de winkel kwam, maar hij kreeg elke dag meerdere vrouwen op bezoek.

Ik heb hem meer dan eens met een dame het enige toilet voor klanten in zien verdwijnen. Als ze er dan ruim twintig minuten niet meer uit kwamen, stonden er regelmatig klanten met hoge nood aan de gesloten deur te rammelen.

Jacks gehavende gezicht paste bij hoe hij zich gedroeg. Hij was stoer en zijn zware accent maakte hem regelmatig onverstaanbaar voor andere personeelsleden, onder wie Geist (met al zijn kundigheid in verschillende talen). Ik verstond hem probleemloos, zijn Ierse tongval klonk in mijn Tasmaanse oren helemaal niet zo vreemd. Maar ik kon de smerige, flirtende opmerkingen die Jack tegen Pearl maakte, niet volgen, hoewel Pearl me opbiechtte dat ze zijn ongearticuleerde gemompel wel opwindend vond. Sommige woorden kende ik gewoon niet, maar het was niet alleen een kwestie van dictie. Het was een onschuldige aantrekkingskracht, waaraan Rowena zich ergerde, niet omdat Jack echt in Pearl was geïnteresseerd, maar omdat de manier waarop Pearl om hem lachte een soort driehoek vormde waarin ik ook hoorde. Als tussenpersoon werd ik het onderwerp van Rowena's verdenkingen dat Jacks gemompelde obsceniteiten net zozeer voor mijn genot als dat van Pearl waren bedoeld.

Ik bleef bij hem uit de buurt. Moeder was zo overdreven beschermend geweest, op het maniakale af, als het om seks ging. Ik had natuurlijk best mijn theoretische fantasieën, mijn puberale hartstocht. Maar ik had Sidney Carton tegen die tijd gelukzalig ingeruild voor Oscar Jarno, voor een verliefdheid die ik ten onrechte interpreteerde als iets anders dan fictief. Ik was nerveus in de nabijheid van mannen, in de buurt van de misplaatste verlangens die onder de oppervlakte broeiden in de Arcade. Niet dat ik ooit dacht dat ik het object van hun lustgevoelens was; ik wist eenvoudigweg dat ze lustgevoelens hadden. Ik had geen enkele ervaring met mannen en koos ervoor al mijn fantasieën over een romantische belofte op het onbereikbare te richten: op Oscar.

De post werd elke dag, behalve op zondag, bij de Arcade bezorgd door een postbode die Mercer heette. Hij was een elegante man uit Trinidad en woonde al jaren in New York. Hij zag er ondanks zijn uniform meer uit als een diplomaat dan een werknemer van de posterijen. Chaps zou hem direct de rol van Othello hebben gegeven. Mercer en Pearl waren bevriend en ze bulderde gewoonlijk door de enorme winkel heen naar Pike dat de post er was.

Brieven waren in de Arcade bijna net zo geliefd als boeken.

Post bracht verzoeken om zeldzame titels, aanbiedingen van hele bibliotheken uit een nalatenschap, wereldwijde vragen en contacten. Meneer Mitchell kwam heel vaak rond de tijd dat Mercer werd verwacht naar beneden en probeerde hem dan over te halen hem even snel de post van die dag te laten zien. Mercer deed geen afstand van de brieven totdat hij ze persoonlijk aan George Pike kon afgeven, alsof hij een koerier was in plaats van de postbode. Pike verbrak graag zijn prijsritueel om Mercer bij zijn podium te begroeten en formeel het stapeltje epistels in ontvangst te nemen.

Meneer Mitchell bleef dan rondhangen en noemde Mercer zijn brievenman, totdat Pike hem wegstuurde met de mededeling dat Mitchell zijn brieven zou krijgen zodra Pike ze had bekeken. Als hij zijn toneelstukje opvoerde, leek meneer Mitchell net een kind. Alsof hij stond te wachten tot er een brief uit Mercers handen zou vallen zodat meneer

Mitchell die snel weg kon grissen en lezen voordat zijn magistrale werkgever hem in handen kreeg.

Winkeldiefstal was voor sommige mensen een regulier tijdverdrijf en ik leerde een van de beruchtste dieven van de Arcade kennen op een ochtend toen ik een paar maanden nadat ik er was gaan werken reageerde op Pearls geroepen 'recensent!' De dief was lang, een jaar of vijfentwintig, en had net zulk rood haar als ik. Hij stond tegen de kassa geleund op me te wachten, in een spijkerbroek die vol verfvlekken zat. Meneer Mitchell had hem Redburn gedoopt, hoewel ik dat toen nog niet wist.

'Ik vroeg me al af wanneer jij me naar de hel zou begeleiden,' zei de man op flirtende toon.

'Ken ik u?' vroeg ik terwijl ik een stapeltje boeken met harde kaft van hem aannam, onderdeel van mijn taak als escorte.

'We hebben elkaar nog niet eerder ontmoet, maar het is wel duidelijk wat we gemeen hebben. Daarom noemen ze me hier Redburn.'

'Heel veel mensen hebben rood haar,' antwoordde ik terwijl ik voor hem uit de steile trap af liep. Pikes hoofdletters schreeuwden terwijl ik afdaalde recht in mijn gezicht: GEORGE PIKE TOLEREERT GEEN DIEFSTAL VAN GELD OF BOEKEN!

'Pike overdrijft wel een beetje met die waarschuwing, vind je niet?' zei hij terwijl hij naar het bordje wees. 'Ik vind haar nogal bedreigend.'

'Alleen als je overweegt iets te stelen,' antwoordde ik.

We waren onder aan de trap aangekomen.

'Er zijn mensen die het kopen van recensie-exemplaren diefstal vinden,' ging Redburn verder. 'Die nieuwe boeken kunnen net zo goed uit een gewone boekwinkel zijn gepikt.'

Hij daagde me uit met zijn opgetrokken kastanjebruine wenkbrauwen. Hij was conventioneel aantrekkelijk, wat hij maar al te goed wist.

'Zijn deze gestolen?' vroeg ik hem terwijl ik stil bleef staan in de doolhof van stapels die een kronkelpad door de kelder vormden.

Het lage plafond hing tegen de bovenkant van de hoge kasten aan, waardoor je door een benauwde tunnel moest lopen om Geists hol achterin te kunnen bereiken.

'Wat kan jou dat schelen?' vroeg hij.

Dat was een vraag waar ik geen antwoord op wist, dus negeerde ik hem. Ik besloot Redburn helemaal maar zo veel mogelijk te negeren.

'Ik neem aan dat je diefstal afkeurt, of niet?' drong hij aan terwijl we Geists tafel bereikten, die heel erg leeg was in het felle licht onder het peertje.

'Nee, ik keur diefstal niet goed, nee,' antwoordde ik terwijl ik de boeken op tafel legde. Geist stond een stukje van ons vandaan met zijn rug naar ons toe een boek te bestuderen dat hij bijna tegen zijn gezicht drukte.

'Geef me mijn hart dan terug,' fluisterde Redburn terwijl hij naar me toe leunde en zijn hand in een dramatisch gebaar op zijn hart legde, alsof hij pijn had.

Ik kon mijn lachen niet inhouden. Geist draaide zich plotseling om en ik vroeg me af of hij het verzoek van de man had gehoord.

'Rosemary, controleer het colofon even en lees de uitgeversprijzen voor,' zei hij bits, terwijl hij op ons af kwam lopen, heel zakelijk, met zijn bril strak op zijn neus.

'Ik zou jou niet durven bedriegen, Geist,' zei Redburn slinks. 'Vandaag niet in elk geval.'

Ik deed de boeken van voren en achteren open om te bevestigen dat ze onlangs waren gepubliceerd en las de uitgeversprijzen voor, die Geist in zijn hoofd door vier deelde, waarna hij uitrekende wat Redburn zou krijgen. Hij krabbelde het totaalbedrag op een geel velletje papier en schoof dat over de tafel.

'Wil je vertellen hoe je aan die boeken komt?' vroeg Geist

terwijl hij zijn vinger op het papiertje hield.

'Nee,' zei de winkeldief, en hij griste het van tafel.

'Dat dacht ik al,' zei Geist. 'Rosemary, dit was de laatste keer dat je deze man waar dan ook door de Arcade escorteert. Hij is uit de winkel verbannen.'

Redburn glimlachte schalks naar me en liep naar boven om zijn gele papiertje aan Pearl te geven.

Ik begon te begrijpen dat een aanzienlijk deel van de handel in de Arcade was gebaseerd op bedrog en dat er weinig vragen werden gesteld over waar boeken vandaan kwamen. Er werden ongezien hele bibliotheken opgekocht en nadat Pike een prijsje in elk afzonderlijk boek had geschreven, werd het totaalbedrag dat ervoor was betaald vaak terugverdiend met de verkoop van enkele exemplaren. Het was niet echt bedrog, of diefstal, het was het handig speculeren op verlangen. Het manipuleren van de lust naar dingen die waarde behielden of verloren hing af van in wiens handen ze zich bevonden.

'Meneer Geist,' vroeg ik voordat ik terugliep naar boven, 'heeft die man de boeken die u net heeft gekocht, gestolen?'

'Waarschijnlijk wel,' zei hij. 'Maar dat zijn jouw zaken niet. Zeg maar tegen Bruno en Jack dat ze hem er de volgende keer dat ze hem zien, uit mogen gooien.'

Oscar vertelde me later dat meneer Mitchell degene was die Redburn zijn naam had gegeven, en niet alleen omdat zijn haar zo levendig rood was dat het wel in brand leek te staan. Wellingborough Redburn was het hoofdpersonage uit een roman van Herman Melville, een boek waarvan meneer Mitchell een eerste druk onder het vieze overhemd van de dief had ontdekt, achter de tailleband van zijn broek gepropt.

Het waardevolle exemplaar van Redburn was apart gelegd voor de meest buitensporige verzamelaar van de Arcade, een man die nog nooit in de winkel was geweest. Julian

Peabody was eigenaar van de grootste privébibliotheek in het land en meneer Mitchell verwachtte zijn bibliothecaris, Samuel Metcalf, om het boek op te komen halen bij Pikes podium. Hij en Walter Geist, een oude vriend van Metcalf, stonden op hem te wachten toen ze allebei werden afgeleid door Pike, die dat moment koos om te proberen de prijs van het boek te verhogen. Redburn griste het boek brutaal van zijn bureau terwijl ze erover stonden te ruziën. Het viel toevallig uit zijn overhemd toen Bruno tegen hem aan rende terwijl hij zich de winkel uit haastte.

Peabody kreeg het boek en voegde het toe aan zijn grote verzameling negentiende-eeuwse auteurs, de grootste privé-collectie ter wereld. Herman Melville was een van Peabody's favorieten en kort nadat ik over dit incident hoorde, zou hij dat voor mij ook worden.

Zes

Ik ging 's avonds terug naar het Martha Washington, naar Lillian en mijn kamertje. Ik beschouwde de Arcade na een paar weken als mijn thuis. En de stad waarin hij zich bevond was de grotere wereld geworden die Chaps me had toegewenst, en ik besefte dat ik er zelf ook naar verlangde. Tasmanië leek heel ver weg, een thuisideaal dat steeds meer ging samensmelten met moeder, haar afwezigheid en de tegenstelling van haar bij tijd en wijle overweldigende aanwezigheid. Haar donkere ogen keken op de foto waarop ze mijn leeftijd had, met een zelfvertrouwen dat ik nog steeds niet had gevonden in mijn groene ogen.

Ik droomde zo vaak dat ze nog leefde dat ik erdoor wakker werd met zo'n sterk gevoel van verlangen dat het een herinnering sprekend maakt. Ze had geleefd terwijl ik sliep en de pijn die ik voelde als ik wakker werd, was net zozeer een vluchtige verwarring over haar status als het angst was over hoe ik mijn leven zonder haar moest leiden. We zijn ons nooit zo bewust van wie we hebben verloren, van over wie we hebben gedroomd, als wanneer we wakker zijn.

Ik ontwikkelde de gewoonte 's avonds nadat ik om zes uur van mijn werk was vertrokken uren te gaan wandelen, een zelfbedachte zigzag van een straat rechtdoor en een straat opzij om mijn route te variëren, het patroon omdraaiend om terug naar het centrum te lopen. Het proces had iets geruststellends en deed me denken aan het aanleren van een vaardigheid, het aanleren van letters om te kunnen lezen, of pasjes om te kunnen dansen. Het was in die periode 's avonds nog uren licht en warm.

Het patroon van de stad ordende mijn geest. Als ik liep, kon ik nadenken en als ik het deed, voelde ik me net zo stevig en verstandig als de schoenen die ik had aangetrokken voordat ik aan mijn wandeling begon.

Het volgen van een patroon gaf me een zekerheid die ik tijdens mijn werkdag vaak miste. Mijn gebrek aan kennis over de inhoud van de Arcade vrat aan me, maar tijdens mijn wandelingen schonk ik er aandacht aan en nam de dag nog een keer door. Ik was vastberaden niet te verdwalen in de stad en deed tijdens het wandelen meer dan plaatsen en referentiepunten in kaart brengen. Het was een manier om het aan te kunnen. Ik liet de stad op me inwerken, in me werken, en ontdekte dat ik de vrijheid wilde die hij bood.

Als het 's avonds steeds rustiger werd in de stad was er ruimte voor me in de geometrie van leegte die bepaalde wijken overnam. De gevarieerde architectuur leerde me een gevoel voor proportie, zelfs een tegenstrijdig gevoel voor schaal. Zoals ik in Sydney al had geleerd, was er ruimte in de stad. Ja, ik was slechts een stofdeeltje in de enorme, draaiende energie van New York, maar ik was er wel. Als het donker werd, stond mijn silhouet zelfs tegen de gebouwen afgetekend, mijn schaduw lang en dun tegen de eeuwenoude voorgevels. Ik liep mijn zigzagpatroon en mat me af tegen de straten, gebouwen, straatlantaarns. New York overweldigde me natuurlijk, maar ik voelde me er ook vreemd vrij van elk machtsvertoon. Hoewel mijn schaduw al snel weer verdween als het nacht werd, liep ik lang rond met de herinnering aan de vorm tegen de grote gebouwen: bezield en vrij.

Op een hete avond in juli rende ik over een lege straat terwijl de doordringende lucht van stadsregen opsteeg en de druppels vlekken op de stoep achterlieten. Ik moest niezen van de scherpe geur. Er kletterden enorme regendruppels op mijn hoofd en rug. Ik schuilde onder een luifel en keek door een vlies van water naar de bui. Tien minuten later hield het, net zo abrupt als het was begonnen, weer op met regenen. Het was enkele graden koeler geworden en ik voelde de dichtheid van het water, die geen boodschap had aan het enorme geconstrueerde landschap. Manhattan was tegelijkertijd afgesloten en, terwijl ik toekeek hoe het smerige regenwater in de roosters van de metrolijn en de afvoerputten verdween, zo doordringbaar als elk ander materiaal in de natuur. Het absorbeerde alles, net zoals ik kennis in me opnam.

Ik bleef tot in augustus tot heel laat over straat lopen. Ik werkte zes dagen per week in de Arcade. 's Avonds wandelde ik. Ik wachtte gespannen op de naderende herfst: het was een seizoenswisseling die ik nog nooit had ervaren. Ik voelde tegen september een soort onbekende opwinding. Een vies park op weg naar de Arcade, in de buurt van 23rd Street, werd mijn weerman, de bomen daar lieten het water groen stromen tussen het verkeer en de omliggende gebouwen. Sommige mensen woonden permanent in het park en zaten tussen hun bezittingen. Ik kwam er alleen op bezoek.

Daar, onder de bomen, gehuld in hun oppervlakkige schaduw, was de enige plek waar ik er steeds aan werd herinnerd dat de natuur de tijd markeert, dat bomen tenminste routine hebben en voorspelbaar zijn. Hoewel de cyclus, voor mij, tegenovergesteld draaide en veel duidelijker was dan ik thuis was gewend, waren de bomen in mijn park toegewijd aan de seizoenen, zoals ik dat ook moest worden.

Als ik terugkwam van een wandeling vroeg Lillian me waarnaar ik had gekeken, wat ik had gevonden. Onze voorzichtige vriendschap verdiepte zich terwijl ze me als gids naar de stad gebruikte. Zij wilde helemaal nergens heen, alleen (op bepaalde dagen) naar Argentinië.

'Waar zijn mijn Spaanstalige boeken, Rosemary? Je zei dat je die zou meenemen.'

'Het spijt me Lillian, ik heb er nog geen gevonden.'

'Pff, volgens mijn broer is alles onvindbaar op die plek waar jij werkt.'

'Ik weet zeker dat er iets voor je ligt, Lillian, ik moet het alleen vinden. Wat las je toen je nog in Argentinië woonde?'

'Borges. Jorge Luis Borges. Hij denkt dat hij beter is dan ik, maar ik houd van hem,' zei ze. 'Hij was een blinde die beter kon zien dan wie dan ook.'

'Ik zal kijken,' beloofde ik. 'Schrijf zijn naam maar voor me op.'

'Heb je nog nooit van hem gehoord?' Ze maakte een minachtend geluid. 'Wat lezen ze dan in Tasmanië?'

'Van alles, Lillian. Maar iedereen heeft lacunes in zijn kennis.'

Ze begon te lachen. Lillian had een warme, diepe lach, fluweelachtig van intimiteit, van ervaring.

'Dan moet je Borges voor mij vinden, maar vooral voor jezelf. Voor je gaten. Die zal hij vullen, dat garandeer ik je!'

Dat Walter Geist een albino was, was een kenmerk dat hij niet kon verhullen, noch kon verhelpen. En hij kon moeilijk zijn. Hij gedroeg zich consequent onaangenaam tegen al het personeel en vrijwel alle klanten, met een paar exclusieve uitzonderingen. Hij was irritant overgedienstig bij de weinige gelegenheden die vriendelijkheid vereisten, meestal als het om contact ging met verzamelaars wier grote bibliotheken Pike probeerde aan te kopen.

Maar tegen mij gedroeg hij zich anders.

Als ik nu terugdenk aan de manier waarop ik terugdeinsde voor hem en zijn witheid, schaam ik me. Ik schaam me ook dat ik er zo door werd afgeleid. Of misschien voel ik me gewoon schuldig dat ik niets liever wilde dan naar hem staren.

Geist keek me in eerste instantie niet aan en sprak op

zo'n eigenaardige manier tegen me dat ik gefixeerd raakte op zijn vreemde spraak en zijn lippen met hun lispelende medeklinkers. Hij sprak in het begin hoe dan ook weinig tegen me, alleen als hij werd geroepen om iemand opdracht te geven Pikes geprijsde stapel weg te werken, te helpen met het uitladen van een zending, of om tegen me te zeggen waar ik de 'nieuwe' boeken moest zetten die ik voor hem naar de kelder bracht. Ik neem aan dat ik niet de enige was die zo werd gebiologeerd door zijn uiterlijk, hij leek die fascinatie bijna te verwachten. Hij was er ongelukkigerwijs aan gewend onderwerp van nauwkeurige observatie te zijn.

Walter Geists ouders waren uit Duitsland gevlucht; dat had Oscar me verteld, maar hij had niet veel meer details uit Geists leven kunnen achterhalen, daar zei hij tenminste niets over tegen mij. Geist was niet, in tegenstelling tot wat ik me in eerste instantie had voorgesteld, in de kelder van de Arcade geboren, maar in Berlijn, in de oude Kreuzberg-wijk. Hij was heel jong met zijn ouders naar Amerika geëmigreerd en opgegroeid in Pennsylvania. Walter Geist was nooit getrouwd en leidde buiten de Arcade een solitair leven.

Zijn lichte slis was niet het gevolg van een spraakgebrek, maar van de palimpsest aan talen die hij beheerste, die allemaal waren samengepakt en vaag doorklonken in zijn gefluisterde Engels. Hij had geen accent zoals ik, dat breed en vlak klonk en, naar ik vrees, onwetend. Zijn dictie was subtiel, op een bepaalde manier exquis. Volgens Oscar sprak Geist vijf talen vloeiend; zijn vader was linguïst aan de universiteit geweest. Wat Oscar niet wist over Walter Geists persoonlijke geschiedenis, vulde hij aan met onderzoek naar albinisme. Oscar had zo zijn eigen interesses en Geist was er, kort, een van geweest, net zoals hij op zijn beurt die van mij zou worden.

Geist gebruikte in de Arcade een knijpbril met dikke glazen, die hij aan een zilveren ketting om zijn nek droeg en in zijn borstzak stak. Maar vaker dan daar opgeborgen stond hij op zijn neus, op zijn plaats gehouden door de huidplooien die zijn turende blik rond zijn ogen en op zijn voorhoofd maakte. Geists ogen hadden een ondefinieerbare kleur, maar als er een bepaald soort licht in viel, vooral fel zonlicht, leken ze violet.

'Eerlijk gezegd, Rosemary,' zei Oscar toen ik dit merkwaardige fenomeen aan hem vertelde, 'zijn Walters ogen kleurloos. Dat heb ik opgezocht. De violette kleur wordt veroorzaakt door bloedvaten op het netvlies. Je kunt het bloed zien omdat zijn netvlies de kleur van een iris ontbeert. Ik denk dat je Walters ogen doorzichtig kunt noemen.'

'Doorzichtig,' herhaalde ik gefascineerd. Oscars goudkleurige ogen waren prachtig, maar ondoorschijnend; het idee dat Geists ogen doorschijnend waren, was te eigenaardig, te bizar om me niet te boeien.

Maar de onwillekeurige beweging van zijn ogen verwarde me; ik wist niet waar ik moest kijken... hoe ik hem moest aankijken. Zijn ogen gingen maar heen en weer. Die weifeling werd veroorzaakt door zwakke spieren, en de constante beweging wekte de indruk dat zijn ogen altijd waren afgewend in een soort zijdelingse afwijking. Ik wilde zijn schichtige blik een andere, rustigere ruimte in volgen... zien wat hij zag. Hij leek opmerkelijk gevoelig voor licht en donker, en voor geur.

'Ja, transparant. Interessant, hè?' Oscar pakte glimlachend zijn schrift om iets op te schrijven wat hem net te binnen was geschoten. 'Ik heb heel veel informatie over Walters afwijking.'

'O, ja?' vroeg ik nieuwsgierig. 'Het lijkt wel of meneer Geist niet wil dat ik naar zijn ogen kijk. Ze bewegen altijd weg. Maar ik wil er wel in kijken. Ik heb het gevoel dat ik dan recht in zijn brein zou kunnen kijken.'

'Echt? Wat raar,' zei Oscar, die me kort bestudeerde.

'Misschien hebben zijn gedachten wel kleur, ondanks het feit dat zijn ogen die ontberen.'

Ik had niet kunnen zeggen dat hij volledig kleurloos was, dat zou wreed hebben geklonken. Ik zag Geists gedachten echt voor me als heldere en geheimzinnige entiteiten, die als exotische vissen achter het transparante vlies van zijn netvlies zwommen.

'Ik zag hoe hij gisteren buiten naar mijn haar stond te kijken,' zei ik tegen Oscar. 'Toen we op die zending stonden te wachten. Toen ik vroeg of er iets was, schraapte hij zijn keel en deed alsof hij niet had staan kijken.'

'Nou, Rosemary,' zei Oscar nuchter, 'misschien vindt Walter je haar wel mooi.'

Toen begon hij, alsof hij zijn interesse net zo snel was kwijtgeraakt als die was opgekomen, weer in zijn schrift te schrijven.

'Oscar,' waagde ik terwijl mijn hart tegen mijn borstkas hamerde, 'denk je dat echt?'

Maar hij gaf geen antwoord; hij liet niet eens merken of hij me had gehoord, zo volledig werd hij door zijn eigen aantekeningen in beslag genomen. Ik keek toe hoe hij verder schreef en voelde me ziek van verlangen. Zijn gebeeldhouwde hoofd boog zich over zijn taak, zijn gezicht uitdrukkingsloos.

Ik kwam Geist af en toe tussen de boekenrekken van Oscars afdeling tegen, met een boek bijna tegen zijn gezicht gedrukt, zijn witte vingers over de kaft gespreid als uitgestrekte vleugels. De boeken die hij tegen zijn neus hield, hadden het compacte gewicht van studieboeken en hun zwaarte deed hem vooroverbuigen van inspanning. Walter Geist was zelfs binnen de wereld van de Arcade een solitaire figuur, en als Pikes uitverkoren wederhelft bleef hij ook altijd aan de periferie van camaraderie met de andere personeelsleden. Hij behoorde per slot van rekening tot het management:

George Pikes bleke avatar, een soort schaduw. Maar hij nam zelf ook afstand, in de wetenschap dat hij altijd anders zou zijn, verwijderd van datgene wat het leven van anderen definieerde. Wat dat betreft kende hij de voorwaarden van zijn leven beter dan ieder ander en ik nam denk ik net als ieder ander aan dat hij zich daar volledig bij had neergelegd. Het was geen medeleven mijnerzijds dat hij me zo fascineerde. Het was nieuwsgierigheid. Mijn verbeelding was altijd overactief en ik maakte een belangrijke figuur van hem in het sprookje dat ik aan het bedenken was, in het sprookje waarin ik leefde. Misschien kwam het ook doordat ik me gewoon niet kon inleven in zijn menselijkheid.

Het personeel bij de Arcade deed een spel om de tijd door te komen, een spel dat spontaan ontstond als een klant een vraag stelde die extreem moeilijk te beantwoorden was. Het spel heette: 'Wie weet het?' en een lange dag ging er sneller van voorbij, maar het was ook nuttig in de zin dat het de vaardigheden die je nodig had om in de Arcade te kunnen werken, aanscherpte. Je had er ook gevoel voor humor voor nodig, vooral ten aanzien van de eisen die aan je geheugen werden gesteld.

Er waren geen naslagwerken, behalve *Boeken in Druk* (de plaats waar een titel die een klant van de Arcade zocht bijna zeker niet in zou staan), dus de enige betrouwbare bron om een boek te vinden was het collectieve geheugen van de personeelsleden. Geheugen was de meetlat van succes bij de Arcade, de graadmeter van je waarde voor Pike. Geheugen huisvestte de inhoud van de boekwinkel als een zich steeds uitbreidende index, een innerlijke privébibliotheek die werd georganiseerd volgens een interne, vlezige variatie op Deweys decimale systeem.

Er waren klanten die wel de titel, maar niet de auteur wisten, of wel de auteur, maar niet de titel, of zelfs alleen de kleur of maat van het boek, maar niet de auteur of titel.

Soms gingen de handen van een klant uiteen en dan zei hij: 'Het is ongeveer zó dik.' Het spel werd een manier om om te gaan met hoe moeilijk het kon zijn om iets te vinden in de Arcade. Voor het personeel was elke vage vraag een kraal in een streng van beweringen waarop geen logisch antwoord is te vinden. Die vragen vereisten een net zo absurd antwoord, het standaard Arcade-antwoord. Vandaar de naam van het spel: 'Wie weet het?'

Jack Conway, zijn vriend Bruno en de enorme Arthur (Pike leek het geestig te vinden dat hij een Art – het Engelse woord voor kunst – had ingehuurd voor de kunstafdeling) schreeuwden heel graag, soms met een echt oorlogszuchtige ondertoon, de naam van het spel. Ik dacht in eerste instantie dat ze het echt serieus meenden en kwaad waren, maar ik leerde het uiteindelijk begrijpen.

'Wie weet het?' riepen ze dan tegen elkaar over het hoofd van de vragende klant heen, en dan, als er geen echo klonk, schreeuwden ze, hatelijker, met een open keel: 'Wie weet dát in godsnaam?'

Ik leerde dat het een uitdaging was, een roep om hulp van de anderen, die zelfs Oscar tussen zijn rekken vandaan deed komen als hij niets anders te doen had. Oscar kende vrijwel elke titel van zijn afdeling, maar als het gevraagde boek niet in de vormeloze categorie non-fictie viel, moesten er mensen worden opgetrommeld die een iets minder opmerkelijk geheugen hadden. Zelfs Pike deed mee, vooral als het betekende dat er dan een boek verkocht zou worden.

Waar is dat boek dat ik hier een keer heb zien liggen over de geschiedenis en het ontwerp van Russische matroesjka's? Waar moet ik zoeken naar een monografie over Franz Boaz' dissertatie getiteld *Contributions to the Understanding of the Color of Water*? Heeft u Sagitta's klassieke homoroman, *Der Puppenjunge*, in het Engels? Ik ben op zoek naar 'Gondibert' van William D'Avenant, het heeft vijftienhonderd stanza's. Heeft u een boek met quiltpatronen? Waar zijn die decoratieve planisferen die zijn gebaseerd op de projectie van Mercator? Ik heb *Poems Chiefly in the Scottish Dialect* van Robert Burns hier gezien, maar waar staat dat nu?

De vragen van klanten waren als gedachteballonnen in een strip die zichtbaar maakten wat er in de geest van de stad speelde. Ze waren even willekeurig en subjectief als ervaring zelf en onze enige verdediging tegen de arbitraire aard van de vragen was ons spel.

'Wie weet het?' hielp de obscuurste boeken vinden en na een paar maanden begon ik het zelfs gewoon te vinden dat personeelsleden die er al lang werkten in staat waren een hand op een dun boekje te leggen dat zeven planken naar beneden en negen boeken naar achteren stond en dan precies het boek te voorschijn toverden waarnaar de klant op zoek was. Ik had Chaps weleens zo'n act zien opvoeren in haar keurige winkeltje in Tasmanië, maar de schaal van dit spel was van een heel andere orde, net als de reikwijdte en variatie in onderwerpen. Het vinden van het onvindbare kon in de Arcade het best worden gedaan met een stoïcijnse houding, een minzame verloochening van de prestatie van het geheugen die ermee werd tentoongespreid. De magische handeling iets in de vergaarbak in de Arcade te vinden, laat staan een boek waarom speciaal werd verzocht, was iets om trots op te zijn. Deze konijn-uit-de-hoed-truc was de enige manier waarop het personeel kon wedijveren met Pikes mysterieuze manier van prijzen.

'Ik heb dit voor je gevonden, Lillian, maar het is in het Engels.'

Ik gaf haar een kleine paperback van Borges, *The Book of Imaginary Beings*, dat ik toevallig had zien liggen toen ik bij de paperbacktafels stond te wachten.

'O, dat is een mooi boek. Ik heb het lang geleden gelezen. Jij en ik, Rosemary, zijn dat ook, hè? Denkbeeldige wezens, hier? Toch?'

'Hoe bedoel je?'

'Het is net alsof we zijn bedacht, net als de wezens hier. Zie je wel?' Ze opende de paperback lukraak. 'Het Mannetje op de Maan, de Mandragora, de Manticore.' Ze glimlachte. 'Daar lijken we op. Niemand weet dat we bestaan, op een paar mensen na. En als we verdwijnen, is er geen Borges om een verhaaltje over ons te schrijven, om te zorgen dat we niet worden vergeten. Wie weet dat jij hier bent? Je hebt geen moeder en geen vader. En kijk eens naar jezelf, je bent al zo veranderd. Je lijkt niet meer op het meisje dat hier een paar maanden geleden binnenkwam. Een meisje uit Tasmanië.' Ze bestudeerde me. 'Je ziet eruit als een leeuwin. Waar is dat andere meisje gebleven? Dat is nu een denkbeeldig wezen!'

Ik was veranderd. Ik was met mijn lange lichaam en lange botten fysiek sterk geworden van het werk in de Arcade, ik had arm- en rugspieren getraind die in mijn grotendeels zittende leven nog nooit waren aangesproken. Helpen in Opmerkelijke Hoeden had fysiek niet veel van me gevraagd. Maar het sjouwen van dozen boeken, over het algemeen te vol ingepakt, maakte me sterk, net als mijn wandelingen en de begrenzingen van een dieet van voedsel dat goedkoop was en niet hoefde te worden klaargemaakt in mijn kamer in het Martha Washington.

'Maar we zijn voor elkaar wel echt, Lillian,' zei ik tegen haar. 'Wij zijn geen denkbeeldige wezens.'

'Je weet helemaal niets over mij,' zei Lillian ronduit terwijl ze door haar paperback bladerde. 'Niets,' voegde ze eraan toe met een beslistheid die me pijn deed. 'Voor hetzelfde geld zou ik helemaal niet bestaan.'

'Nou, het duurt even om iemand te leren kennen, Lillian, maar ik hoop dat we vriendinnen worden.'

'Het spijt me, maar in het Engels wil ik het niet lezen.

Maar toch bedankt,' zei ze abrupt, en ze gaf het boek aan me terug.

Misschien doordat ze de pijn op mijn gezicht zag, voegde ze eraan toe: 'Houd het maar. Dan kun je het zelf lezen. Om je lacunes mee te vullen. Dat hoef ik niet meer.'

Ze wendde zich van me af en zette haar koptelefoon op.

Ik voelde me afgewezen en ging naar mijn kamer. Ik wilde vriendinnen, die had ik thuis nooit gehad. Moeder had zulke banden ontmoedigd, ze was extreem heimelijk en terughoudend over haar leven. Hoewel ik dol was op de Arcade en New York, was de keerzijde van een drukke stad dat je je er meedogenloos geïsoleerd kon voelen. Ik was nog nooit iets voor iemand geweest, ik had geen indruk achtergelaten, niemand zou me zich herinneren. De mensen hier waren moeilijk en vreemd... soms leugenachtig. Ik moest voorzichtig zijn. Ik voelde aan de groene amulet die Chaps me had gegeven en die ik altijd om had.

Het gesprek met Lillian hielp me eraan herinneren dat ik ergens anders moest gaan wonen, dat ik een eigen plek moest creëren. Hoewel ik het al maanden redde in het hotel, verlangde ik naar een kamer die niet voelde als een logeeradres. Het vieze park, mijn weerman op weg naar de Arcade, vertelde me dat het herfst werd en ik wist weinig over de echte winter die zou volgen. Ik wilde een eigen badkamer, vrij van smerige spoken, een fornuis om op te koken en een raam dat ik kon opendoen en dat mijn honger niet plaagde met de belofte aan Indiaas eten dat ik niet kon betalen, ondanks het bordje dat er hing dat het de goedkoopste keuken in de stad was. Het was bovendien verlammend stil in het Martha Washington, tot laat in de avond. En dan begon het gebonk van de auto's en taxi's die het gat dat precies voor de ingang van het pand in het wegdek zat, niet zagen. Het gesynchroniseerde geknal van de voorkant en dan de achterkant van elke auto, als de banden even verdwenen en de auto met de naaf tegen het wegdek knalde, was repetitief en oorverdovend.

Ik lag die avond in de duisternis in bed het boem-boem van de passerende auto's af te meten tegen het meer voorspelbare boem-boem van mijn hart. Ik had behoefte aan een eigen plek en besloot bij de Arcade navraag te doen of iemand een appartement wist dat ik kon huren of delen.

Ik kon niet slapen, deed het licht aan en pakte het boek van Borges dat ik voor Lillian had gevonden en waarvan ze had aangedrongen dat ik het zelf zou houden. Waarom was het zo moeilijk om vriendschap met Lillian op te bouwen? Het boekje vrolijkte me op. Lillian had gelijk dat Borges lacunes vulde; hij wist alles over het luie genot van nutteloze en buitenissige eruditie; alles over de vruchtbare kwaliteit van kennis.

Het boek was alfabetisch geordend, dus ik begon met Abtu en Anet, de levensgrote Egyptische heilige vissen die op de uitkijk naar gevaar rondzwommen voor de voorsteven van het schip van de zonnegod. Ze waren op een oneindige reis, zeilden van zonsopgang tot zonsondergang door de hemel en reisden 's nachts ondergronds in tegengestelde richting.

Ik las enthousiast de korte verhaaltjes en bracht het grootste deel van de nacht door zonder aan mijn zorgen te denken.

Sommige wezens kende ik, zoals de Minotaurus, half stier en half mens, geboren uit de perverse passie van Pasiphaë, koningin van Kreta, voor een witte stier, en verborgen in het Labyrint vanwege zijn monstruositeit.

Het laatste wezen in het boek was de Zaratan, het eiland dat een walvis is die 'behendig in verraad' is en zeelieden laat verdrinken als ze op zijn rug hun kamp hebben opgezet nadat ze de Zaratan per abuis voor land hebben aangezien.

Ik viel uiteindelijk in slaap met het boek op mijn borst, mijn geest vol walvissen en witte stieren, meermannen en meisjesleeuwinnen: een zoölogie van dromen met een rolbezetting die was ontworpen om de droom die ik leefde te bevolken.

Arthur Pick was een geval apart. Ook een buitenlander, een Engelsman. Hij adoreerde zijn kunstafdeling en zat aan de lopende band fotografieboeken te bestuderen, vooral als er naakte mannen in stonden, zoals ik hem dat had zien doen op de dag dat ik werd aangenomen. Arthur was ook dol op schilderkunst, maar fotografie was zijn echte passie. Hij gaf me een bijnaam die ik vreselijk vond, maar hij bleef hem stug gebruiken. Hij stond erop dat ik naar de foto's keek die hij zo mooi vond.

'Hallo, mijn Tasmaanse duiveltje, ben je vandaag weer ons factotum? Heb je het druk? Kom eens naar deze foto's kijken. Zijn ze niet prachtig?'

'Nou, ja, ze zijn heel, eh, krachtig... Maar ik vind de schilderijen die je me hebt laten zien mooier.'

'Echt waar? Ik snap niet waarom.' Arthur sloeg een paar pagina's om en mijn gezicht liep rood aan. Ik had nog nooit zulke mannen gezien. Nooit.

'Vind je niet dat de foto hen onschuldig maakt?' vroeg Arthur. De vraag verbijsterde me. 'Ze zijn zo vastgelegd, zich er onbewust van dat ze zullen veranderen, of sterven, of zelfs dat ze leven,' vervolgde hij.

'Onschuldig?' Het was precies wat ik van de foto van moeder vond: dat ze erop was vastgelegd voordat haar leven haar had overweldigd. Maar onschuldig? Je kon die mannen nou niet bepaald onwetend noemen, ze waren eerder medeplichtig.

'Hun onschuld is hun aantrekkingskracht,' legde Arthur uit. 'Hun naaktheid is daar maar een deel van. Ik dacht dat jij dat wel zou zien, mijn Tasmaanse duiveltje, want zo ben jij ook een beetje.'

'Maar hoe weet je dat ik onschuldig ben?' vroeg ik met een gloeiend gezicht.

'Nu neem je een loopje met je geloofwaardigheid. Iedereen hier ziet dat in je.'

'Ik begrijp echt niet wat je bedoelt, Arthur, en ik heb al eerder gevraagd of je me niet zo wilt noemen.'

Ik wist dat het ironisch bedoeld was dat hij me een duiveltje noemde, maar op dat moment kon ik er niet om lachen. Arthur bleef bladzijden in het grote boek omslaan.

'Mijn starende blik brengt de naakten tot leven. Ze leven in mijn geest. Is dat niet geweldig?'

'Houd je op me zo te noemen?'

'Tasmaans duiveltje? Als je dat graag wilt. Mag ik je dan TD noemen, als afkorting?'

'Als je het maar niet te lang blijft doen,' antwoordde ik.

'Aha,' zei Arthur verrast. 'Het ontwaken van scherpzinnigheid! Wat heerlijk! Misschien ben je toch niet helemaal onherstelbaar Tasmaans.'

Toen ik op een avond in oktober terugliep naar het Martha Washington ervoer ik voor het eerst een ritueel van de Amerikaanse herfst. Ik liep langs mijn vieze park en bleef staan om te kijken hoe hoveniers bladeren op grote hopen bliezen. Herfstbladeren werden verzameld in kleurrijke hopen bruin en oranje, met hier en daar een geel accent, als de vierkantjes papier die Pearl kreeg om uit te betalen. De tijd verstreek, op een hoop op het pad, op hopen geblazen om weggereden te worden en tot as te worden verbrand. Ik huiverde.

Ik keek omhoog naar de bomen. Aan één ervan hingen aan de bovenste takken nog een paar donkere bladeren. Ze veranderden onder mijn starende blik in een zwerm vogels die in één begroetende plotselinge beweging op- en wegvloog en niets dan een plastic zakje achterliet, dat gevangen en doods aan de kale takken hing.

Ik haastte me naar het Martha Washington.

'Ik betaal voor de volgende week,' zei ik tegen Lillian

toen ik binnenkwam. 'Maar ik wil echt een appartementje vinden. Het is tijd dat ik vertrek.'

Ik had besloten serieus op zoek te gaan, ondanks mijn geldgebrek.

'Wat is er mis met hier blijven?' vroeg Lillian. 'Ik houd een oogje in het zeil. Ik zie je komen en gaan. Ik zorg dat je niet denkbeeldig bent,' grapte ze. 'Ik wil zien wat je wordt na die leeuwin.'

Ze bewoog haar handen rond haar hoofd in nabootsing van mijn wilde manen.

Ik glimlachte. 'Het is hier prima, Lillian, maar ik wil een eigen plekje. Ik wil koken en ergens neerstrijken. Mensen komen en gaan hier aan de lopende band. Ik wil een thuis. Het weer begint om te slaan. Het is tijd dat ik wat meer vastigheid krijg.'

'Ik vind dat je moet blijven. Voorlopig. Je bent hier veiliger,' zei Lillian, die haar handen liet vallen en er ineens bang uitzag. 'Mensen verdwijnen,' zei ze. 'Je hebt geen idee...'

'Waar heb je het over, Lillian?' vroeg ik. 'Ik ga niet weg. Een thuis vinden is de beste manier om permanent te worden. Ik ben niet van plan om te verdwijnen.'

Lillian schudde haar hoofd, maar niet om aan te geven dat ze het er niet mee eens was.

'Ik hoorde dat je een woning zoekt,' mompelde Jack een paar dagen later tegen me toen ik buiten met Pearl stond te kletsen. 'Ik kan wel wat regelen...'

'Bedoel je dat je een huis voor me weet?'

'Mijn maat is er net uit en het is goedkoop.'

'Het zal bijna gratis moeten zijn, Jack, met wat ze ons hier betalen,' zei ik. 'Is het in de buurt?'

'Op loopafstand,' antwoordde hij. 'Als je van wandelen houdt. Het is een stukje naar het oosten.'

Hij zwaaide wild om zich heen met zijn zware arm, niet in een specifieke richting.

Ten oosten van de Arcade lag een berucht vervallen stuk van de stad, dat bekendstond om zijn drugdealers en flats met alleen koud water. Jack en Rowena namen me de week daarop na het werk mee om naar de flat van die vriend te gaan kijken.

Ze leidden me door een straat die vol stond met verlaten gebouwen, langs een braakliggend terrein dat was bezaaid met vuil. Er stond een pand met een smerige etalage met ramen die waren beschilderd en houten planken die vol waren gekalkt met graffiti. Naast wat ooit een kruideniers-winkeltje was geweest opende een deur die eruitzag of hij zijn beste tijd had gehad. Ik nam in het stinkende halletje de injectienaalden die in het trappenhuis lagen en de grijze bladderende verf aan de muren in me op. De kamer was op de eerste verdieping. Jack had de sleutel. Zijn vriend, ook een muzikant, had het appartementje leeg achtergelaten, hoewel het contract nog liep en hij het een halfjaar wilde onderverhuren.

De deur gaf toegang tot een lange smalle kamer die wel wat weg had van een treinwagon, met twee smerige ramen die uitkeken op straat. In het midden van de ruimte ston-den een fornuis, een gootsteen en een ouderwets bad met pootjes tegen een bakstenen muur. Achterin, achter een smerig gordijn, was een alkoofje met een kast (en het toi-let). De versleten, donkere, brede planken op de vloer la-gen vol met de resten van een haastig vertrek: papier, doe-ken en klontjes stof. Het was er koud. Het hele pand was onverwarmd.

'De boiler doet het even niet,' zei Jack terwijl hij zijn han-den warm wreef. 'Mijn maat zette de oven altijd aan met de deur open als het echt koud werd in de winter. Dan is het hier binnen een mum van tijd warm.' Hij probeerde te glimlachen.

'Er staan zelfs pannen waarin je water kunt koken als je in bad wilt,' deed Rowena een duit in het zakje.

Na het Martha Washington deed de armoedige uitstraling van het pand me niets. Op een bepaalde manier paste het allemaal precies in de ideeën die in mijn hoofd vorm begonnen aan te nemen over een bohémien leven, over de benodigdheden voor avontuur. Ik had bovendien altijd boven een winkel gewoond en hoewel moeder de flat gruwelijk zou hebben gevonden, deed hij me op een bepaalde manier aan die boven Opmerkelijke Hoeden denken.

'Je betaalt mij de huur,' zei Jack. 'Vijftig per week. Maar ik moet wel borg hebben. Vierhonderd is goed. Dat is dan inclusief de eerste maand. Oké? Ik moet het geld naar mijn maat sturen.'

Ik zou meer dan vierhonderd dollar nodig hebben om erin te kunnen. Ik moest ergens op slapen en er moest worden schoongemaakt. Ik had geen geld.

'Als je het niet kunt regelen, weet ik iemand die het wel kan betalen,' dreigde Rowena, waarmee de beslissing was genomen.

'Ik doe het,' zei ik, en ik wilde er meteen blijven en de deur achter Jack en Rowena op slot doen. Als ik eenmaal alleen was, kon ik me zorgen gaan maken over het feit dat het geld dat ik had gespaard te weinig was om Jack de borg te betalen.

'Mag ik een paar dagen om het geld bij elkaar te schrapen?' vroeg ik.

'Tuurlijk, schat,' grijnsde Jack scheef naar me. 'Overmorgen? Dan beginnen we met de huur van november.'

Ik kon Chaps niet om geld vragen. Ten eerste zou dat er niet op tijd zijn geweest, maar ze had bovendien al zo veel voor me gedaan en als ik erom zou vragen, zou ze zich zorgen gaan maken. De dag nadat ik het appartementje had bekeken, had ik het met Oscar over mijn geldgebrek.

'Ik weet niet of je iemand als Jack als huisbaas wilt,' waarschuwde hij. 'Hoe kun je zeker weten of hij eerlijk is?'

'Maar ik kan niets anders vinden en het is echt perfect voor me, Oscar. Ik knap het wel op. Ik moet alleen een manier bedenken om aan dat geld te komen.'

'Ik zou je dit niet moeten vertellen, maar ik weet dat Walter Geist Pike heel af en toe om een voorschot voor een personeelslid in hoge nood vraagt. Een klein bedrag, een voorschot op toekomstig loon. Je zult een overeenkomst moeten tekenen en dan wordt het wekelijks in kleine beetjes op je loon ingehouden. Pike wil natuurlijk wel rente. Tien procent op de hele lening, uitgespreid over de periode die je erover doet om af te betalen.'

Oscar klonk erg vertrouwd met een praktijk waarvan hij zei dat hij zeer zeldzaam was. Ik vermoedde dat hij zelf een schuld had bij Pike.

'Ik kan meneer Geist niet om geld vragen,' zei ik, het idee verafschuwend. Maar zonder lening zou ik nog maanden in het Martha Washington moeten blijven en als ik hem dan wel zou kunnen betalen, zou de flat weg zijn.

Ik kwam Walter Geist die middag tegen, hij stond in Oscars afdeling te lezen. Hij hield het boek niet meer dan drie centimeter van zijn gezicht vandaan. Toen ik zo naar hem keek, vond ik dat hij een bepaalde waardigheid uitstraalde in zijn nauwkeurige inspectie. Zijn vreselijk slechte ogen deden hem een moment kwetsbaar lijken, en op een vreemde manier, door hoe ze bewogen, aantrekkelijk.

Hij moet hebben gevoeld dat hij werd bekeken, want hij sloeg het boek met een klap dicht, tuurde nerveus om zich heen en nam zijn onaangename uitstraling weer aan. Hij had me niet gezien, maar ik zag heel even zijn gezichtsuitdrukking. Hij zag eruit als een kind dat zich voorbereidt op een klap. Was het Pike die die uitdrukking op Geists gezicht had gegrift, zo duidelijk zichtbaar als de pijn van een kind dat door een explosieve ouder wordt gekwetst? Ze hadden een intense relatie, vaak onderhouden in theatraal gefluister en nadrukkelijk uitgesproken zinnen. Ik kon niet raden wat hun band was, maar ik wist dat ze hoe dan ook werden verbonden door een sterke loyaliteit.

Maar nu ik Walter Geist onverhoeds had betrapt, had ik ook iets gezien van zijn gruwelijke weerloosheid. Zijn albinisme betekende natuurlijk dat hij allerlei kwetsbaarheden had. Hij zat gevangen in een huid die afstootte door zijn perfectie, maar hij had ook vreemde trekjes. De vervorming vond plaats onder de starende blik van een ander. Minachting wordt sterker naarmate ze specifieker wordt en Geists witheid functioneerde als een katalysator voor mensen die een hekel hadden aan alles wat vreemd was.

Mijn eigen ervaring met marginaliteit gaf me geen inzicht in het leed van Geist. Ik was per slot van rekening uit vrije wil naar New York gekomen, terwijl hij sinds zijn geboorte was gedoemd altijd een vluchteling te blijven. Zoals een groot deel van mijn begrip werd gevormd door boeken, was het via fictie dat ik een idee kreeg van zijn waarheid. En het was Herman Melville in het bijzonder die me deed inzien hoe vreselijk anders Geist was, en hoeveel walging hij bij anderen losmaakte.

Deel Twee

Zeven

'Het is een apart stel, hè, Oscar? Vind je ook niet?' vroeg ik nadat ik naar Geist had staan kijken en me van alles over hem afvroeg. 'Pike en Geist. Een raar stel kerels.'

'Ach, Rosemary, denk je dat ze vreemder zijn dan de anderen die hier werken? En wat is trouwens de definitie van vreemd?' vroeg Oscar retorisch. 'Misschien dat jij het allemaal vreemd vindt omdat je een vreemdeling bent in New York. Voor sommige mensen is een meisje uit Tasmanië, met wild rood haar, zonder ouders, dat haar hele leven boven een hoedenwinkel heeft gewoond, heel ongebruikelijk.'

'Dat zal wel,' zei ik. 'Maar ik vind mezelf helemaal niet ongebruikelijk.'

'Natuurlijk niet. Dat vind ik ook niet van mezelf, dat vindt Walter zelfs niet van zichzelf. Hoewel...' moest Oscar toegeven, 'Walter is denk ik echt ongebruikelijk. Daar helpt geen lievemoederen aan.'

'Ik zag hem op jouw afdeling een boek lezen, een paar centimeter van zijn neus,' zei ik. 'Ik wilde hem naar die lening vragen. Maar hij zag er zo tevreden uit, en zo, nou ja, kwetsbaar, dat ik hem niet wilde storen. Ik had het gevoel dat hij even alleen wilde zijn.'

Wat ik niet tegen Oscar zei, was dat ik het gevoel had gehad dat ik hem onthuld zag, alsof ik hem naakt had gezien.

'Hij komt vaak naar mijn afdeling,' bevestigde Oscar. 'Maar ik kan hem niet echt helpen met de boeken die hij zoekt. Ik heb niet veel recent werk over hersenen, over neurologie. Hij is ook geïnteresseerd in antropologie, maar daar komen geen nieuwe titels van naar de Arcade. Ik heb wel wat heel interessants over frenologie, maar dat is stokoud, hoewel het wel het lezen waard is...'

Zijn stem was weggeëbd alsof zijn geest een interessantere gedachte volgde, en zijn hand streelde over zijn eigen hoofd, misschien in een poging zijn opvallende achterhoofdsbeen te duiden. Of wilde hij controleren of het wel vastzat?

'Hoelang werkt meneer Geist hier al, Oscar?' vroeg ik in een poging hem terug te halen naar het onderwerp.

Dat wist Oscar niet, maar aangezien hij zijn eigen puberteit had doorgebracht met corresponderen met Pike en meneer Mitchell op zoek naar boeken die hij wilde hebben, nam hij aan dat Walter Geist ouder was dan hij. Geist was pas begin veertig, ondanks zijn vreemde lichaamshouding, die hem veel ouder deed lijken dan hij was.

'Toen ik me aan het inlezen was over albinisme,' zei Oscar, 'kwam ik ergens tegen dat albino's over het algemeen een veel kortere levensverwachting hebben dan anderen, dus zo oud kan Walter niet zijn, los van hoe hij eruitziet. Albinisme komt voor bij alle mensenrassen, Rosemary.'

Toen draaide Oscar zich om, keek snel langs een plank in zijn buurt en legde zijn hand op een groot, oud boek. Hij trok het van de plank en opende het exact bij een foto uit het victoriaanse tijdperk van twee zusjes, een albinotweeling, met haar dat zo kleurloos was dat het wel een fout in de afdruk leek. Het hing over hun welgevormde silhouet en ze leunden tegen elkaar aan. De witheid van hun haar domineerde de foto, de contouren zacht en vaag langs de randen; het hing ver over hun ingesnoerde taille, los en choquerend door het contrast met hun zwaar gesteven zwarte jurken.

Hun gelaatstrekken waren nauwelijks te onderscheiden, je zag eigenlijk alleen donkere schaduwen bij ogen, neus en mond en ik was geschokt de enorme hoeveelheid haar te zien, los en tentoongespreid. De foto was ook onthutsend omdat de vrouwen mooi waren en de foto uitgesproken erotisch. Ik kreeg het gevoel dat de vrouwen een onuitsprekelijke overwinning tentoonspreidden, maar tegelijkertijd een omdraaiing van fatsoen. Het overduidelijke gebrek aan plezier dat ze beleefden aan het onthullen van hun kleurloze lange haar beledigde hun vrouwelijkheid. De foto, of de fotograaf, verried hen op de een of andere manier.

Oscar las de tekst op de andere pagina voor, zijn gouden ogen betoverend heen en weer bewegend.

'"Albinisme kwam vaak voor onder bepaalde indianenstammen uit het zuidwesten, die dachten dat albino's boodschappers van de goden waren, en die geloofden dat ze werden vervloekt als ze een albinodier doodden. Albino's zijn historisch gezien altijd met enorme achterdocht bejegend en er bestaan nog steeds veel misvattingen over albinisme, waaronder het idee dat de kenmerkende slechte ogen een teken zouden zijn van verminderde intelligentie of juist het tegenovergestelde, dat albino's mysterieuze gaven zouden hebben zoals gedachtelezen. Albino's werden vroeger meteen na de geboorte in een inrichting opgesloten. Albinisme werd in de negentiende eeuw in Amerika zo'n bizarre eigenschap gevonden dat mensen die eraan leden werden tentoongesteld in het circus en gefotografeerd als menselijke rariteit."'

Hij hield het boek omhoog, hoewel ik anders was gaan staan zodat ik de foto over zijn schouder kon zien.

'"Zie de afbeelding rechts,"' las hij voor, en hij wees naar de verontrustende foto.

Ik leunde naar voren om hem beter te kunnen bestuderen. Hij sloeg het boek met een stoffige klap in mijn gezicht dicht. Ik schrok.

'Dat moet een zware last zijn, denk je niet? Gezien te worden als menselijke rariteit.'

Hij klonk nuchter en ik vroeg me af waarom hij niet mee-levender was; waarom ik het niet was. Natuurlijk was Geist eigenaardig, maar voor Oscar was hij gewoon nog een on-derwerp waarover hij alles wilde weten.

Ik was geraakt door wat Oscar had voorgelezen en be-rispte mezelf om mijn eigen afkeer van en fascinatie met Geist. Ik vermoedde waarom ik hem zo intrigerend vond. Ik zou Geist beter als boodschapper kunnen zien, zoals de in-dianen dat deden, een boodschapper die was gestuurd om me te herinneren aan mijn eigen onvermogen, mijn eigen gemis aan empathie. Ik besloot me aardiger jegens hem op te stellen, of hij me nu dat geld ging lenen of niet.

'Ik ga een paperback van *Moby Dick* voor je zoeken,' zei Oscar plotsklaps.

'Waarom?' vroeg ik. Ik had geen idee.

Hij zette het boek in de kast terug.

'Omdat Melville heel veel te vertellen heeft over albino's, en je lijkt er buitengewoon in geïnteresseerd. Er staat een heel hoofdstuk in over albinisme. Je moet altijd je interesses volgen. En je woont nu in Amerika. Je moet Amerikanen lezen.'

Ik was buitengewoon geïnteresseerd in Walter Geist, hoewel mijn eigen bevlieging werd gevoed door Oscars fas-cinatie. Ik wilde alles wat hij me aanbood bestuderen. Ik zou alles lezen wat hij zei dat ik moest lezen, en ik was ook nieuwsgierig, want dit was niet de eerste keer dat ik Melvil-les naam hoorde vallen.

'Kom op, laten we Jack en Bruno ernaar vragen. Peabody koopt alles van waarde op, maar er ligt heus nog wel ergens een oude paperback!'

We liepen naar de voorkant van de winkel om op de chaotische tafels te gaan zoeken. Mercer was met de post gekomen en stond met Pearl te kletsen. Toen Oscar het onbehouwen paperbackduo vertelde dat hij op zoek was naar *Moby Dick* en dat het voor mij was, ontketende hij onbedoeld een wellustig opscheppen bij Jack over zijn (beweerd spectaculaire) anatomie. Bruno bood spontaan aan, zoals hij het zei 'Het meisje mijn eigen Moby Dick' te laten zien.

Hoe dan ook, ze hadden geen exemplaar van het boek, maar beloofden het apart te houden als ze er een binnenkregen, waarvan ze ons verzekerden dat het vaak gebeurde.

Lillian zat niet bij de receptie toen ik die avond terugkwam in het Martha Washington. Ik was verrast en teleurgesteld, ik wilde haar advies vragen over mijn flatje. En dan maakte zij zich zorgen dat ik zou verdwijnen!

'Waar is Lillian?' vroeg ik het mannetje dat haar plaats had ingenomen. Hij was oud, met een gerimpelde donkere huid met glimmende stukken op zijn voorhoofd, wangen en kin.

'Ze is vandaag niet komen opdagen, juffrouw, dus toen hebben ze het uitzendbureau gebeld en mij gestuurd. Geen idee wat er met haar is. Misschien dat ze ziek is? Ik heb gehoord dat ze heel betrouwbaar is. Haar broer is toch de eigenaar? Hij is haar aan het zoeken. Heb je je sleutel?'

Ik liet mezelf mijn kamer binnen, bezorgd over Lillian en bang dat ze ziek was. Maar als ze ziek zou zijn, zou ze in het hotel zijn en dan zou haar broer niet naar haar hoeven zoeken. Ik trok mijn schoenen uit en ging op het doorgezakte bed zitten.

'Waar is ze?' vroeg ik hardop aan het Huon-kistje.

Ik stond titels te stapelen die Pike apart had gezet om op te ruimen toen ik dacht dat ik Redburn zag. Ik schrok van de flits rood haar, alsof ik mezelf ineens in de spiegel zag. Ik bleef heel stil staan, wachtend om te kunnen zien of degene die achter een kast op de kunstafdeling stond inderdaad de winkeldief was.

'Nou, wat bied je aan?' zei Pike in de oude telefoonhoorn terwijl hij achter zijn bureau stond. 'Die man wil kopen, hij noemt geen maximumbedrag en je hebt niets interessants te bieden?'

Hij stond duidelijk meneer Mitchell een uitbrander te geven. Ik pakte een stapel boeken en keek om de hoek, maar er bewoog niets.

'Peabody wil Amerikaans. Dat zei Metcalf. En Melville dan? Weet je nog dat de bibliotheek die papieren kreeg die jij voor de Arcade zou bemachtigen?'

Redburn stak zijn rode hoofd om de kast.

'Jij,' mompelde ik.

Hij duwde zijn wijsvinger tegen zijn lippen. Hij luisterde, moet ik toegeven, net zo geconcentreerd als ik naar Pike. Ik luisterde Pike zo vaak ik kon af. Ik praatte mijn onbetamelijke gedrag natuurlijk goed door mezelf voor te houden dat ik het deed omdat ik nog zo veel moest leren, dat hij me zo veel kon leren. Maar nu stond er een winkeldief naast me die de informatie stal die ik exclusief voor mezelf wilde hebben. Wat toevallig dat Pike over Melville stond te praten.

'Daar zou Peabody alles voor over hebben gehad,' vervolgde George Pike. 'En nu zegt Gosford dat hij geen 45.000 dollar voor die Mandelstam wil betalen...'

Ik draaide me om en ging op zoek naar Bruno of Jack. Geist had tegen me gezegd dat ik Redburn eruit moest laten gooien, maar tegen de tijd dat ik terugkwam met Jack was de dief verdwenen.

'Ik zie niemand. Weet je zeker dat je geen spoken ziet, schat?' vroeg Jack terwijl hij zijn gezicht naar dat van mij bracht. 'Dat gebeurt hier na een tijdje. We zijn allemaal een beetje gek hier.'

Hij liep lachend terug naar de voorkant van de Arcade.

Het was toeval dat Melvilles naam viel toen ik Pikes gesprek met meneer Mitchell afluisterde, maar toevalligheden hebben de neiging op een bepaalde manier samen te vallen, alsof de voorzienigheid zelf wil zorgen dat je toeval niet over het hoofd ziet. Dat gevoel beschrijft mijn ervaring met New York in het algemeen, en met name met de Arcade; het idee van georganiseerd toeval. En hoewel ik met spijt terugdenk aan bepaalde gebeurtenissen, had ik er het gevoel dat toevalligheden speciaal waren ontworpen, niet dat ze het gevolg van mijn onderontwikkelde geest waren. We zijn zelf ons lot, fluistert Melville tegen dat jongere zelf. Maar dat zou Rosemary niet hebben begrepen.

Nadat ik de volgende ochtend een recensent naar de kelder had begeleid, vroeg ik Geist of ik hem die avond na het werk kon spreken. Ik vroeg het glimlachend en probeerde zo veel warmte als ik kon uit te stralen. Geist bestudeerde me en zijn oogspieren ontspanden een beetje; zijn bril gleed van zijn neus en zwiepte naar zijn borst; de ketting voorkwam dat hij op de grond viel. Ik stelde me voor dat er een mysterieuze gedachte door zijn brein ging, zijn transparante ogen een venster naar hoe dat werkte. Zijn hand gleed in zijn broekzak en speelde hoorbaar met kleingeld.

'Natuurlijk, Rosemary, natuurlijk kun je me vanavond spreken. Om zes uur.' Hij klonk verrast en was meer rechtop gaan staan. 'Boven in het kantoortje.'

Hij glimlachte zelfs een beetje, en ik zag voor het eerst zijn kleine, gelijkmatige tanden, die net zo wit waren als hij.

Ik liep om zes uur de krakkemikkige trap naar het kantoortje op en wachtte bij de deur. Ik nam het bureau in me op, dat vol lag met stapels rekeningen en correspondentie en dat werd verlicht door een glanzende lamp van groen glas. Geist zat voorovergebogen boven een grote ronde loep. Het glas zat bevestigd in een koperen rand, een elegante ondersteuning voor de zware lens zodat je erdoor kon kijken zonder hem te hoeven vasthouden. Hij was ontworpen voor gedetailleerd werk, zo te zien voor een horlogemaker, edelsmid of misschien een cartograaf. Hij straalde iets uit wat een langzamer tijdperk suggereerde, een periode waarin objecten nauwkeurige inspectie vereisten; een periode waarin je het hele leven kon vangen; het in miniatuur kon reproduceren en zichtbaar kon maken met behulp van zo'n instrument.

Ik zag Geists gezicht heel even door de lens, vervormd door de vergroting, monsterlijk en mismaakt; een witte moloch, de Minotaurus uit mijn boekje. Hij zat over de lens heen gebogen met een bleke vinger vinnig van alles in te toetsen op een rekenmachine, alsof hij hem vermaande. Toen bewoog hij zijn hoofd en was het angstaanjagende beeld verdwenen.

Het kantoor was een puinhoop. Buiten de driehoek van licht waar Geist onder zat, was de kamer één grote, lukrake verzameling papieren, boeken, tijdschriften en brieven en was de chaos er net zo groot als beneden in de winkel. Geist zag me niet in de deuropening staan, dus ik klopte op het houten kozijn om zijn aandacht te trekken.

Hij keek direct op, en kromp ineen. Zijn delicate oren bewogen een stukje naar achteren en zijn bril viel van zijn neus. Ik vroeg me af of ik dat effect op zijn bril had, of iets in mijn verschijning voorkwam dat hij op zijn neus bleef zitten. Hij wist dat ik om zes uur zou komen.

'Ga zitten,' zei hij terwijl hij naar een oude houten stoel gebaarde, die vol kranten lag. 'Leg ze daar maar neer,' instrueerde hij, en ik pakte de stapel ongelezen kranten en legde die op een andere, die op een metalen archiefkast lag. Geist schoof de bril snel terug in de vouwen van zijn gezicht, duwde zijn loep opzij en ging rechtop zitten.

'Ik was verrast dat je een afspraak wilde maken. Ik spreek zelden af met personeel. Waarover wil je me spreken?'

Ik werd extreem zenuwachtig als ik bij Geist in de buurt was, bang dat mijn afschuw op mijn gezicht stond af te lezen of dat ik ongepast naar hem staarde. Ik was vastberaden hem recht in zijn kleurloze ogen te kijken, ik had mezelf voorgenomen dat ik dat zou doen en had zelfs geoefend op Oscar tijdens de middagpauze, toen ik mijn verzoek met hem had doorgenomen. Maar Oscars ogen nodigden uit tot staren, alsof je in een gouden spiegel keek, terwijl Geists ogen, verborgen achter zijn bril, ondoordringbaar waren, hermetisch gesloten leken. Ik zag zijn bizar vergrote gezicht weer voor me en het beeld van die vreemde, kwetsbare tweeling in het sepia landschap van de foto schoot door me heen. Ik voelde mijn gezicht heet worden.

'Nou,' begon ik, 'Oscar heeft tegen me gezegd... eh, Oscar zei... dat het al vaker is voorgekomen in de Arcade... ik bedoel dat ik heb gehoord dat er een mogelijkheid is dat ik... nou ja, Oscar zei dat het misschien mogelijk is dat een medewerker een kleine lening als voorschot op het loon krijgt. Wat ik bedoel, meneer Geist, is dat ik graag een kleine lening zou willen. Dat wil zeggen, ik wil graag een voorschot. Eh.'

Ik klonk zo fout als ik me voelde, zo goed voorbereid dat het allemaal één grote warboel was geworden, en ik voelde me buitengewoon ongemakkelijk. Het leek me slim om Oscars naam te noemen tegen Geist. Dat had ik mis. Hij keek me aan met zijn beweeglijke blik. Er viel een lange stilte. Hij herwon zichzelf en liet zijn hoofd een beetje zakken. Zijn lippen vormden een rechte, onaangename lijn en ik stelde me zijn transparante ogen verhardend voor, als water dat bevroor tot ijs.

'Klopt het dat je geen staatsburger van dit land bent?' vroeg hij als opening van een ondervraging die ik niet kon volgen.

'Dat klopt,' gaf ik geheel in verwarring toe.

'En klopt het dat ik in mijn gegevens heb staan dat meneer Pike je pas een paar maanden geleden in dienst heeft genomen?' Ik knikte en mijn haar viel verder in het licht. Daardoor raakte Geist nog geïrriteerder.

'En dat je in het Martha Washington vrouwenhotel woont, een... een tijdelijk onderkomen op 29th Street?' De snauwende uitspraak van zijn t's en s'en klonk snijdend, wreed.

'Ja,' antwoordde ik confuus. Hoe wist hij waar ik woonde? Had hij het opgezocht op mijn sollicitatieformulier? Hij was even stil en leek zichzelf tot de orde te roepen.

'En zie je jezelf als een betrouwbare, stabiele investering voor meneer Pike, Rosemary Savage? Ben je van plan hier te blijven?'

Ik dacht terug aan de weerloze rekenmachine waarop ik Geist voordat ons gesprek was begonnen, had zien rammen.

'Nou, meneer Geist,' antwoordde ik, 'ik zie mezelf als een zeer betrokken personeelslid van de Arcade, ik vind het heerlijk om hier te werken en, eh, ik ben absoluut van plan om hier en in deze stad te blijven. Meneer Geist...' Mijn stem verstomde, ik wist niet wat ik verder nog moest zeggen. Hoe kon ik hem uitleggen wat de Arcade voor me betekende?

Hij staarde naar zijn bureau en ging met zijn bleke hand over een onordelijke berg papieren. Ik was nogmaals verrast over hoe mooi zijn handen waren, de vingers als de slagveren van een vogeltje, uitgestrekt en los van elkaar. Hij zag dat ik naar zijn hand zat te staren, leunde voorover en stak hem in zijn zak. Hij duwde met zijn andere hand de loep verder aan de kant.

'Je hoeft me geen meneer Geist te noemen, Rosemary. Ik heet Walter. Alle personeelsleden noemen me Walter.'

Ik interpreteerde zijn woorden als bemoediging, hoewel hij ze enigszins ongeduldig had uitgesproken.

Ik zou hem nooit van zijn leven Walter gaan noemen.

Zijn blauw-rode gedachten schoven achter zijn ogen, niet duidelijker voor me dan de geest waardoor ze bewogen. Als hij praatte, moest je je goed concentreren om hem te verstaan, zijn uitspraak van de sisklanken leidde enorm af en suggereerde dat hij in de catalogus van zijn brein zocht; eerst naar het juiste woord en vervolgens naar de goede taal. Maar zijn stem had ook iets heel persoonlijks, iets wat mij persoonlijk aansprak.

'Je komt inderdaad over als een enthousiaste werkneemster, maar meneer Pike is geen gulle man, Rosemary, wat je ongetwijfeld is opgevallen. Hij zal in elk geval willen weten waarom hij je zou helpen. Kun je uitleggen waarom hij jou anders dan de anderen zou willen behandelen? Waarom een lening een goede investering voor hem zou zijn? Wat heb je als onderpand aan te bieden?'

Bij die laatste woorden keek hij op, en hij bestudeerde me met zijn hele bleke zelf. Het was doodstil in het kantoor; er kwam alleen een zacht geroezemoes uit de Arcade omhoog.

Ik had goed geluisterd naar zijn zorgvuldig gekozen woorden – waardig en stabiel – dat een lening een gunst was en dat de persoon die er een kreeg uitzonderlijk, bijzonder, een goede investering moest zijn. Zijn woorden waren altijd weloverwogen en specifiek. Wat suggereerde Walter Geist precies? Wilde hij me vernederen?

Ik kon niet antwoorden en knipperde alleen met mijn ogen. Ik probeerde te bedenken wat mij zo bijzonder maakte dat ik er het vertrouwen van George Pike mee zou winnen, zodat hij mij zou toevertrouwen wat hij boven alles hoogschatte: geld. Ik zei niets en voelde me beschaamd. Het doel van de vraag begon langzaam tot me door te dringen.

'Ik ben niet uitzonderlijk, meneer... Geist, als dat is wat u vraagt.'

'Aha.' Hij leunde tevreden achterover. 'Op geen enkele manier?'

Hij zweeg even. Ik knipperde met mijn ogen.

'Ik zal je verzoek doorgeven aan meneer Pike en dan laat ik je morgen zijn antwoord weten, Rosemary.'

Hij bewoog zijn kleine lichaam in de bureaustoel en haalde zijn hand uit zijn zak. Zijn wollige haar werd niet langer verlicht door de driehoekige lichtbundel van de lamp. Er ging een moment voorbij. Hij schoof de loep boven het open kasboek op zijn bureau en begon weer venijnig met een vinger op de knoppen van zijn rekenmachine te hameren.

Ik mocht gaan.

Oscar stond onder aan de kapotte trap op me te wachten. Hij haalde zijn hand over zijn gezicht en zijn haar zat glad achterover gestreken. Hij leek op dat moment net een acteur die achter de coulissen stond te wachten tot hij op moest. Oscar stond altijd klaar, was altijd voorbereid zijn tekst te declameren. Zijn gereserveerdheid was een soort gereedheid. Hij was op zijn hoede.

Een vluchtige toeschouwer zou kunnen hebben gedacht dat er meer tussen Oscar en mij speelde dan er ooit zou gaan spelen; hij kwam doordat hij stond te wachten op de uitkomst van mijn gesprek over als iemand die erg betrokken is bij de belevenissen van de ander. Maar Oscar kon me niets teruggeven behalve de reflectie van mijn eigen verlangen. Dat weerhield me er niet van nog meer te verlangen, maar ik zou gaan inzien dat Oscar niet in staat was zich tastbaar met anderen te verbinden. In plaats daarvan deed hij onderzoek. En hij had zijn schriften: het magazijn van zijn verlangens, het verhaal van zijn verlies.

Mijn gezicht voelde nog steeds heet, ik voelde me op drift, was ervan overtuigd dat ik een vreselijke fout had begaan door Geist om hulp te vragen.

'Nou?' vroeg Oscar met grote ogen. 'Is het gelukt?'

De gedachte dat ik datgene wat zo waardevol voor me was geworden op het spel had gezet – de wereld van de Arcade, de bewoners, Oscar – deed mijn keel samenknijpen en ik kreeg tranen in mijn ogen. Ik wendde me van hem af en hij liep achter me aan.

Ik vertelde hem toen we de Arcade uit waren gelopen haperend dat ik dat pas morgen zou weten, maar dat Geist niet vriendelijk op mijn verzoek had gereageerd en had gesuggereerd dat ik geen goede investering voor George Pike was. Ik biechtte ook op dat ik had toegegeven dat ik niet uitzonderlijk was. Oscar glimlachte alleen maar toen ik dat zei en probeerde me ervan te verzekeren dat dit Geists manier was om me op de proef te stellen en dat Pike van hem verwachtte dat hij dat deed.

Ik voelde me vernederd en wist, zonder te begrijpen waarom, dat het Geists doel was geweest om me te vernederen. Het was een provocatie. Een manier om mijn naïviteit te bespotten. Wat had ik voor onderpand? Het enige wat ik had, was mijn onvermogende zelf. Had hij echt willen weten wat ik te geven had? De steek van afkeer die ik voor de albino door me heen voelde gaan, die onmiddellijk werd gevolgd door een steek van schaamte, was nog ontmoedigender. Ik vond het zorgelijk dat ik ook maar had overwogen het verzoek te doen, aangespoord door Oscar. Het drong tot me door hoe trots ik op mijn onafhankelijkheid was geworden, hoezeer ik ervan overtuigd was dat ik voor mezelf kon zorgen.

'Ik heb deze voor je gevonden,' zei Oscar, en hij gaf me een paperbackuitgave van *Moby Dick*, die vol ezelsoren zat. 'Om je op te vrolijken!'

'Dank je, Oscar,' zei ik, blij dat hij me tenminste iets wilde geven. 'Maar ik heb eerlijk gezegd genoeg albino's gezien vandaag.'

'Volg je interesse,' zei hij, me eraan herinnerend dat ik die had terwijl hij me het boek gaf. 'Melville kwam uit New York. Zie het als een gids.'

Ik stopte het boek in mijn tas.

De donker wordende lucht buiten de Arcade was een raadselachtige kleur donkerblauw, bekend en dichtbij. We liepen naar de hoek achter de winkel en staken de straat over. Oscar raakte mijn arm aan met een gebaar dat ik interpreteerde als ondersteuning. Hij zei dat ik me geen zorgen hoefde te maken, dat hij zeker wist dat Geist me aardig vond en dat die lening er zeker zou komen.

'Hij vindt me helemaal niet aardig, Oscar,' hield ik vol. 'Volgens mij haat hij me. Hij gedraagt zich buitengewoon raar tegen me. Hij probeerde me te vernederen.'

Oscar glimlachte een beetje, zijn perfecte hoofd afstekend in de schemering. Zijn gezichtsuitdrukking vervulde me met verlangen.

'Hij doet zo raar omdat hij je juist leuk vindt, Rosemary, omdat je mooi en aardig bent, en misschien vanwege je rode haar. En omdat je zo jong bent. Walter is heel erg eenzaam. Vriendelijkheid is een enorm risico voor hem. Begrijp je dat niet?'

Oscar draaide zich om en zei over zijn schouder tegen me dat we het de volgende dag zouden weten. Toen liep hij naar het metrostation op de hoek van de straat en liet me verbijsterd door zijn woorden achter.

Ik wilde het aan Pearl of Lillian vertellen. Ik wenste dat moeder me kon vertellen wat ik met Oscar moest, wat ik met mannen moest. Had Oscar nou gezegd dat ik mooi was, of alleen dat Geist me misschien mooi vond?

Ik keek toe hoe zijn slanke lichaam de trap af liep, hoe zijn witte overhemd en zwarte broek onder de straat verdwenen, en ik legde mijn hand op de plek op mijn arm waar hij me even had aangeraakt.

'Oscar,' zei ik zacht.

Maar ik stond alleen op straat en was niet immuun voor de nacht.

Acht

Toen Oscar was verdwenen, stak ik de straat over en liep naar het oosten om aan een wandeling te beginnen door dat deel van de stad waarvan ik hoopte dat het mijn nieuwe woonomgeving zou worden. Het verkennen van de wijk zou, dacht ik, wel helpen tegen mijn pessimisme, me hoopvol stemmen, op de een of andere manier de kleine kans een beetje vergroten dat ik een manier zou bedenken om aan het geld te komen dat ik nodig had om ernaartoe te kunnen. Lopen hielp me altijd nadenken.

De oostkant, het einde van het eiland, was net zo lukraak en chaotisch als de Arcade, maar er liepen hier nog marginalere figuren rond: drugsdealers, arme immigranten en dissidente krakers. Ik zag hier en daar een café of galerie – een vroeg teken van de transformatie die in elke hoek van de stad in zijn eeuwige revisie begon door te dringen – wat mijn nieuwe ideeën, mijn groeiende hang naar een bohémien leven enorm aansprak. Het leek wel of er alleen maar wezen rondliepen, net als ik, of iedereen verdronk en op zoek was naar droog land.

Ik stond buiten bij het vervallen pand waar Jack en Rowena me mee naartoe hadden genomen en staarde naar de eerste verdieping. Ik werd er alleen maar nog depressiever van en liep ontmoedigd terug naar het Martha Washington, ervan overtuigd dat ik een perfecte woning had gevonden en er net zo zeker van dat Walter Geist me niet zou helpen... dat ik geen voorschot zou krijgen.

Lillian was nog steeds zoek, waardoor ik me alleen maar nog meer zorgen ging maken, en die kleine man zat weer achter de balie. Ik ging in mijn eenpersoonsbed liggen. Ik dacht aan Oscar, Geist en George Pike, aan de Arcade, en luisterde naar het repeterende gebonk van de auto's die door het gat in de weg reden. Hoe moest ik ooit aan het Martha Washington ontsnappen? Voorlopig moest ik mijn toevlucht maar tot de bekende manier nemen: de duizelingwekkende val in een boek.

'Geen remedie werkt zo goed als lezen,' zei ik tegen het Huon-kistje, dat verborgen stond onder zijn oranje sjaal. Oscar zou me via Herman Melville gezelschap houden. Het leek wel of iedereen was geïnteresseerd in Melville, als ik het telefoongesprek van Pike als graadmeter kon nemen. Sommige namen dringen zich aan je op.

Ik stapte uit bed en pakte het exemplaar van *Moby Dick* uit mijn tas. Ik duwde het boek tegen mijn neus om te ruiken of het iets van Oscars karakteristieke schone geur had overgenomen. Het boek rook naar zaagsel en vocht, maar ik wist dat ik van Melville zou gaan houden, omdat Oscar hem aan me had gegeven. Ik klom weer in bed, schoof de lamp zo dat het licht goed op de kleine lettertjes scheen en bekeek snel de inhoudsopgave, op zoek naar het hoofdstuk waarnaar hij me had verwezen: 'Hoofdstuk 42: De witheid van de walvis.' Ik las hardop voor aan het harthouten kistje:

Waarom veroorzaakt het aanzicht van een albino zo veel afkeer en geschoktheid, zo veel dat hij soms wordt verafschuwd door zijn eigen verwanten? Is het die witheid die hem omhult, die wordt uitgedrukt in de naam die hij draagt? De albino zit net zo degelijk in elkaar als andere mensen – hij heeft geen wezenlijke misvormingen – en toch maakt zijn alles doordringende witheid hem op een vreemde manier afzichtelijker dan het lelijkste wangedrocht. Waarom is dat zo?

'Inderdaad. Waarom is dat?' vroeg ik aan de lege lucht. Ik vond Walter Geist niet afzichtelijk, ik vond hem gewoon vreemd. Iets in me antwoordde dat wat Melville zei niet hoefde te kloppen. Maar ik moest het wel met hem eens zijn dat witheid iets magisch had.

Ik bladerde naar het begin van het boek en begon te lezen. Ik werd al snel gegrepen door Ismaël, net als ik een wees, een reiziger en een zwerver, uit de eilandstad Manhattoe. Maar Ismaël was van dat eiland vertrokken op weg naar de zuidelijke hemisfeer, naar wilde en ver weg gelegen zeeën, terwijl ik de reis had omgedraaid en de andere kant op was gegaan. Ik was uit het waterrijke deel van de wereld naar Ismaëls onrustige stad gekomen. Ik had het gevoel dat zijn avontuur dat van mij op een of andere mysterieuze manier herkende.

Ik droomde die nacht over een lange kamer met een badkuip in het midden. De ruimte had twee ramen, ogen met harde randen die uitkeken over een rivier die zachtjes kabbelde en net tot aan het raamkozijn kwam. De badkuip was een porseleinen boot, en toen ik erin klom, ging ik door de muur de rivier in. De enige bezitting die ik bij me had, was het Huon-kistje, dat ik onder mijn arm droeg. Ik wist in de droom zeker dat ik Lillian, mijn moeder en mijn vader zou vinden... iedereen die ik had verloren. Ik zou door de reis te ondernemen alles vinden waar ik ooit naar had verlangd.

De rivier opende zich in een oceaan vol schitterende eilandjes, die bestonden uit gebouwen die tot de bovenste verdieping in het water waren gezonken. Ik dreef rond in de grote ondergedompelde stad, de vieze tobbe drijvend in een schitterende zee. Langs de waterwegen stonden fel verlichte vuurtorens, die gevaarlijke plaatsen markeerden die moesten worden gemeden; plaatsen waar verborgen draaikolken ruisten, waar je kon verdwijnen. Ik bedacht dat die eilanden misschien wel helemaal geen eilanden waren, dat het de Zaratans, waarover ik had gelezen, zouden kunnen zijn: bedrieglijke walvissen. Ik peddelde ongedurig rond.

De badkuip bewoog alsof hij door iemand anders werd bestuurd en ik kon er geen richting aan geven.

Mijn boot voer naar het zuiden terwijl ik achteroverlag en naar de nachtelijke hemel staarde: een firmament dat was geschilderd in de kleur van moeders onpeilbaar blauwe ogen. Een spookhemel, die leek te leven door de schaduwen van de gebouwen van de stad; een sterrenloze hemel die werd verlicht door twee identieke gouden manen die onberoerd toekeken hoe een witte vin het wateroppervlak brak en toen weer onderdook terwijl hij dichterbij kwam.

Lillian was de volgende dag nog steeds niet terug. Ik had slecht geslapen en ging al vroeg naar de Arcade. Ik pakte terwijl ik op straat stond te wachten tot Pike de deur zou komen opendoen mijn *Moby Dick*. Het boek voelde dringend; ik moest het snel lezen, hoewel ik me had voorgenomen dat ik het juist zo langzaam mogelijk tot me zou nemen. Op de stoep begonnen zich wat klanten te verzamelen. Ik voelde een steek van medeleven voor wat de Arcade voor hen betekende.

Die dwangmatige boekenkopers en verzamelaars, allemaal mannen, waren er neurotisch van overtuigd dat een gemiste dag een gemist boek kon betekenen, of in elk geval een boek dat in de handen van een ander zou verdwijnen. Waar bestond hun leven uit, behalve uit boeken? De Arcade was hun eerste bestemming, een snelle stop om de nieuwe inventaris op Pikes podium te bekijken; een dwangmatige, dagelijkse zoektocht naar verborgen schatten. Ze werden gedreven door hebzucht en afgunst... de ingrediënten, denk ik, van elke passie.

Ik begroette de klanten die ik kende en leunde tegen de etalageruit. Ik begon me nerveus te voelen, stopte het boek terug in mijn tas en duwde mijn wang tegen het smerige glas.

Behalve de stralen oktoberzon die de ruimte in schenen,

was het binnen donker en ik werd, net als de eerste keer dat ik in de Arcade was, als een magneet aangetrokken tot de donkere paadjes tussen de stapels, discrete eilandjes van categorieën.

George Pike arriveerde. Hij maakte het kletterende hek open. Toen ik langs hem heen liep, had ik het gevoel dat hij laatdunkender naar me keek dan anders, normaal gesproken was het net of het eigenlijk niet tot hem doordrong dat ik voor hem werkte. Ik nam aan dat dat betekende dat ik binnenkort niet zou gaan verhuizen, dat ik hem had teleurgesteld, of nog erger: dat ik hem kwaad had gemaakt. Dat ik net zo snel als ik was aangenomen, zou worden ontslagen. Geschokt door mijn eigen hoogmoed geld van hem te willen lenen, moe van het late lezen en slechte slapen, trok ik mezelf direct terug in de ruimte van het damestoilet en deed het enige hokje dat er was op slot.

Pearl kwam kort daarna binnen, keek onder de deur door, herkende mijn schoenen en stond erop dat ik de wc uit kwam en haar vertelde wat er was.

Ik biechtte het op.

Ze pakte me vast, hield me in haar enorme armen en duwde mijn hoofd tegen haar ongeloofwaardig stevige boezem. Ze mompelde dat ze wel met Mario zou praten, haar Italiaanse vriend, die bergen geld had en alles deed wat ze hem vroeg.

Het was voor het eerst sinds ik van huis was gegaan dat iemand me omhelsde, en die laatste omhelzing was een nogal droog afscheid van Chaps op het vliegveld geweest. Ik voelde me overrompeld en begon zielig te huilen. Ik kon geen geld van Pearl lenen: haar gulheid en vriendelijkheid maakten het alleen maar erger. Ik miste moeder, Tasmanië, Chaps, mijn prille zelfvertrouwen. En waar was Lillian? Ik begon alleen maar harder te huilen nu ik in de weldadige warmte van Pearls armen stond.

Nadat we nog even zo hadden gestaan, deed ze een bandje van *Così fan tutte* in de cassetterecorder, stond erop dat ik naast haar op de vinyl bank kwam zitten en naar de muziek zou luisteren tot ik me beter voelde. Ze hing haar jas in haar kastje, controleerde haar make-up en liep naar de kassa. Ik begon me opmerkelijk genoeg na een tijdje inderdaad beter te voelen. Ik waste enorm opgelucht mijn gezicht, deed mijn haar goed en liep de toiletruimte uit om Oscar te gaan zoeken.

Oscar was ervan overtuigd dat ik me Pikes minachting, of in elk geval zijn grotere minachting, had ingebeeld.

'Ik ben aan dat boek begonnen,' zei ik. 'Het is fantastisch.'

'Ik neem aan dat je, gezien je achtergrond, meteen verliefd bent geworden op Ismaël?'

'Waarom zeg je dat?'

Hij haalde zijn schouders op alsof al mijn verliefdheden overduidelijk en voorspelbaar waren.

'Dit is een heel andere situatie,' zei ik.

Hij knipperde uitdrukkingsloos met zijn ogen.

'Ik heb eerst dat vreselijke hoofdstuk, "De witheid van de walvis", gelezen.'

'Wat grappig dat je dat zegt,' zei Oscar, en hij ging zachter praten terwijl hij met zijn hoofd gebaarde dat er iemand aankwam.

Geist kwam richting non-fictie lopen.

'Rosemary, kom je naar het kantoor?' lispelde hij zacht. 'Nu, graag.'

Ik liep nogmaals achter Geist aan, voelde iets in me veranderen en staarde naar zijn bijna doorschijnende oren. Het leken wel diepzeewezens en ik vroeg me af hoe kwetsbaar ze waren. Ik had iets in mijn schrift overgeschreven: 'Witheid roept een bijzondere verschijning in de ziel op.' En dat was hij: een bijzondere verschijning.

Geist ging achter zijn overvolle bureau zitten, zijn bril zat stevig op zijn neus.

'Rosemary, ik heb je verzoek met meneer Pike besproken. Hij wil je geen voorschot op je loon geven,' zei hij. Mijn hart bonkte in mijn borstkas. 'Maar,' vervolgde hij, 'ik heb hem erop gewezen dat je een ijverige werkneemster bent. Een die hier moet blijven. Die moet worden opgeleid.'

Geist schraapte zijn keel, was even stil en keek me betekenisvol aan.

'Dus wil ik een compromis voorstellen zodat je dat voorschot toch kunt krijgen.'

'Ik weet niet zeker of ik u begrijp, meneer Geist,' zei ik helemaal van mijn à propos.

'Walter,' zei hij. 'Alsjeblieft.'

'U zei net dat meneer Pike me het geld niet wil voorschieten,' herhaalde ik.

'Als je me even laat uitpraten,' zei Geist. 'Ik stel een compromis voor. Een compromis dat je werk hier enigszins zal veranderen. Om kort te gaan: ik kan wel een assistente gebruiken. Een die verantwoordelijk is voor mijn persoonlijke... behoeftes.'

'Maar wat heeft dat voor invloed op dat voorschot?' vroeg ik.

'Als je mijn assistente wordt, zorg ik dat je dat voorschot krijgt.'

Ik moet buitengewoon langzaam van begrip zijn overgekomen.

'Maar wat heeft uw behoefte aan een assistente met die lening te maken?'

'Kom, kom, je bent een intelligente jonge vrouw. Of je bent geïnteresseerd in de voorwaarden of je bent het niet. Ik kan nu een geel briefje voor Pearl schrijven en dan is het geld van jou. Wat ik van je wil, is dat je ermee instemt direct voor mij te gaan werken.'

'Het spijt me, meneer Geist. Maar ik werk al voor u. U bent degene die me vertelt wat ik moet doen, u zegt tegen me op welke afdeling ik moet werken. Wat zou er dan veranderen?'

'Dat verandert niet. Ik wil alleen dat je beseft dat je voor mij werkt. Dat je naar mij moet luisteren. Dat je mijn assistente bent. Ik wil dat jij bepaalde dingen voor me gaat doen. Dit is een promotie, Rosemary. Ik word een beetje ongeduldig van je aarzeling,' zei hij terwijl hij een pen pakte en zo'n geel papiertje dat klanten in de kelder en op de afdeling zeldzame drukken kregen als ze werden betaald.

'Hoeveel wil je precies hebben?'

'Vijfhonderd dollar,' zei ik ongemakkelijk.

'Prima. Maar zo veel heeft Pearl nu nog niet in de kassa.' Hij legde de pen neer en opende een lade onder zijn bureaublad. Hij pakte er een leren portemonnee met een rits uit en haalde daar vijf biljetten van honderd dollar uit. Hij legde ze op een bedrukt vel papier en duwde het over het bureau heen.

'Wat is dat?' vroeg ik terwijl ik naar de gedrukte tekst keek.

'De voorwaarden voor de lening,' zei Geist, nu met een glimlach op zijn gezicht. 'Niets bijzonders.'

Niets bijzonders. Ik pakte het geld, mijn bevrijding uit het Martha Washington. Hij gaf me met zijn bleke vingers een pen en ik ondertekende het formulier. Nadat ik mijn handtekening had gezet, stonden we tegelijk op, alsof we dat zo hadden afgesproken.

'Wacht maar af,' zei hij, 'dit is een goede afspraak. Op een bepaalde manier heb ik je gered.'

'Me gered?' vroeg ik nerveus. 'Waarvan?'

'Van ronddrijven,' zei hij. 'Vond je het niet vreselijk om maar door het pand te drijven en niet te weten wat er van je werd verwacht? Nu je onder mij werkt, zal ik je leren hoe het echt moet.'

Ik vond het heerlijk om rond te drijven in de Arcade en wilde niets liever. Maar ik zei niets. Dat kon niet. Ik was alleen maar opgelucht dat ik het geld had om te verhuizen. Hij liep achter me aan naar de deur van het kantoor.

Toen ik in de deuropening naar de overloop stond, legde Walter Geist zijn hand even tegen mijn onderrug, net iets langer dan beleefd voelde. Ik voelde de warmte van zijn hand tegen mijn rug en de sensatie verraste me. Ik had aangenomen dat zijn hand koud zou zijn; zijn bleekheid suggereerde een soort bloedeloosheid. Het was de eerste keer dat hij me aanraakte en wat ik me herinner, is zijn warmte: de warmte van zijn hand door het dunne materiaal van mijn blouse.

'Rosemary,' zei hij zacht.

Ik zei niets terug, liep naar beneden, schoof het geld in mijn zak en liet hem alleen op de overloop achter.

Lillian zat achter haar televisie met haar koptelefoon op alsof ze helemaal niet weg was geweest. Ik had een boek met Spaanse poëzie voor haar gevonden, dat een recensent had meegenomen om te verkopen, een tweetalige editie van García Lorca.

'Waar was je?' vroeg ik meteen. 'Ik was zo bezorgd om je!'

'Ik was ziek,' zei Lillian werktuiglijk, zonder me aan te kijken. Ze klonk berustend. 'Ik heb geprobeerd naar huis te gaan. Ik heb tegen mijn broer gezegd dat hij het je moest vertellen.'

'Wat! Hij heeft helemaal niets tegen me gezegd,' zei ik. 'Heb je geprobeerd terug te gaan naar Argentinië? Waarom? Er zat hier een man die voor je inviel en die wist helemaal niets.'

Lillian keek me uitdrukkingsloos aan. Ze zette de koptelefoon af.

'Ik heb een ander boek voor je meegenomen.' Ik gaf haar het zware boek. 'Het is in het Spaans en in het Engels. Ik dacht dat je het misschien wel mooi zou vinden. García Lorca... Ik weet niet of het erg is dat het een Spanjaard is. Lillian, gaat het wel? Ik maakte me zo'n zorgen om je.'

'Maak je om mij maar geen zorgen.'

'Nou, dat deed ik toch.'

'Dat moet je niet doen.'

'Maar dat doe ik wel, Lillian. Daar kan ik niets aan doen. Luister, ik moet je iets vertellen.'

'Je hoeft me helemaal niets te vertellen,' zei ze hoofdschuddend.

'Wat?'

'Ik wil niet dat je me iets vertelt, Rosemary. Ik wil niet dat het me raakt.'

'Ik begrijp je niet, Lillian. Wat mag je niet raken? Ik?' Ik begreep niets van Lillians mysterieuze woordkeus.

'Is dat een afscheidscadeau?' vroeg Lillian terwijl ze het boek aanpakte, maar het niet opensloeg. Ze zag er defensief uit, alsof ze verwachtte dat ze zou worden teleurgesteld, alsof ze achterdochtig was. 'Geef je het op? Ga je terug? In dat geval wil ik het niet.' Ze schoof het boek naar me terug.

'Nee, Lillian. Ik ga niet terug naar Tasmanië. Maar ik heb wel een woning gevonden en ik ga over een paar dagen verhuizen.'

Ik duwde het boek naar haar terug.

'Nee!' zei ze ineens vurig. 'Dan zie ik je nooit meer! Dan ben jij ook verdwenen...'

'Verdwenen? Net als wie, Lillian?'

'*No quiero acordarme,*' zei ze.

'Pardon, Lillian?'

Ze gaf geen antwoord.

'Ik heb een flatje gevonden. Als ik wat meubels heb, kun je op bezoek komen. Dan nodig ik je te eten uit. En ik kom je hier heus nog wel opzoeken.'

'Hoe kom je aan geld om te verhuizen? Heb je gespaard?'

'Ik heb wat gespaard, en ik... Laat maar, Lillian, ik heb het zelf geregeld.'

'Je mag hier niet weggaan. Ik wil dat je blijft. Alsjeblieft. Dat moet je beloven.'

'Lillian, ik beloof dat ik je blijf opzoeken.' Ik pakte haar hand vast. 'Maak je geen zorgen. Je hoeft je nergens zorgen om te maken.'

Lillian schudde haar hoofd, maar zei niets.

Een week later hield ik een geblokte taxi aan en trok in het flatje. Lillian liep met me mee tot de versleten markies van het Martha Washington om toe te kijken hoe ik mijn spulletjes in de taxi laadde, maar ze wilde niet helpen. Ik betaalde Jack en kocht van het overgebleven geld een bed bij een winkel in de buurt. Ik gaf een groot deel van mijn geld uit aan schoonmaakmiddelen. Bruno en Jack boden me allebei aan te helpen, maar ik bedankte en stond twee hele avonden schoon te maken. Ik was alleen al met het bad met de pootjes bijna een hele avond bezig, tot het vreemd glansde tegen de muur van ruwe baksteen. Ik sliep achter, in het alkoofje, en zette moeders as op de sjaal bij mijn hoofdeind. Ik zei tegen mezelf dat ze trots op me was en liep met haar foto door de ruimte om haar alles te laten zien.

Ik begon spullen te verzamelen. Ik vond veel op straat, wat ik poetste en van mezelf maakte. Ik repareerde een boe kenkastje van donker gevlekt hout, waarin ik mijn weinige aankopen van de Arcade zette. Mijn favorieten waren *De leerschool der liefde*, in chartreusezijde gebonden (Oscar had het exemplaar bewonderd); *Moby Dick* met de ezelsoren; een paperback over mythologie die ik voor anderhalve dollar van de tafel die buiten bij de Arcade stond, had; een Penguin classic van James' *Portret van een dame*, samen met de Borges die ik van Lillian had teruggekregen om mijn 'gaten' mee te vullen. Mijn plakboek met steden, dik van de knipsels en prullaria, nam het grootste deel van de onderste plank in beslag, ik had het er horizontaal in gelegd. Moeders foto stond alleen bovenop.

Ik had Chaps' anonieme boek nog, ingepakt in het blauwe papier van haar winkel. Ik bewaarde het nog steeds voor een waarachtig wanhopig moment, en nu het er allemaal zo zonnig uitzag, kon ik me niet voorstellen dat dat snel zou zijn. Ik was bovendien gehecht geraakt aan het pakje als pakje en vergat bijna me af te vragen wat erin zat. Het was een object op zich, ingepakt en naamloos, in mijn gerepareerde kastje.

De boeken in de eerste boekenkast die je als volwassene hebt, vertellen wie we willen worden. Als ik aan mijn weinige aankopen denk, moet ik toegeven hoe fel de autodidact streed om opgeleid te worden en hoe onvolledig die opleiding blijft. De accumulatie van kennis is zo'n illusie.

Ik sleepte een leunstoel vol vlekken van straat, duwde hem de trap op en drapeerde er een felgekleurde lap stof overheen die ik bij een stoffenwinkeltje had gekocht dat Oscar had aangeraden. Ik kocht bij hetzelfde zaakje wat coupons, waarvan ik rode, oranje en blauwgroene kussenovertrekken maakte. Ik maakte gordijnen voor de twee voorramen en verving het gordijn dat bij de alkoof hing door een draperie van roze zijde, een overblijfsel van een langer stuk stof, dat misschien als sari gedragen kon worden.

Ik schilderde de wc achter in de ruimte lavendelblauw, kocht een leeslamp en een groene wekker met een wijzerplaat die zo vrolijk en ongekunsteld was als een kindertekening. Het was met het onophoudelijke getik van die klok onmogelijk om aan het mechanische markeren van de tijd voorbij te gaan. Jacks afwezige vriend had wat pannen, vaatwerk en glazen achtergelaten in de kastjes onder de oude porseleinen gootsteen. Niets paste bij elkaar en alles was een beetje smoezelig.

Ik was altijd al een verzamelaar van hebbedingetjes en prulletjes geweest en zette de twee diepe vensterbanken vol schatten. Ik had een paar mooie stenen gevonden en ook een gebogen kobaltkleurig stuk glas op het braakliggende terrein vol afval verderop. Ik had een groot bruin blad uit mijn park bewaard en bij een kringloopwinkeltje in de buurt een gedroogde zeester en een mooie geëmailleerde theepot gekocht, die onbruikbaar was. (De tuit was er verkeerd aan bevestigd en lekte enorm.) Naast de theepot zette ik een zoutvaatje, in de vorm van een kubistische hond, dat ik zo zielig vond omdat het pepervaatje miste, en een vaas, met verschillende tinten violet glazuur met barsten aan een kant, maar waarvan de vorm me aan een anemoon deed denken. Hij was ontzettend lelijk, maar lelijke objecten zijn over het algemeen de dapperste.

Hoe dan ook, die grappige objecten gaven me moed.

Al leek ik fysiek in de verste verte nooit op mijn moeder, ik had wel iets van haar oog voor vorm en patroon geërfd, en hoewel eclectisch en voornamelijk bestaand uit afdankertjes, beschrijft mijn flatje wie ik op dat moment was. Met name mijn optimisme. Ik had er een vrolijke, kleurrijke kamer van gemaakt, open en verrassend warm, ondanks het gemis aan echte verwarming.

Ik kocht uiteindelijk bij dezelfde kringloopwinkel een grote, donkere spiegel met zilverresten langs de lijst, die ik boven mijn leunstoel hing. Als ik erin zat te lezen, had ik het gevoel dat ik mezelf gezelschap hield, alsof ik toekeek vanaf de muur om te bevestigen dat ik bestond. De oude spiegel bewoog als een vijver. Als ik me op eenzame dagen klaarmaakte om naar de Arcade te gaan, leek het net alsof een andere bewoner van het flatje steeds maar voor me terugdeinsde, een wolk rood haar boven een gedraaide schouder. Dat andere meisje ging altijd weg. Ze liep weg, niet de stad in, schitterend in het late herfstlicht, maar achteruit, zich terugtrekkend in de spiegel, waar ze alleen was en waar het altijd nacht was.

'Meid, je begrijpt toch wel wat Oscar voor man is?' Pearl staarde me nieuwsgierig aan. Ze zat op het kapotte bankje in de toiletruimte toe te kijken hoe ik mijn haar borstelde. Ik had haar net verteld dat ik Oscar wilde uitnodigen een broodje met me te eten tijdens de lunchpauze.

'Heb je me wel gehoord, Rosemary? Weet je waarover ik het heb?'

'Bedoel je dat hij niet het soort man is... niet het soort man dat, dat... van vrouwen houdt?' antwoordde ik aarzelend, met een rood aangelopen gezicht.

'Dat heb je goed begrepen, ja.' Pearl begon te lachen. 'Zo'n soort man is hij helemaal niet!' zei ze mijn accent nabootsend.

'Nou,' zei ik haar terug plagend, 'zo'n soort ben jij ook niet.'

Pearl wierp haar armen in de lucht en begon bulderend te lachen.

'Ik ben geen enkel soort man, Rosemary, meid. Dit is geen travestierol. Vergeet dat niet!' Ze schopte lachend met een voet in een schoen met hoge hak in mijn richting.

Ik bewonderde haar lange bruine been.

'Luister, schat,' zei ze. 'Ik wil gewoon niet dat je denkt dat Oscar iets te bieden heeft. Iedereen kan zien dat je stapelverliefd op hem bent. En, nou ja, ik...'

'Je wilt zeker gewoon weten dat ik besef hoe de vork in de steel zit,' maakte ik haar zin voor haar af.

Pearl was zo lief voor me, ze was net een zus.

'Dat weet ik, Pearl. Zo naïef ben ik nou ook weer niet.' Ze zag er niet overtuigd uit. 'En hoe bedoel je: dat iedereen kan zien dat ik verliefd op hem ben?' vroeg ik. 'Denk je dat iedereen dat ziet?'

Pearl begon te schaterlachen.

'Iedereen kijkt naar je, schat. Iedereen. Je hebt het voor het kiezen, Rosemary, maar Oscar kun je niet krijgen. Die is niet gemaakt om lief te hebben. Maar als ik jou was, zou ik

Walter Geist in de gaten houden,' zei ze.

'Geist haat me, Pearl,' zei ik. 'Maar sinds die lening ben ik zijn assistente, dus daar zal ik mee moeten leren leven.'

'Zeker weten dat het geen haat is, Rosemary, dat kan ik je wel vertellen. Let op mijn woorden, meid: ik kan de obsessie bijna ruiken. En hoe bedoel je: zijn assistente? Wat heeft dat met het geld te maken? Die lening kwam toch van Pike?'

'Geist wil dat ik hem help, Pearl. Dat ik direct onder hem werk.'

'Is dat wat hij tegen je heeft gezegd?' Ze trok een gezicht.

'Wat is er, Pearl?'

'Ik zou weleens precies willen weten wat die witte man van plan is.'

Negen

'Oscar, beste kerel, ik zie je bijna nooit meer. Hoe gaat het in de non-fictiewereld, de wereld van feiten en niet van fictie?' vroeg meneer Mitchell. 'In de echte wereld?' Hij grinnikte.

Oscar keek hem getergd aan. We stonden buiten op straat. Ik stond te wachten op de aankomst van een zending en Oscar was op weg om te gaan lunchen... alleen. Meneer Mitchell groette me met een tikje tegen zijn hoed. (Ik wist meteen wat voor hoed het was, hoewel ik de maat niet kon raden.) Hij mompelde: 'Lieve kind,' en ik rook een vleugje vanillepijptabak en rum.

Ik vond het heerlijk om lieve kind genoemd te worden.

'Prima, meneer Mitchell,' antwoordde Oscar. 'Ik heb uw winkeldief al bijna een maand niet gezien. Ik kan weer een beetje ontspannen.'

'Ik heb hem ook niet meer gezien,' zei ik terwijl ik terugdacht aan die dag dat Redburn en ik het telefoongesprek van Pike hadden staan afluisteren.

'Mooi. Mooi. Aan mijn kant van de winkel is er ook geen teken van hem, hoewel er wel een mysterieuze nieuwe verzamelaar is opgedoken die ik jullie kant op zal sturen... als het goed is, komt hij vandaag. Heel veel geld en een uitmuntende smaak. Een beetje zoals die meneer Gosford die we al zolang delen.'

'Gosford geeft al zijn geld bij u uit, niet bij mij,' zei Oscar glimlachend. 'Dat zou ik geen delen willen noemen. Zoals hij me vorige week nog heeft verteld, verzamelt hij zeldzame drukken, niet gewoon oude boeken.'

'Heeft hij dat gezegd?' vroeg meneer Mitchell. 'Dan is hij ook geen echte verzamelaar. Wat een dwaze uitspraak. Alleen zeldzaam; is oud niet goed genoeg?'

'Hoe bedoelt u?' vroeg ik. 'Waarom is hij geen echte verzamelaar?'

'Oscar heeft genoeg voor Gosford, lieve kind. Maar die man verzamelt dure dingen, geen waardevolle. Het gaat hem om de kosten, niet om de waarde, als je begrijpt wat ik bedoel. Alsof je een edelsteen enkel taxeert op de moeite die het heeft gekost om hem uit een ader te hakken.'

'Ik begrijp het echt niet,' zei ik. Was dat niet precies hoe edelstenen worden getaxeerd? Ik kende de verzamelaar, meneer Gosford, en dacht terug aan de Beckett die hij voor tienduizend dollar had aangeschaft... een bedrag dat me toen had verbijsterd, hoewel het binnen de wereld van zeldzame drukken niets voorstelde. Ik had hem sindsdien meerdere malen naar de afdeling zeldzame drukken geëscorteerd, als Bruno of Jack me niet voor waren geweest. Gosford was hautain en zei weinig in de lift. Ik was zijn aandacht niet waardig. Hij liep vaak in Oscars afdeling rond. Hoe hartstochtelijk moest je zijn om in de Arcade de titel 'verzamelaar' te verdienen?

'Voor een verzamelaar betekent de aanschaf van een boek de wedergeboorte ervan,' citeerde Oscar in gedachten verzonken.

'Een echte verzamelaar is op een bepaalde manier grillig,' zei meneer Mitchell terwijl hij zich omdraaide en het moment aangreep als gelegenheid om me iets te leren.

'Wat niet wil zeggen dat ik grillig ben, net zomin als Oscar of Pike dat is. Wij zijn praktisch ingesteld. En serieus.' Hij glimlachte. 'Maar we bevredigen de grillen van anderen, hè, Oscar?'

'Volgens mij bedoelt u dat boeken verzamelen alleen betekenisvol is als het persoonlijk is,' verhelderde Oscar. 'Als het enkel een manier is om nog rijker te worden en het niet om de boeken gaat, is het niet goed. Verzamelaars proberen zichzelf te beschermen. Ze proberen zich te onderscheiden. Het is een hiërarchie. Dat is wat ik op Gosford tegen heb... op een bepaalde manier heb ik liever dat Redburn die boeken steelt, ik weet tenminste zeker dat hij erom geeft. Hij neemt risico om te krijgen wat hij wil.'

Ik dacht terug aan Redburns vraag, of het mij kon schelen dat de boeken die hij verkocht, waren gestolen. Dat zou voor Oscar toch wel uitmaken? Een verzamelaar was per slot van rekening geen dief.

'Laat Pike je dat maar niet horen zeggen, beste vriend! Hij geeft me maar wat graag een preek over dat incident met Redburn,' zei meneer Mitchell. 'Pike heeft natuurlijk zo zijn eigen definitie van eigendomsrecht.'

Hij legde vriendschappelijk zijn armen om ons heen.

'Maar daarmee hebben wij niets te maken, beste vrienden. Onze taak is een thuis voor onze boeken te vinden in de hoop dat ze daar net zozeer zullen worden geliefd als wij van ze hebben gehouden. Telkens als ik iets verkoop, breekt mijn hart; en dan geneest het weer als ik onverwacht een nieuw boek krijg aangeboden. Ik leer steeds opnieuw lief te hebben, zoals ik mevrouw Mitchell zo vaak vertel.' Hij grinnikte om zijn eigen grapje. 'Na bijna vijftig jaar is mijn relatie met boeken nog steeds een mysterie voor me, maar ik kan wel over mijn eigen collectie zeggen dat eigendomsrecht de intiemste band is die je met een object kunt hebben.'

Hij liet zijn beschermende armen vallen en voelde in zijn zak naar zijn pijptabak. Oscar rolde, terwijl meneer Mitchell even was afgeleid, met zijn ogen en maakte, meneer Mitchell woordeloos nabootsend, een kletsend bekje met zijn duim en vingers. Ik schoot in de lach; Oscars hand deed me denken aan een kaketoe.

'Alle collecties proberen de tijd te slim af te zijn, Rosemary,' ging de oude vogel, die net lekker op gang kwam, verder. 'Ze willen de tijd stilzetten. Er controle over hebben. Onsterfelijk zijn, wat natuurlijk meteen de grote ironie ervan is. Omdat de verzamelaar fysiek is en dus tijdelijk. Hij is een kinderlijke figuur, lieve kind, een gevangene van het eeuwige heden. Maar jij bent te jong, en te wijs, om de betekenis van dergelijke kwesties te bevroeden. Bovendien zouden ze je niets moeten schelen.'

Hij glimlachte. Mercer de postbode kwam de hoek om en wilde via de hoofdingang de Arcade binnen lopen. Meneer Mitchell rook zijn kans, raakte met zijn vrije hand zijn hoed nogmaals aan en dook de achterdeur in.

'Hij gaat maar door,' zei Oscar, 'Een gevangene van het oneindige heden!' deed hij hem na. 'Hoe verzint hij het! Die lessen van hem slaan nergens op. Je moet je niet zo door hem laten bevoogden.'

'Hij is een van de meest fantastische mensen die ik ooit heb ontmoet,' zei ik enthousiast.

'Dat komt doordat je er maar zo weinig kent. Mensen, bedoel ik.'

Oscar bevoogde me zelf natuurlijk ook, maar dat leek me toen niet op te vallen, of het kon me niet schelen. Ik vond hen beiden uitermate interessant en bestudeerde hen als een nieuwe diersoort. Voor mij waren ze dat ook.

Dacht meneer Mitchell dat ik het concept tijd niet begreep? Of de dood? Dacht ik niet dagelijks aan moeder? En ik had mijn eigen schatten, mijn eigen bescheiden collectie op mijn vensterbank. Ik had het gevoel dat iedereen in de Arcade oneindig veel meer wist dan ik, wat werd bevestigd door elke spontane uitbraak van 'Wie weet het?'.

'Hij draagt een trilby,' zei ik over de hoed van meneer Mitchell in een poging op te scheppen met de kennis die ik wél had.

'Vernoemd naar de roman van Maurier, die later tot toneelstuk is bewerkt,' zei Oscar. 'Het was een ontwerp dat ze op het podium droegen.'

'Bedoel je *Rebecca*?'

'Nee, Rosemary. *Trilby* van George du Maurier. Daphne was zijn kleindochter. *Trilby* heeft ook de term "kwade genius" algemeen gemaakt. Het is een verhaal over macht, over controle...'

Toen was ook hij op dreef, mij ver achter zich latend en ervan overtuigd dat ik hem nooit zou inhalen. Maar ik wilde hem wel volgen, waar hij ook ging.

'Ga je lunchen?' onderbrak ik hem.

'Ja,' zei hij geïrriteerd. 'En ik ga even bij mijn kleermaker langs. Ik laat mijn overhemden op maat maken. Dat heb ik overgehouden aan mijn moeder, die altijd overhemden voor me naaide.'

'Je zult er wel heel hoge eisen aan stellen,' zei ik.

'Inderdaad.' Hij streek met zijn hand over zijn dunner wordende zwarte haar. 'Ik weet exact wat ik wil.'

'En wat is dat?' vroeg ik oprecht nieuwsgierig. Hij droeg altijd prachtige overhemden, hoewel ze allemaal wit waren. Hoeveel eisen kon je aan een eenvoudig wit overhemd stellen? Niets aan Oscar was eenvoudig.

'Nou, als je het per se wilt weten, Rosemary,' verzuchtte hij, 'mijn overhemden zijn van honderd procent Egyptische zijde, wat niet moeilijk is, maar ik wil alleen katoen van 93 draden per centimeter, een extra lang achterpand en een handgedraaide boord uit twee delen.' Hij streelde met zijn hand over het kraagje van zijn overhemd, draaide zich om en sprak verder: 'Het schouderstuk moet over de schouders zijn gesplitst en aangezien ik zo slank ben, kan de snit regulier...' Hij draaide zich naar me om. 'Ik wil biesband over de naden om vouwen te voorkomen en vraag altijd om een enkeldraadse steek. Ik ken maar één zaak in de stad waar het goed en betaalbaar wordt gedaan.'

Mijn oprechte verbazing stond op mijn gezicht te lezen, niet vanwege het feit dat er maar één kleermaker was die het kon, maar vanwege al die details.

'Ja, verrassend, hè?' zei hij, mijn gezichtsuitdrukking verkeerd interpreterend. 'Je zou denken dat iedereen zou vragen om wat hij wil en dat er honderden kleermakers zouden zijn die kunnen maken wat je vraagt. Maar de meeste mensen weten niet wat ze willen, Rosemary. Terwijl ik dat exact weet.'

'Hier komen, Tasmaanse duivel,' riep Arthur uit het fort van de kunstafdeling.

'Ik zou het bijzonder op prijs stellen als je me niet zo zou noemen,' zei ik voor de honderdste keer. 'Zoals ik al zei, was het één keer leuk, maar nu niet meer. Ik ben absoluut niet zoals dat klinkt.'

'Waarom vind je het niet leuk?' vroeg hij. 'Ik zou toch denken dat je er met al dat rode haar wel aan gewend zou zijn om duivels genoemd te worden.'

'Niet iedereen denkt zoals jij, Arthur.'

'Helaas onderschat je de kwestie,' zei hij zelfgenoegzaam.

'In Australië word je door sommige mensen "Blauw" genoemd als je rood haar hebt. Wat dat betreft is het een land van tegenstellingen.' Hij stond mij net zozeer te bespotten, aangezien hij me duivels noemde omdat hij me zo braaf vond.

Maar ik vond Arthur aardig. Ik hielp hem tijdens het kletsen met het opstapelen van een overschot van een groot boek over een schilder, Soutine... een en al bloed, vlees en omgekeerd perspectief.

'Rood staat gelijk aan blauw... logisch toch?' zei Arthur. 'Net als in *Alice in wonderland*. Normaal gesproken houd ik van bijnamen. Nou ja, van sommige in elk geval. Weet je hoe Mitchell mij achter mijn rug om noemt?'

Hij hield op met praten en keek me aan. Hij had een bezweet voorhoofd. Ik vond hem op dat moment sprekend op een bovenmaatse Quilp lijken, een gigantische dwerg, maar dan goedaardig, uit *De oude rariteitenwinkel* van Charles Dickens.

'Iedereen verzint hier altijd namen voor iedereen, vooral meneer Mitchell. Wie weet hoe hij jou achter je rug om noemt?'

'Dat heeft je liefje Oscar me verteld. We kletsen weleens, hoewel we dat niet zo vaak doen als ik zou willen. Die lepe oude zemelaar, Mitchell, is een dronkenlap, wist je dat? En eerlijk gezegd is hij best wreed. Oscar heeft me verteld dat hij mij De Aap noemt.'

'Wat? Dat geloof ik niet!' Ik kon het me van Oscar noch van meneer Mitchell voorstellen.

'Het is echt waar, TD,' zei Arthur lachend. 'Maar je snapt het niet, hè?'

'Noemt hij je zo omdat je zo... groot bent?'

'Dik, Rosemary. Ik ben dik, niet groot.'

Hij sprak het woord lijzig uit, mijn vlakke klinkers imiterend.

'De grap, als je het een grap vindt, heeft te maken met de uitdrukking "*art is the ape of nature*".' Hij keek me aan om te zien of het nu tot me doordrong. 'Snap je?'

Dus Art was de aap van de kunst?

'Dat is helemaal niet grappig,' zei ik.

'Nou, als het over iemand anders zou gaan, zou ik het hilarisch vinden. Maar aangezien het over mij gaat, ben ik diep geschokt dat Mitchell zo ongevoelig is. Maar het verbaast me niet.'

'Het is een wrede grap, Arthur, en je moet je er niets van aantrekken,' zei ik.

Hij ging zwaar, en angstaanjagend, op een stapel koffietafelboeken over binnenhuisarchitectuur zitten, deed zijn hand voor zijn mond en liet een boer. Arthur werd getergd door indigestie.

'Wreed ben ik wel gewend, Rosemary. Het zal je ondertussen vast wel zijn opgevallen dat er in de Arcade heel wat mensen rondlopen die dat zijn.'

Hij liet nog een boer.

'Ik bedoel, kijk maar eens naar Geist, om een voor de hand liggend voorbeeld te noemen, en zelfs naar de aandoenlijk aparte Oscar. En Pearl... en dan zouden er geen hermafrodieten bestaan! Die mensen weten precies wat wreedheid is.'

'Maar ze zijn zelf niet wreed,' zei ik ferm. 'Dat is het verschil. Daarom is het hier veilig voor iedereen.'

'Wees daar maar niet al te zeker van. Wreedheid is iets waarvan iedereen verstand heeft, hoe dan ook.'

'Hoe bedoel je?'

'Luister, Tasmaans duiveltje...'

'Houd daarmee op!' riep ik.

'Oké!' Hij stak zijn handen zogenaamd protesterend in de lucht. 'Ik zou je alleen willen adviseren op te houden hier alleen te zien wat je wilt zien. Probeer het hier eens te zien zoals het is.'

'En wat is het hier dan, Arthur?'

'Een boekwinkel, maar ook een relikwieënschrijn voor de botten van vreemde wezens. Zeemeerminnenstaarten, eenhoornhoorns... dat soort dingen. Je ziet hier de hele biologische geschiedenis aan je voorbijgaan.'

Hij draaide zijn hoofd heen en weer.

'Boeken zijn er om het normale te filteren. Het echte. En we zijn in onze geïsoleerde omgeving van vorm veranderd, als specimens van de Galápagoseilanden. We zijn *isolatos*... eilanden in een eiland, zoals dat eiland waar jij vandaan komt...'

'Stop, Arthur, je doet bizar,' zei ik, ongeduldig dat ik hem niet begreep, dat ik zijn gebazel niet kon volgen.

'Precies. Je hebt mijn redenering bevestigd. Ik heb geen andere keuze dan bizar te zijn.'

Hij hees zich overeind en richtte zijn aandacht op een vaste klant, naar wie hij toe sjokte. Hij vroeg of hij kon helpen.

'Oscar, kom je naar mijn flat kijken? Dan kook ik eten voor je.'

We zaten samen op een bankje in een hoek van mijn vieze park, een paar straten ten noorden van de Arcade. Hij had er eindelijk mee ingestemd samen met me te lunchen. Ik had het hem weken achtereen gevraagd.

Het was eigenlijk te koud om buiten te eten, maar Oscar zat blijkbaar liever in mijn park dan ergens waar het warmer was, of comfortabeler. We zaten buiten omdat hij dat per se wilde, nadat we broodjes hadden gekocht bij de delicatessenwinkel aan de overkant van de straat. Grijze novemberdagen waren een onbekend fenomeen voor me; in Tasmanië zou het nu echt zomer zijn.

Het was die dag vreemd rustig in mijn weersvoorspellende park. De hemel, de lucht, alles was kleurloos en moe. De omringende gebouwen hadden een oeroude uitstraling. Duiven pikten in het vuil onder de bankjes, wachtend tot er iets lekkers zou vallen.

Ik was een beetje duizelig, weg van de Arcade en alleen met Oscar.

Hij kauwde op zijn boterham en gaf geen antwoord op mijn uitnodiging. Ik bestudeerde de gespierde beweging van zijn kaken. Hij slikte luidruchtig en keek om zich heen. We zeiden niets en ik begon mijn schoenen te inspecteren.

Naast het bankje, naast mijn schoen, lag een gebruikt condoom. Had hij het zien liggen? Wat gebeurde er daar 's nachts? Ik zag een stel voor me, omhelzend op het bankje, hun monden hartstochtelijk zoenend. Minnaars, hier, op mijn bankje in mijn park! Mijn huid voelde heet in de koude lucht. Oscar kauwde op zijn broodje. Ik trapte het smerige condoom onder de bank en keek op om te zien of het hem was opgevallen. Bestaat er een melancholieker object?

Ik keek het park in en zag dezelfde knoestige bomen om

ons heen, dezelfde vieze plastic zakjes in hun takken gevangen, slap als weerloze spoken; gewoon nog meer bleke overblijfselen van slechte ideeën en eenzame dromen.

Ik schraapte mijn keel en toen ik begon te praten, gaf Oscar eindelijk antwoord.

'Rosemary,' zei hij, 'ik, eh...'

'Ik bedoel er verder niets mee, hoor, Oscar,' stelde ik hem snel gerust. 'Ik dacht gewoon dat je het misschien leuk zou vinden om mijn flatje te zien. Het is heel gezellig geworden.'

Ik wist toen nog niet dat ik mijn eigen stille macht had en kletste verder: 'Ik heb wat lapjes gekocht in die winkel die je me hebt aangeraden. Ik heb kussentjes gemaakt. En een gordijn, van een prachtig stuk zijde.'

'O, ja?' vroeg Oscar opgelucht. 'Weet je wat voor zijde het is?'

'Wat voor soort? Nee, dat heb ik niet gevraagd, maar het ziet er Indiaas uit. Misschien is het wel een sari geweest,' zei ik.

'Echt?' zei hij terwijl hij zijn broodje neerlegde. 'Ik ben heel geïnteresseerd in Indiase zijde. De verschillende soorten hebben van die prachtige namen... ze staan in mijn schrift: Kanjeevaram, Puttapakka en Baluchari. De meest chique zijde komt uit Benares, een heilige stad. Heel oud. Heeft jouw stuk zijde een boord?'

'Eh, ja. Er zit goudstiksel in de rand, maar het was geen dure lap stof. Het was gewoon een stukje dat ik tussen de coupons heb gevonden.'

'Dat heet de pallu, het eind van de sari.' Hij pakte zijn broodje weer op. 'Die uiteinden zijn soms heel rijkelijk versierd,' zei hij met volle mond. 'Indiërs hebben verstand van textiel. Ze waarderen materiaal. Ze begrijpen hoe belangrijk het is. De geschiedenis van zijde is op zichzelf natuurlijk al fascinerend, aangezien het om de culturele relevantie van het materiaal gaat. Malagassiërs geloven dat stof mensen vormt, in die zin dat het hun identiteit bepaalt. Ze geloven dat mensen zijn geweven...'

Oscar had mayonaise in zijn mondhoeken terwijl hij sprak, die ik van zijn mond wilde likken. Ik was doodsbang dat hij zou opmerken dat ik naar hem zat te staren.

'Dus,' drong ik aan voordat hij aan de geschiedenis van zijde of de psychologie van de Malagassiërs kon beginnen, 'kom je een keer eten? Dan kun je die stof bekijken. Kom je een keer?'

'Nee, Rosemary,' antwoordde hij. Zijn gezicht leek in het vreemde licht wel van gebleekt bot, versteend en uitgedroogd. Zijn aparte oogkleur leek metaalachtig, tegelijkertijd rijk en hard.

'Ik kom niet bij je eten. Ik ga nooit uit. Als ik thuis ben, werk ik altijd aan mijn schrift. Of ik ga naar de bibliotheek. Ik heb onderzoek te doen. Ik vind echt dat ik mijn tijd niet beter kan doorbrengen. Er is zo veel dat ik moet bestuderen.'

'Bestuderen?' herhaalde ik enigszins in verwarring over wat hij bedoelde.

Toen citeerde hij uit zijn hoofd iets wat hij jaren daarvoor had opgeschreven. Hij had het citaat als advies geïnterpreteerd, als een vingerwijzing over hoe hij het best kon leven. Ik was er diep van onder de indruk, niet omdat het een advies was dat ik wilde opvolgen, maar omdat het hem zo volledig beschreef.

'Je kunt je tijd niet beter doorbrengen dan je van alles te dissociëren en in de eenzaamheid van je eigen kamer door de caleidoscoop van deze onbekende wereld te kijken.'

Oscar beëindigde het citaat met alle zwier die hij kon opbrengen... een kleine beweging met zijn lange hand.

'Ik ben op mijn eenzaamheid gesteld,' vervolgde hij. 'Ik ga nooit bij mensen op bezoek. Ik wil namelijk niet dat iemand verwachtingen van me krijgt. Je moet niets van me verwachten. Ik kom niet eten,' rondde hij af. 'Dat wil ik niet.'

Die laatste zin liet hij in de stilte tussen ons in vallen, in de veronderstelling, nam ik aan, dat ik, aangezien ik Melville aan het lezen was, wel zou begrijpen dat hij naar Bartleby verwees. Maar dat kon ik toen niet, net zomin als ik hem in zijn eenzaamheid kon ontmoeten.

Na een korte stilte keek hij op naar de bewolkte hemel. Zijn gezichtsuitdrukking was abstract en onleesbaar.

'Volgens mij gaat het sneeuwen,' zei hij vriendelijk.

Ik kreeg geen hap meer door mijn keel. Ik wist, vanwege het verhitte gevoel dat van mijn haarlijn naar mijn nek kroop, dat ik, ondanks mijn groeiende levenservaring, ondanks het beschermende advies van Pearl, ondanks zijn wezenlijke eigenaardigheid, verliefd was op Oscar. Ik wist dat het uitzichtloos was. Dat ik er bewust voor koos om niet te horen wat hij heel expliciet tegen me zei.

Naar hem verlangen was beslissen te willen wat ik nooit zou kunnen krijgen. Maar op een bepaalde manier hielp het om die keuze te maken. Ik ontdekte erdoor dat er andere soorten verdriet waren. Romantisch verdriet kan functioneren als geleider voor de extravagantie van dat andere, oneindige, verlies. Het maakte mijn verdriet breder, wijzigde de onontkoombaarheid van afwezigheid in iets anders... in verlangen dat de verbeeldingskracht voedde. Ik had het idee omarmd dat liefde in essentie onbeantwoord bleef, en die overtuiging dwong me me concreet voor te stellen waarnaar ik verlangde. Het was een creatief proces. Hoewel ik me absoluut niet afvroeg wat Oscar van mij wilde.

'Ik heb nog nooit sneeuw gezien,' zei ik terwijl ik mijn dunne jas dichtknoopte, hoewel mijn gezicht nog gloeide.

'Nou, dat gaat dan tegenvallen,' zei hij smalend. 'Sneeuw is nutteloos. Maar wat apart dat je nog nooit zoiets gewoons hebt gezien.'

Er begonnen bijna onzichtbaar kleine vlokjes in de luwte te vallen. Ik deed mijn hoofd naar achteren en keek hoe de sneeuw uit de hemel viel, alsof hij net boven onze hoofden materialiseerde. De schoonheid bracht me in vervoering. De sneeuw was als iets wat echt maakte, een manier om Oscar te omhullen, hem aan te raken, zonder dat hij dat wist of er toestemming voor gaf. Hij leek met me samen te zweren in mijn wens.

'Het zal wel naïef zijn om sneeuw magisch te noemen,' fluisterde ik betoverd.

'Niet als jij er zo over denkt,' gaf Oscar toe.

We keken samen naar de vallende sneeuw, vlokjes licht in de grijze atmosfeer.

'Het is goed, hoor, Oscar,' wilde ik hem geruststellen. 'Ik kan niet zeggen dat ik begrijp waarom je niet wilt komen eten terwijl we hier wel zitten te lunchen. In de vrieskou!' Ik glimlachte. 'Maar het is goed.'

Ik was niet op zoek naar troost. Wat ik het liefst van alles wilde, was voelen. Verlies en herstel tegelijk gewaarworden, zoals wanneer het gaat sneeuwen en je niet meer kunt zeggen dat je nog nooit sneeuw hebt gezien.

We stonden op in de gevlekte lucht. Ik gooide Oscars lege papieren zakje en de rest van mijn broodje weg. Het vieze park was al getransformeerd, bedekt met een armoedig wit kleed met donkere gaten erin. Ik schraapte wat sneeuw op en mijn vingers werden roze.

'Ik dacht dat het kouder zou zijn,' zei ik terwijl ik het klontje sneeuw weggooide en we de straat overstaken. Ik veegde mijn handen aan mijn broek af.

Oscar glimlachte een beetje en richtte zijn prachtige hoofd naar de hemel.

'Niets is ooit zoals je het je voorstelt, hè?' zei hij tegen niemand in het bijzonder.

'Rosemary,' riep Geist onder aan de trap naar het kantoortje. 'Waar ben je? Ben je op Oscars afdeling?'

'Ja, ik ben hier.' Ik zette de boeken die ik aan het opruimen was op de vloer bij de plank.

Geist riep me nu aan de lopende band. Ik hielp hem uren achtereen in de kelder, wanneer ik de uitgeversbedragen van recensie-exemplaren voorlas terwijl hij de nieuwe prijs in zijn hoofd berekende. Of ik moest in zijn kantoor kolommen getallen voorlezen terwijl hij verwijtend op zijn onschuldige rekenmachine zat te hameren. Ik verlangde er hevig naar rond te drijven in de winkel, boeken op te ruimen en klanten te helpen, vrij van verplichtingen.

Hij zag er onverzorgd uit. Ik hoorde Pike tegen een klant praten en Geist luisterde geconcentreerd, zijn hoofd in de richting van zijn stem gekanteld, zoals die hond in die oude reclame. Hij leek zich meer te verlaten op geluid en geur dan op zijn gezichtsvermogen.

'Kan ik iets voor u doen?'

'Kom maar naar kantoor.'

Ik liep naar boven en trof hem op de overloop aan. Hij draaide zich om, liep naar zijn kantoor en struikelde bijna over de drempel.

'Gaat het?' vroeg ik.

Hij negeerde me en liet zich achter zijn bureau in zijn stoel zakken. De loep lag, opzijgeschoven, op een stapel papieren en bonnen.

'Ik wil dat je iets voorleest,' zei Geist terwijl hij een lade aan de rechterkant van zijn bureau opentrok. 'Het is gewoon een verzoek om informatie. Alsjeblieft.'

Hij gaf me een brief, die in een gescheurde envelop zat. 'Gewoon een verzoek om informatie' bestond niet in de Arcade. Post was kostbaar, want hij leverde klanten op. Ik had Geist nog nooit een brief voorgelezen. Alle post werd dagelijks door onze diplomatieke koerier Mercer bij George Pike afgeleverd.

'Natuurlijk, meneer Geist,' zei ik. 'Maar...'

Hij onderbrak me fel. 'Geen vragen,' zei hij. 'Ik wil gewoon dat je hem voorleest.'

'Natuurlijk, meneer Geist. Sorry.'

Ik haalde de brief uit de envelop. Hij was geschreven in een prachtig krullend handschrift, op dik, zwaar zijdeachtig papier waarvan ik wist dat het heel duur was. Je kon iemands karakter aflezen aan de subtiele verschillen in licht en donker, de prachtige inconsequentie wanneer je met een vulpen schrijft, de druk die je uitoefent als een sleutel tot je temperament.

Het handschrift maakte een kettingreactie aan associaties bij me los. Ik voelde zo veel verdriet en gelukzaligheid tegelijk dat ik even naar adem snakte. Ik zag *Eternity* op de stoep in Sydney staan en voelde de aanwezigheid van moeder, een hint van haar leven. Ik zuchtte en kon even niet voorlezen.

Geist zat ongeduldig met zijn vingers op zijn bureau te tikken.

De zweem van haar aanwezigheid was al weer weg, de harde realiteit van haar dood bevestigend. Ik moest nog wennen aan de tegenstellingen die in verdriet liggen verborgen... hier, maar niet hier. Ik aarzelde, wachtend tot de levendigheid van wat ik voor me zag in een minder apert bewustzijnsniveau zou wegzakken.

'Nu graag,' zei Geist op eisende toon.

'Sorry,' zei ik met een bevende stem. Ik wreef in mijn ogen. 'Maar dat handschrift haalt herinneringen naar boven. Het is prachtig.'

'En onleesbaar... voor mij, tenminste. Ik kan mijn bril nergens vinden en van die rotloep krijg ik zo'n hoofdpijn dat het lijkt of mijn hersenen in tweeën splijten. Ik lees liever drukletters. Voorlezen, alsjeblieft.'

Er stond niets op de envelop en hij was niet gefrankeerd. Hij was blijkbaar door iemand anders dan Mercer in de Arcade afgeleverd. Ik keek de brief snel door.

'Wat is er?' vroeg Geist op eisende toon, zijn hand nu een witte vuist op zijn bureau.

'Nou, er staat: "Beste meneer Pike", en ik...'

'Ik mag alle verzoeken lezen die naar de Arcade worden

gestuurd. Of dacht je misschien van niet?' fluisterde hij razend. 'Pike laat me regelmatig de correspondentie afhandelen!'

Dat was niet waar. Ik wist heel goed dat de post heilig was in de Arcade. Waar kwam die brief vandaan? En hoe had Geist hem in handen gekregen? Had hij Pikes post gepikt? Was hij hem toevertrouwd om aan Pike te geven? Geist zag er ziek uit, maar ik vroeg niet wat er was.

'"Beste meneer Pike",' begon ik, en ik schraapte mijn keel. '"Ik heb informatie voor u met betrekking tot de bijdragen die de Arcade in het verleden aan mijn verzameling heeft geleverd. Deze brief betreft een verloren manuscript van onschatbare waarde van de Amerikaanse auteur Herman Melville. Ik heb het momenteel in mijn bezit, maar heb, aangezien ik niet fatsoenlijk kan verklaren hoe ik eraan ben gekomen, uw hulp nodig om na te gaan of het authentiek is en om deze uiterst zeldzame vondst vervolgens aan te bieden. Ik ken meerdere verzamelaars die geïnteresseerd zijn, maar wil u vragen om..."'

'Stop maar!' Geist stond op en rukte de brief zo wild uit mijn handen dat hij een hoekje van het zware papier afscheurde en ik met de snipper in mijn hand bleef zitten.

'U heeft de brief gescheurd,' zei ik, verbijsterd om zijn reactie. Nadat ik even naar de snipper had zitten staren, stak ik hem bijna onbewust in mijn zak.

'Het spijt me, Rosemary,' stamelde Geist, die met de brief in zijn hand geklemd stond en er een prop van maakte. 'Sorry, dat ik je heb lastiggevallen. Je kunt gaan.'

Hij ging weer zitten. Toen boog hij zich over zijn bureau en legde zijn arm in een bocht op het bureaublad, zijn hoofd naar beneden, als een scholier die zijn werk beschermt tegen iemand die wil spieken.

Tien

Ik had nog nooit Thanksgiving gevierd, en Lillian natuurlijk ook niet. Ik wist niet precies wat voor rituelen er allemaal bij kwamen kijken, maar wel dat het een kans was om haar te eten te vragen. Lillians broer gaf haar uiteindelijk een avond vrij van haar wachtpost in het Martha Washington. Ik ging me te buiten aan een kleine kalkoen, die ik als extra traktatie zelfs met lamsvlees vulde. Oscar had me verteld dat Argentijnen enorme hoeveelheden vlees eten. Het werd warmer in mijn flatje doordat ik stond te koken, maar niet zo warm dat ik mijn jas kon uittrekken. Nu het eind november was en de winter echt was aangebroken, sliep ik vaak in mijn jas.

'Waarom is het hier zo koud?' klaagde Lillian toen ik haar binnenliet.

'Er is momenteel geen verwarming, maar Jack zei dat de huisbaas er volgende week iets aan gaat doen.' Dat zei hij al maanden.

'Hoelang woon je al zo?'

'Een paar maanden. Sinds ik hier woon. Het valt heel erg mee, Lillian. Ik kan het betalen en het is van mij.'

'Het wordt binnenkort nog kouder. Het gaat vannacht misschien sneeuwen. Wij hebben daar meer last van. We komen van de warme kant van de wereld. Ons bloed is dunner.'

'Maak je om mij maar geen zorgen, Lillian.'

'Ik maak me altijd zorgen om je.'

'Dat weet ik.'

'Ik leef omdat ik me zorgen maak. Als ik dat niet meer doe, ga ik dood.'

'Dat is wel erg dramatisch, vind je niet?'

'Nee,' zei ze uitdrukkingsloos. 'Daar weet jij niets van.'

'Nou, dat moet je me dan maar eens uitleggen. Maar goed, ik ben ontzettend blij dat je er bent, ga zitten. Je bent mijn allereerste gast. De allereerste gast in mijn hele leven, dus als ik jou was, zou ik maar meewerken.'

Ik begon te lachen en Lillian glimlachte een beetje. Ik liet haar de slaapalkoof en het toilet achter in de ruimte zien.

'Het is wel klein,' zei Lillian terwijl ze haar gezicht achter het zijden gordijn stak. 'Maar dat zijn de kamers in het Martha Washington ook. Ik vind al die kleuren leuk.'

Ze liep terug naar de voorkant van de kamer en begon de kussentjes in de gevonden leunstoel op te schudden.

'Dat bad is net een schip dat gaat wegvaren. Een bootje om je naar huis te brengen.' Ze lachte zacht en gaf me een klopje op mijn schouder. 'Je hebt het leuk gemaakt, Rosemary. Het is kleurrijk. Net als jij.'

'Dank je, Lillian. Ik ben echt heel blij dat je er bent. Ik hoop dat je vaker komt.'

We glimlachten naar elkaar, allebei blij dat we een vriendin hadden.

'O, ik heb wat voor je meegenomen,' zei Lillian, die opsprong en haar grote leren tas pakte. Ze haalde een fles wijn te voorschijn. 'Uit Mendoza,' zei ze. 'Dat ligt in Argentinië. Mijn broer heeft er heel veel flessen van. Onze vader komt uit Mendoza en hij had het vroeger toen we klein waren altijd in huis. Hij is overleden. Net als jouw vader, toch?'

Ik nam de fles wijn aan.

'Ik heb je verteld dat ik mijn vader niet ken, Lillian,' zei ik. 'Ik weet niet of hij dood is. Ik moet natuurlijk een vader hebben gehad, maar mijn moeder is nooit met hem getrouwd en ze heeft nooit verteld van wie ze zwanger is geraakt. Ik heb altijd gedacht dat hij ergens heel ver weg was. Niet omdat zij dat vertelde; dat dacht ik gewoon.'

Ik zette de fles op het tafeltje naast de stoel. 'Ik droomde vroeger altijd dat ik naar een stad zou gaan en dat ik dan iemand zou zien die hem zonder twijfel moest zijn... een mannelijke uitvoering van mezelf. Maar dan ouder. Met rood haar. En sproeten. Een lang iemand. Nu ik hier ben, is het wel duidelijk wat een absurde fantasie dat was, maar dat dacht ik altijd.'

Ik pakte twee glazen van de plank boven het fornuis. Ik had geen kurkentrekker. Ik had mijn hele leven nog nooit meer dan een paar slokjes wijn gedronken, maar dat ging ik Lillian, die me er altijd aan hielp herinneren dat ik nog maar een kind was, niet vertellen.

'Dat dacht ik ook altijd.' Ze ging ongemakkelijk anders zitten in de leunstoel. 'Mijn Sergio, mijn zoon... ik dacht in Buenos Aires altijd dat ik hem zag lopen, en nu zie ik hem in New York. Ik denk steeds dat hij nog leeft. Dat hij is ontsnapt.' Ze was even stil, en toen zei ze: 'Ik denk steeds dat ik hem zie. Al vier jaar.'

Lillian schraapte haar keel, ze was nu vastberaden te praten. 'Maar ik ken hem, ik houd van hem, dus dat is anders. Hij heeft echt bestaan. Mijn man en ik hebben hem samen opgevoed. Hij is echt.' Ze raakte de wijnfles aan en keek me aan. 'Jouw vader bestaat alleen in je hoofd.'

'Ik denk het wel,' zei ik; ik wilde haar niet tegenspreken. Ik vroeg me af hoe ellendig ze zich voelde. Dit was de eerste keer dat Lillian over Sergio praatte. Ze sprak niet achteloos over hem; ze koos haar woorden heel zorgvuldig.

'Ik weet dat het heel anders is,' gaf ik toe.

Lillian pakte een zakmes met een kurkentrekker uit haar tas. Ze maakte de fles heel behendig open en schonk twee glazen vol. We toostten en ik nam een grote slok. De wijn steeg na nog een paar slokjes al naar mijn hoofd en hoewel ik de smaak onaangenaam vond, ervoer ik het effect als prettig.

'Lillian, je helpt me mijn flatje in te wijden.'

Ik schoof het bijzettafeltje dichter naar de leunstoel. Het

was mijn enige stoel, dus ik zette de koffer die ik van Chaps had gekregen op zijn kant en ging erop zitten. Het noemen van Sergio's naam had hem als een tastbare entiteit naar de kamer geroepen. We waren er stil van. Ik stond op en begon de groente te wassen in de gootsteen. Ik keek na een lange stilte naar Lillian, die uit het raam zat te staren. Ze tuurde de donkere avond in en haar reflectie staarde me aan zonder iets te zien.

'Waar denk je aan, Lillian?'

'Dat heb je me al eens gevraagd. Ik denk altijd aan hetzelfde,' zei ze met een intens verdriet in haar stem. Ze dronk haar glas leeg.

'Wat is er met Sergio gebeurd, Lillian? Wil je me dat vertellen?' vroeg ik zo vriendelijk ik kon. Ik schoof de koffer naar haar toe, ging zitten en legde mijn hand op haar knie.

Er viel een lange stilte. Lillian leunde achterover in de stoel en keek in de oude spiegel tegenover haar stoel.

'Hoe kom je aan die spiegel?' vroeg ze.

'Je verandert altijd van onderwerp,' zei ik niet onvriendelijk. 'Ik heb hem uit een kringloopwinkel. Als ik mezelf erin zie, weet ik zeker dat ik er ben.'

'Ik heb in alle spiegels van de wereld gekeken en word in geen enkele weerspiegeld. Dat is Borges, weet je nog, dat boek dat je me hebt gegeven, dat ik heb teruggegeven?'

'Dat weet ik nog, Lillian. Het staat in de kast. Wat betekent dat: ik word in geen enkele weerspiegeld?'

'Dat weet ik niet, maar ik denk daardoor dat er geen spiegel in de wereld is die mijn zoon weerspiegelt. Hij is door de spiegel gevallen.' Ze stond op en ging weer zitten. Ze staarde me met een soort verdoofde zekerheid aan.

'Ik zal je het verhaal van mijn Sergio vertellen, Rosemary. Dat wil ik niet, maar ik moet het uiteindelijk altijd vertellen. Anders word ik weer gek. Ik ben de enige van het gezin die nog over is... ons gezin, dat bestond uit mijn man Emilio, onze zoon Sergio, en mij.'

Ze keek me recht in mijn ogen. 'Maar eerst wil ik nog een glas wijn.'

Ze schonk haar glas vol en sloeg het in één teug achterover. 'Heb je weleens van *desaparecidos* gehoord?' fluisterde Lillian. 'En van de *guerra Sucia?*'

Het getik van de hete oven klonk hard in de ruimte, harder dan het zachtere tikken van de groene klok. De deur op straat ging open en werd dichtgeslagen, er klonken voetstappen in de betegelde gang en toen werd er met nog een deur geslagen. Lillian wachtte tot het weer stil was. Ik had geen idee waarover ze het had.

'Hij is een van de mensen die zijn verdwenen,' zei ze beslist, alsof dat antwoord gaf op mijn vraag. Ze zag dat ik het niet begreep.

'Weet je niet wat dat betekent? Kun je het begrijpen? Je bent een jong meisje uit een jong land. Een veilige plaats, denk ik, jouw Tasmanië. Je weet het niet. Sergio is meegenomen. Hij is 's nachts uit zijn huis gehaald. Hij was vijfentwintig, ouder dan jij nu. Meegenomen, begrijp je dat? Hij zou nu negenentwintig zijn. Hij was vorige maand jarig. Weet je nog, toen ik niet op mijn werk was?'

Ze zat aan haar kraagje te friemelen, legde haar hand tegen haar keel. 'We hebben hem naar een goede school gestuurd. Hij heeft aan de universiteit gestudeerd. Hij zou gaan trouwen. Hij gaf les...' Lillians stem ebde weg. Ze greep naar haar keel en staarde naar het plafond. Ze zuchtte. 'Hoe moet ik jou uitleggen wat het verschil is tussen verdwijnen en sterven?'

Ze werd plotseling razend en sprak in het Spaans verder, met een stem die dik klonk van de emotie. Toen hield ze op met praten. Na een tijdje vervolgde ze in het Engels: 'Je wilt het weten, Rosemary, maar je bent een kind. Je kunt het niet weten. Het heeft mij ook gedood, maar toch moet ik verder leven, omdat mijn zoon niet is teruggekomen. Ik wacht nog steeds op hem. Ik wacht op een antwoord.'

'Bedoel je dat hij is ontvoerd, Lillian?' vroeg ik in een poging te begrijpen wat ze me vertelde. 'Door wie?'

'Door het leger, de politie. Dat is in Argentinië de regering. Ik ben katholiek, begrijp je? De kerk hielp me niet. De priesters deden niets. Misschien werken ze er wel aan mee. Mijn broer was al weg voor het allemaal begon. Hij is naar New York gegaan en heeft het hotel gekocht. Hij zegt dat iedereen snel zal weten wat er gebeurt, maar volgens mij is het allang bekend en kijkt iedereen gewoon de andere kant op. God kijkt gewoon de andere kant op.'

Ze staarde in de spiegel en mijn blik kruiste die van haar, daar in haar donkere wereld.

'Hij is vier jaar geleden verdwenen,' zei Lillian op feitelijke toon. Haar hoofd viel naar achteren en ze sprak verder tegen het plafond. 'Ik vertel Sergio's verhaal bijna nooit meer. Ik word er zo moe van. Het is goed dat je me dwingt het te vertellen, want hij neemt het mysterie van zijn einde met zich mee. Het is goed om het te vertellen. Mijn broer kan het niet meer horen. Hij heeft me geholpen, maar hij heeft het te vaak gehoord.'

Lillian sloeg een kruis.

'Hij was niet de enige. Het gebeurt nog steeds. Er komen er elke dag meer. Maar ik zal het vanaf het begin vertellen, zodat je het weet.' Lillian stond op en begon door de kamer te ijsberen.

'Het was georganiseerd. Ze begonnen om elf uur 's avonds. Dat weet ik omdat ze diezelfde avond zes van Sergio's studievrienden hebben meegenomen. Ze begonnen om elf uur bij iemand thuis. Om één uur de volgende en om drie uur mijn zoon. Hij had een flatje bij het park. De portier was de enige getuige. Hij heeft verteld dat ze hem achter zijn balie vandaan hebben gesleept, dat ze hem opdroegen de deur open te doen en dat ze toen schreeuwden dat hij weg moest gaan, maar de portier heeft zich achter de trap verstopt en heeft geluisterd naar wat er gebeurde.'

'Wie heeft het gedaan, Lillian?'

'De portier heeft een groepje mannen gezien; één ervan had een uniform aan. We zullen er nooit achter komen. Ze hebben zijn flat overhoopgehaald en de portier heeft even later gezien hoe ze met Sergio naar beneden kwamen; vastgebonden. Ze hebben hem in een busje geduwd en zijn weggereden. Dat is alles wat ik ooit zal weten.'

Er passeerde een ambulance of politieauto op straat. Lillian schrok van het geluid van de sirene. Het klonk al snel minder hard en ze wreef over haar gezicht.

'Nadat ze hem hadden meegenomen, kon ik niet slapen. Ik dacht dat ik blind was geworden, maar Emilio nam me mee naar een dokter, die zei dat ik moest huilen. Dat ik niet kon zien vanwege de tranen. Die dokter heeft me doorverwezen... je weet wel naar wat voor arts.' Ze tikte met haar vinger tegen haar slaap. 'Die heeft me geholpen te huilen, maar toen kon ik niet meer stoppen. Maar ik kon wel weer zien. Na een tijdje ben ik gaan proberen om weer te lezen, maar ik kan nergens meer van genieten.'

Lillian gebaarde naar de paar boeken in mijn gerepareerde kastje. Ze wrong haar handen samen en haar knokkels waren door haar donkere huid te zien. Ze schonk haar glas nog eens vol. 'Emilio en ik hebben een *habeas corpus* ingediend. Weet je wat dat is?'

Ik schudde mijn hoofd.

'We hebben een advocaat gevonden die ons wilde helpen. We moesten zijn lichaam vinden. De dochter van onze buren was ook verdwenen en ze zochten een advocaat. Toen verdween die advocaat ook. We willen antwoord van de regering. Ik ben zijn moeder. Ik moet het weten. Ik heb de moeders gevonden die op het plaza protesteerden. Ik heb me bij hen gevoegd, we hebben ambtenaren gesproken... leugenaars. Niets. We hebben brieven geschreven. We hebben het verhaal verteld. Mijn Sergio is nu al vier jaar verdwenen. En het gebeurt nog steeds. Iedereen moet horen wat er in mijn land gebeurt. Maar niemand wil het weten. Dat moet je begrijpen, Rosemary... mijn zoon, onze kinderen, ze zijn allemaal heel bijzonder. Een generatie met idealen, die de dingen anders ziet. Sergio heeft sociologie gestudeerd, hij wilde de armen helpen. Hij wilde de wereld veranderen. Dat zijn de mensen die verdwijnen. Ze hebben hen meegenomen. Ik weet niet waar mijn zoon is. Is hij dood?'

Lillian keek om zich heen in mijn flatje, haar blik ging over alle objecten die ik bij elkaar had gespaard. De groene klok die meedogenloos tikte. De halflege wijnfles.

'Lillian,' zei ik zacht. Haar blik zwenkte plotseling naar mijn gezicht. Ze keek me even aan en begon weer te praten, heel snel. Haar stem klonk ernstig, haar accent zwaarder.

'Ik kijk televisie. Ik ga de straat niet op. Misschien komt hij naar huis, ik weet het niet. Ben ik gek? Emilio is gestorven en mijn broer heeft me hierheen gehaald om een beroep op de regering te doen. Emilio is als een gebroken man gestorven, snap je dat? Een afwezig kind maakt je afwezig. Snap je dat, Rosemary?'

'Nee, Lillian, dat kan ik niet begrijpen. Ik kan het alleen proberen.'

Ik pakte haar hand en we keken elkaar aan tot ik wegkeek, niet in staat haar lijden te verlichten. 'Ik weet niet wat ik moet zeggen. Maar ik begrijp wel dat je zo'n pijn hebt dat het voelt alsof je ook bent verdwenen. Dat begrijp ik volgens mij wel.'

Ik voelde tranen achter mijn oogleden prikken, maar hield ze tegen, beschaamd. Wat had ik om over te huilen? Ik stond snel op. Ik probeerde me met het eten bezig te houden, haalde de kalkoen uit de oven en liet de ovendeur open om de kamer een beetje te verwarmen. Ik deed boter op de groente en legde het te lang gekookte eten op twee borden die niet bij elkaar hoorden. Ik keek steels naar Lillian.

Ik weet niet waarom ik de pijn van een ander op me nam, ik weet alleen dat ik dat deed. Ik dacht op mijn achttiende dat ik overal bij was betrokken, dat ik Lillians verhaal had gehoord zodat ik haar pijn op de een of andere manier kon verzachten. Dat haar lijden betekenisloos kon zijn, was meer dan ik aankon. Wie kon zulke dingen toestaan?

Lillian huilde niet. Ze keek om zich heen alsof Sergio elk moment in de kamer kon staan. Ze staarde naar de badkuip op pootjes tegen de muur alsof zijn geestverschijning haar niet zou hebben verrast, alsof hij uit de badkuip zou opstijgen als een weder opgestane verdronkene. Haar mond bewoog, ze mompelde iets in het Spaans, met een lieve stem. Ze sprak zacht verder, glimlachend en iets meer ontspannen.

Misschien zag ze hem wel in het bad liggen. Ik werd er niet bang van dat Lillian tegen de lucht sprak. Ik praatte per slot van rekening dagelijks met mijn moeder. Ondanks al zijn ontoereikendheid leek taal een levenslijn.

Ik zette de borden op het tafeltje. Lillian ging achterover zitten in de leunstoel. Ze sloeg haar armen over elkaar alsof ze klaar was om mij weer aan te spreken, klaar om weer Engels te praten.

'Ik voel ook geen plezier meer, kind. Tranen. Mijn broer zei dat ik hiernaartoe moest komen, dat ik hier hulp kon krijgen. Er is geen hulp. Ik kijk alleen maar televisie. Ik werk voor hem. Ik wacht. Wie kan me helpen? Niemand.'

Ik at werktuiglijk mijn stuk kalkoen, zonder echt iets te proeven. Lillian negeerde het eten.

'Wat is er met je man gebeurd?'

'Emilio? Die is gestorven. Hij was heel erg depressief, snap je? Hij praatte niet meer.' Lillian leunde naar voren om iets te zeggen. 'Er bestaan films,' zei ze. 'Ik weet van de Dwaze Moeders dat er geheimen worden verteld. Maar ik weet nog steeds niets, niets over Sergio. En dan zien we hen op de televisie. Ze hebben graven geopend... naamloze graven. Er zijn zo veel lichamen. Ze graven ze met bulldozers op. Emilio keek net zo obsessief naar de televisie als ik dat nu doe. Hoe kunnen ze dat doen? Toen is hij gestorven. Aan een hartaanval. Mijn broer zei dat ik hiernaartoe moest komen. Hij zei dat ik in New York een nieuw leven kon beginnen. Dat ik er weg moest. Ga daar weg, zei hij. Ontsnap. Sergio is dood, zei hij. Ik ben vertrokken omdat ik daar niets kon doen. Ik heb niemand. Heel veel mensen zeggen dat ik geluk heb omdat ik weg kon.'

Lillian pakte haar lege glas op en keek erdoor: een kijker, een periscoop. Haar gezicht leek kleiner van waar ik zat, terwijl ik, nam ik aan, was vergroot en dichterbij leek.

'Maar ik wil niet mijn thuisland verliezen,' zei ze, bijna terloops, 'zoals jij.'

Ik kon die avond niet slapen. Nadat ze was vertrokken, maakte ik schoon tot ik zweette van het harde werk en de emoties die door me heen gingen. Toen ik in bed lag, vertelde ik moeder, met het Huon-kistje op de oranje sjaal aan mijn hoofdeind, over Sergio, en ik sliep onrustig die nacht. 'Hoe?' vroeg ik haar. 'Hoe kan dat gebeuren?'

Ik werd de volgende ochtend vroeg wakker. Het was ijskoud en onverklaarbaar licht in mijn flatje. Ik wrikte mijn benen los uit dekens die zwaar voelden van nachtmerries en sloeg een deken om me heen. Ik zette pannen water op het fornuis en ging bij het raam staan terwijl ik wachtte tot het water kookte. Het had die nacht gesneeuwd en de stad was getransformeerd. Het was buiten stil en verblindend licht. Bergjes op straat gaven begraven auto's aan. De zware sneeuw was tegenovergesteld aan die eerste, delicate vlokjes... het poeder dat Oscar en mij in het park had omhuld. Ik trok de deken strakker om me heen en drukte mijn voorhoofd tegen het koude raam. Ik dacht aan Lillian, aan haar zoon. Ik wist heel goed dat een persoon geen ding om te verliezen was, dat je een persoon nooit kon vervangen.

Mijn adem was een vage verschijning voor mijn gezicht, een zichtbare uitademing die me niet kon geruststellen.

Ik dacht aan Chaps, aan haar woorden over de winter, opgeroepen door een prentenboek. 'In de winter zal ik met warme tranen,' ging de dichtregel die ze had geciteerd, 'de sneeuw doen smelten.'

'Meid, je ziet eruit alsof je een spook hebt gezien,' zei Pearl die ochtend in de toiletruimte van de Arcade. 'Wat is er gebeurd? Gaat het wel?'

'Ja, hoor. Ik heb alleen iets heel verontrustends gehoord.'

'Het is die godvergeten Geist zeker, hè? Misschien heb je wel echt een spook gezien! Wat heeft hij met je gedaan?'

'Wat? Nee,' zei ik verward. Ik dacht heel even dat ik haar over zijn hand op mijn rug had verteld, of over die brief die aan Pike was gericht. 'Nee, Pearl. Het heeft niets met hem te maken.'

'Wat is er dan gebeurd?' vroeg ze. 'Kom, ga even zitten. Vertel.'

We zaten samen op de kapotte bank. Pearl pakte met haar grote, droge handen die van mij vast. Ik probeerde Lillians verhaal te vertellen, maar het leek een nachtelijk sprookje, als de sneeuw die de stad had begraven. Pearl was geduldig.

'Je weet toch wel, mijn vriendin Lillian? Die ik in het Martha Washington heb leren kennen?'

'Je hebt wel over haar verteld, maar ik heb haar nog nooit gezien. Je zoekt toch Spaanse boeken voor haar?'

'Precies. Maar ze is niet Spaans; ze komt uit Argentinië.'

'Oké,' zei Pearl om me aan te sporen verder te gaan.

'Ik heb heel lang geprobeerd haar over te halen bij me te komen eten. Ze was mijn eerste vriendin in Amerika en ik ben heel erg op haar gesteld. Ze is ongeveer even oud als mijn moeder, en...'

'Ik begrijp het,' zei Pearl.

'Dus ze kwam gisterenavond eten, voor Thanksgiving, en

toen heb ik gekookt, en zij had een fles wijn meegenomen.'

'Wat is er dan?'

'Nou, ik weet niet wat jij erover weet, maar Lillian zegt dat haar zoon is vermoord door de Argentijnse regering. Hij is een van de desaparecidos, verdwenenen, en haar man is overleden, van verdriet. Haar broer heeft haar naar New York laten komen omdat hij dacht dat het goed voor haar zou zijn om daar weg te gaan, maar ze doet niets anders dan zich afvragen of haar zoon nog leeft, of hij is gemarteld en of...'

Ik hield op met praten; mijn ogen vulden zich met tranen. Dacht ik dat dat iets uitmaakte?

'Ik kan niets voor haar doen, Pearl,' ging ik verder. 'Ik had gewoon niet gedacht dat ik zoiets over iemand zou weten. Wat kan ik voor haar doen? Het is op Tasmanië heel rustig en er gebeuren daar nooit echt erge dingen. Ik bedoel, er gaan natuurlijk wel mensen dood en dat is uiteraard erg, maar dat is zo'n beetje het vreselijkste wat er daar gebeurt en...'

'Welkom in de echte wereld, lieve Rosemary,' zei Pearl zonder hardheid of sarcasme, haar stem laag van ongebruikelijke ernst. 'Lezen jullie geen kranten in Tasmanië? Er is een paar jaar geleden een coup gepleegd in Argentinië, en toen heeft de regering alle zogenaamde subversieve elementen opgepakt.'

'Ik weet zeker dat Lillians zoon niet subversief was. Hij studeerde sociologie.'

'Ze noemen het de "vuile oorlog", Rosemary. Zoek het maar op. Er zouden duizenden mensen zijn omgebracht. Er zijn verhalen over slachtoffers die gedrogeerd uit een vliegtuig in zee worden gegooid. Ze noemen hen desaparecidos omdat niemand weet wat er met hen is gebeurd, maar dat is niet moeilijk te raden. Ze zijn vermoord.'

'Maar hoe kan dat? Wat moet Lillian nu doen? Waarom kan niemand hen tegenhouden?'

'O, Rosemary,' verzuchtte Pearl. 'De wereld die jij zo

graag wilt leren kennen, is gruwelijker dan je ergste nacht- merrie. Denk maar niet dat je je hier net als wij in de Arcade kunt verstoppen zonder er iets van mee te krijgen. Boeken kunnen hem niet laten verdwijnen.'

'Ik ben er zo van geschrokken, Pearl. Ik geef om Lillian. Ik ben bang dat ze een beetje labiel is van alle verdriet en zorgen. Ik vond haar wel vreemd, maar dat is iedereen die ik hier ken. Ik had geen idee... Ik wil haar helpen, maar ik weet niet hoe.'

Pearl keek me bedachtzaam aan. 'Mario is advocaat, en volgens mij kent hij wel mensen die voor mensenrechtenor- ganisaties werken,' zei ze. 'Misschien kan ik wel helpen haar in contact te brengen met een organisatie hier. Ze heeft vast alles al geprobeerd, maar je weet maar nooit. Mario kent heel veel Italianen, misschien kent hij er in Argentinië wel een paar. Ik zal het hem vanavond vragen.'

'Ik kan het me niet voorstellen, Pearl. Dat je verder kunt leven als je weet dat er zulke gruweldaden worden gepleegd. Dat er echt zulke dingen gebeuren... martelingen, moord. Ik kan me niet voorstellen dat dat realiteit is.'

'De realiteit is zo dun als papier, meid,' zei Pearl hoofd- schuddend. 'Ik dacht dat dat iets was wat je wel wist... met jouw verbeeldingskracht. Zo dun als papier en net zo ge- makkelijk te verscheuren.'

'Rosemary,' zei Oscar, 'gaat het wel?'

'Ja, hoor. Hoezo?'

'Geist zoekt je.'

'O!' De brief die ik hem had voorgelezen, was me door mijn zorgen om Lillian helemaal ontschoten. Het afge- scheurde hoekje zat nog in mijn zak en ik voelde eraan... een vlokje papieren sneeuw. Ik moest het aan Oscar vertel- len.

'Wat is er?' vroeg hij geïnteresseerd. 'Zit je in de proble- men?'

Ik keek hem aan. Hij knipperde met zijn ogen. Het voelde alsof er elke keer dat hij met zijn gouden ogen knipperde licht uit vloeide, dat door mijn huid naar binnen sijpelde en me verwarmde. Me smolt.

'Problemen? Hoezo?'

'Heeft iemand je, eh, lastiggevallen of zo?' vroeg Oscar op fluistertoon.

'Me lastiggevallen? Waar heb je het over, Oscar?'

'Je weet wel, Rosemary,' zei hij een beetje ongeduldig. 'Ik ben hier heel slecht in...'

'Waar ben je heel slecht in... O!' Dacht hij dat iemand me had aangevallen? Me had verkracht?

'Nee, Oscar. Rustig maar. Ik heb gewoon veel aan mijn hoofd. Ik moet je over iets raars vertellen...'

Oscar zat even aan zijn schrift te friemelen. 'Vertel maar, dan. Wat wil Geist? Is dat een van de dingen waar je je druk om maakt? Je brengt wel erg veel tijd met hem door.' Hij zat op zijn kruk en leunde tegen een stapel boeken. Mijn ongemakkelijke gevoel werd minder. 'Ik weet dat je geen advies van mij wilt, Rosemary, maar je moet met hem oppassen. Hij is dol op je.'

'Geist?' vroeg ik verward. 'Nee, mijn vriendin Lillian heeft me zoiets vreselijks verteld. Je zult het niet geloven. Geist wilde laatst gewoon dat ik een brief voor hem voorlas en misschien moet ik dat vaker doen. Dat is alles.'

'Een brief voorlezen? Van wie krijgt hij brieven, dan?'

'Het is heel raar, ik...'

Pearl brulde bij de kassa om een escorte naar de afdeling zeldzame drukken en ik stopte met praten. Ik wachtte, luisterde. Ze riep nog een keer.

'Laat ik die maar nemen. Jack en Bruno zijn 's ochtends altijd laat. Ik kom zo terug.'

Ik rende naar de kassa, maar liep de klant mis. Bruno was er toch en was me voor. Maar er stond nog een klant te wachten, een uitgeverstype, die met Pearl stond te praten terwijl zij een lange groene nagel vijlde. Hij was vaste klant van de Arcade en heette Russell, ik wist toen niet of dat zijn voor- of achternaam was. Hij was van middelbare leeftijd en vriendelijk; zijn gezicht was verwoest door acné en zijn wangen zaten vol diepe littekens. Ik was al een paar keer met hem naar beneden gelopen en hij klaarde helemaal op toen hij me zag. Ik wist dat hij het leuk vond om met me te praten en hij vroeg altijd hoe het met me ging. Hij was een keer in Australië geweest om aan een boek te werken en we hadden een paar gesprekjes over het land en de inwoners gehad. Hoewel ik hem aardig vond, had ik geen zin om met hem naar beneden te lopen, ik maakte liever mijn gesprek met Oscar af. Maar toen Russell me eenmaal had gezien, had ik geen keuze meer. Ik moest met hem naar beneden, en ik nam aan dat Walter Geist in de kelder op me zat te wachten.

'Ik zie dat je hier nog steeds werkt, Rosemary,' zei Russell, die me een tas vol nieuwe boeken aangaf.

'Natuurlijk,' zei ik. 'Waarom niet?'

'O, zomaar. Ik dacht alleen dat je je misschien ondertussen wel in een ander avontuur zou hebben gestort,' zei hij terwijl we de trap af liepen. 'Wil je geen andere baan?'

'Ik vind deze leuk,' zei ik.

'Het betaalt hier vast heel slecht.'

'Ik kan rondkomen. En ik werk met boeken.'

'Er zijn ook andere banen waar je met boeken kunt werken,' zei hij. 'Ik werk ook met boeken. Zoals je misschien nog weet, ben ik redacteur.'

'Ik vind het heerlijk in de Arcade,' zei ik.

'Ik kan me niet voorstellen waarom,' antwoordde Russell. 'Een jonge vrouw als jij...'

'Het is een hele wereld op zich.'

We bleven onder aan de trap even staan en hij bestudeerde me. 'Buiten is er ook nog een heel universum,' zei hij glimlachend. 'Zoals je wel zult weten, aangezien je van de andere kant van de wereld komt.'

'Heeft u *Moby Dick* gelezen?' vroeg ik.

Hij knikte.

'Nou, de Arcade is als het schip voor me. Snapt u? Mensen van over de hele wereld, op een groot avontuur.'

'Heb je het uitgelezen?'

'Nee, ik lees het expres heel langzaam.'

'Nou, ik wil je pret niet bederven, maar dat schip gaat zinken. Misschien dat je toch een andere metafoor moet kiezen, of anders moet je toch eens over ander werk gaan nadenken.'

'De Arcade gaat niet zinken,' zei ik. 'En fijn dat u het voor me verpest.'

Hij schoot in de lach. 'Er zijn ook andere avonturen, weet je. Hoe oud ben je, Rosemary?'

'Achttien.'

'Je bent een slimme meid. Waarom zit je niet op school?'

'Daarom ben ik hier,' zei ik. 'Om te leren.'

'O, god, dat meen je niet... De Arcade is je universiteit!' Russell rolde geamuseerd met zijn ogen.

'Nou ja, ik krijg hier tenminste betaald om te leren. Ik word zelfs betaald om te lezen, als Pike het niet ziet!'

'Luister, als je ooit een andere baan zoekt... als je boeken wilt maken in plaats van verkopen, laat het dan even weten.'

Hij gaf me een visitekaartje met zijn naam erop: THOMAS RUSSELL. Het symbool van zijn bedrijf – een ganzenveer – was hetzelfde als de imprint op de rug van de boeken die hij bij zich had. Daar wees ik hem op. 'Waarom verkoopt u boeken van uw eigen bedrijf?' vroeg ik hem terwijl ik me afvroeg of hij ze had gestolen.

'Het zijn presentexemplaren,' zei hij laatdunkend. 'Overtollig, als je het zo wilt noemen. En ik heb wat slechte gewoontes die ik moet bekostigen.'

Ik wilde net vragen wat die dan waren, maar we stonden al bij Geists tafel.

Arthur stond erachter, wat me aangenaam verraste.

'Waar is meneer Geist, Arthur, en waarom sta jij niet op je eigen afdeling?' vroeg ik.

'Het ziet ernaar uit dat ik ben gepromoveerd,' zei hij sarcastisch. 'Ik val alleen even in, TD. Geist moest naar zijn kantoor.'

'Oscar zei dat hij me zocht,' zei ik.

Arthur haalde zijn schouders op. Hij nam de boeken van Russell aan en nadat hij ze allemaal had gecontroleerd, de bedragen had opgeschreven en opgeteld, gaf hij Russell een geel papiertje om bij de kassa aan Pearl te geven.

'Dank je wel, Art,' zei Thomas Russell. 'Dat komt goed van pas.'

'Ongetwijfeld,' antwoordde Arthur.

'Laat het me maar weten als je het schip wilt verlaten,' zei Russell over zijn schouder terwijl hij wegliep.

Ik glimlachte alleen maar hoofdschuddend en wendde me weer tot Arthur. 'Wat denk jij dat er met hem is?' vroeg ik.

'Met wie?' zei hij terwijl hij een boek onder de tafel vandaan haalde, waarmee hij de tijd tot de volgende klant wilde doorbrengen.

'Met Walter Geist natuurlijk.'

'O, geen idee. Ik vond hem er wel slecht uitzien. En hij botste tegen van alles aan. Misschien heeft hij een rotnacht gehad.' Arthur glimlachte slinks. 'Ik heb zelf een uitstekende nacht gehad, TD.'

'Daar wil ik niet echt iets over horen, Arthur.'

'Nee, dat dacht ik al,' grinnikte hij. '*When Art is wanting, the beast is superior,*' zei hij terwijl hij zijn wenkbrauwen suggestief optrok.

'Pardon?'

'"Als kunst tekortschiet, is het beest sterker", dat is van Yeats.'

Ik negeerde hem. 'Als er maar niets is,' zei ik. 'Meneer Geist lijkt zichzelf niet.'

'En welke zelf moet dat zijn? Het verbaast me dat je je er hoe dan ook druk om maakt. Die man is onmogelijk. Je brengt de laatste tijd wel erg veel tijd met hem door.'

'Ik ben zijn assistente of iets dergelijks,' zei ik vaag.

'Of iets dergelijks,' herhaalde Arthur suggestief.

'Wat bedoel je daarmee, Arthur?'

'Rosemary, naïviteit is alleen leuk bij kinderen en dieren. Dat Geist de eigenaardigste man is die je waarschijnlijk ooit zult ontmoeten, betekent niet dat hij geen man is. Verlangen bestaat, of je dat nu wilt opmerken of niet. Het hangt hier constant in de lucht.'

Arthur opende een boek met foto's. Naakten, zoals gebruikelijk. Ik voelde me misselijk. 'Om maar een voorbeeld te nemen,' zei hij terwijl hij naar een bladzijde wees.

'Arthur, ik maak me gewoon zorgen dat hij niet in orde is en volgens mij beïnvloedt het zijn gedrag.'

'Nou, je kunt van ziekte heel gevoelig worden, als een fotografische plaat,' zei hij dromerig. 'Sommige afdrukken verdwijnen gewoon en zijn voor altijd verloren. Dat komt door de chemicaliën.'

Hij draaide het boek naar me om, geopend bij een foto van twee pagina's, van een naakte man, zijn gezicht verborgen in de schaduw van iemand die buiten beeld stond. De man had zijn hoofd in extase of pijn in zijn nek geworpen, ik kon niet zien welke van de twee.

Toen ik weer boven kwam, was Oscar vroeg gaan lunchen en Pearl had een lange rij bij de kassa. Ik probeerde een paar klanten te helpen, maar toen ik de enorme berg boeken die moest worden opgeruimd bij Pike zag liggen, wilde ik alleen nog maar naar de afdeling zeldzame drukken. Om te ontsnappen.

Geist zou me uiteindelijk wel komen zoeken, maar ik wilde eerst naar meneer Mitchell. Ik wilde door iemand worden gerustgesteld. Lillian, onder sneeuw begraven nachtmerries, zinkende schepen, alles lag als stenen in mijn maag. De afdeling zeldzame drukken voelde veiliger dan de Arcade beneden, zelfs hemels, en hoewel ik nog nooit zomaar bij meneer Mitchell op bezoek was gegaan, was zijn vaderlijke aanwezigheid het gezelschap waar ik het meest behoefte aan had. Daar overtrad ik toch geen regels mee?

Elf

'Meneer Mitchell,' riep ik nadat ik de liftkooi had dichtgesmeten.

'Hier, lieve kind. Hier ben ik.'

Hij leunde tegen een hoge ladder die bij een hoge plank stond, zijn voeten enkele sporten boven de vloer.

'Ik ben ergens naar op zoek, Rosemary, maar aangezien mijn geest en vergetelheid de laatste tijd veel gemeen hebben, weet ik niet meer wat. Ik ben wel een prachtige editie van *Orlando Furioso* tegengekomen, die me aan het denken zette over liefde en waanzin. Maar ik weet niet meer waarom ik hier sta. Misschien als ik stop te proberen het me te herinneren...' Hij kwam de ladder af. 'Ik ga even een pijpje roken en dan schiet het me wel weer te binnen.'

'Aha,' zei hij toen hij eenmaal achter zijn bureau zat. 'Ik ben vergeten wat ik moest doen, maar nu ben jij er. Mijn rozemarijn zodat ik het niet vergeet.'

Ik glimlachte.

'Jij helpt me wel herinneren wat ik op die vermaledijde ladder stond te doen.'

'U was vast op zoek naar een boek,' zei ik terwijl ik aan de andere kant van zijn piepkleine, overvolle bureau ging zitten.

'Met dergelijke deducties zul je geen detective worden.'

Hij haalde een pakje tabak uit de zak van zijn colbert, dat over zijn stoel hing.

'Laten we er maar even over ophouden. Vertel eens, wat kom je doen... zonder klant? Een zeldzaam genoegen, lieve kind. Heel zeldzaam.'

Ik liep paars aan.

'Voor mij is het ook een genoegen, meneer Mitchell. Het is hier zo gezellig en warm. Ik had het zo koud, en de sneeuw...' Ik stopte met praten.

'De tegenvoeters hebben je hier niet op voorbereid,' zei hij. Ik nam aan dat hij naar het weer verwees.

We zaten even in stilte, tevreden. Meneer Mitchell stopte zijn pijp. Ik nam de ruimte in me op. Het was net alsof ik in een toverlamp zat. Er was geen verticale ruimte waar geen boeken stonden en het rook er naar leer en vanille. De oude banden suggereerden een ruwe uniformiteit in kleur: van grijsbruin tot bruin tot stoffig bruinrood, blauw en groen. Iets in het patroon op de ruggen, op een eigen manier geordend, wekte de indruk van textiel te zijn, een steeds terugkerend patroon als in corduroy. Ik vroeg me af of dat Oscar weleens was opgevallen. Het subtiele patroon werd herhaald in meneer Mitchell, die tweed en corduroy in dezelfde kleuren droeg, helemaal in harmonie met zijn omgeving. Zijn witte haar stak omhoog als de bladzijden in een open boek of de stapels foliovellen die in de hoeken van de ruimte lagen.

Ik was ongetwijfeld deels zo op de afdeling zeldzame drukken gesteld omdat ik me er thuis voelde. Het was er op een bepaalde manier net zoals in de werkplaats van Foys waar ik als kind zo vaak in Sydney had gezeten. Er lagen hier geen stapels huiden en er waren geen laatjes met fournituren, maar elk oud boek was eigenlijk net zoiets. Een boek was als zo'n lade: als je het opende kwamen er allerlei ideeën uit vliegen.

Ik had meneer Mitchell over Lillian willen vertellen, maar besloot dat toch maar niet te doen. Ik vroeg me af of ik over die brief die aan Pike was gericht moest beginnen. Er stond iets over een manuscript van Melville in en ik herinnerde me dat ik Pike hem aan de telefoon had horen vragen of hij iets voor Peabody had. De winkeldief, Redburn, had staan afluisteren, maar ik ook, en dat kon ik niet toegeven. Ik wilde dat meneer Mitchell in mijn beste zelf geloofde.

Ik wilde over zo veel dingen zijn advies, maar besloot gewoon te genieten van de rust die hij uitstraalde. Hij stak zijn pijp op en de kop van de lucifer vlamde in die kamer vol papier en leer op als een idee. Het beetje extra licht dat werd uitgestraald door de pijp contrasteerde scherp met de duisternis in de ruimte en het leek net alsof alles met een dun laagje as was bedekt, alsof het zachter was gemaakt, als een herinnering.

'Maak je je ergens zorgen om, lieve kind?' onderbrak meneer Mitchell mijn gedachten.

'Eerlijk gezegd maak ik me zorgen om van alles, maar daarmee wil ik u niet lastigvallen.'

'Je valt me niet lastig, Rosemary, helemaal niet. Het kan heel eenzaam voelen, het avontuur waaraan jij bent begonnen.'

'Welk avontuur?'

'Het leven. Volwassen worden. De wereld zien zoals hij is.'

'U doet me denken aan een vriendin die ik in Tasmanië had. Esther Chapman. Ze heeft ook een boekwinkel, maar dan een heel kleine en nette.'

'Heel anders dan hier dus, lieve kind.'

'Ja, maar ze is op dezelfde manier als u heel vriendelijk.'

'Misschien ben jij, Rosemary, degene die mensen inspireert vriendelijk te zijn. Misschien dat juffrouw Chapman en ik niet onze liefde voor boeken gemeen hebben, maar onze affectie voor jou.'

Er stond een art-decovaas vol vermoeid uitziende pauwenveren achter hem. Het waren oude veren, maar hun turkooizen en paarse midden stak fel gekleurd tegen de flets geworden boekenruggen af.

'De ogen van Argus,' zei hij mijn blik volgend. 'Ze kijken, maar zijn van goede wil. Ze veroordelen nooit,' voegde hij er bemoedigend aan toe.

163

'Ik wilde u iets over Walter Geist vragen. Ik denk omdat ik me zorgen maak dat...'

'De Arcade heeft behoefte aan een geheugen, lieve kind, maar niet aan een geweten. Je moet je geen zorgen maken om dat oude spook.'

'Maar dat doe ik wel. Er gebeurt iets vreemds met hem, hij...'

'Ha!' grinnikte meneer Mitchell. 'Die man is de belichaming van het begrip "vreemd".'

'Nee, dat bedoel ik niet. Er is iets anders.'

Ik wist niet waar ik moest beginnen. Moest ik hem vertellen dat ik had gedacht dat Geist een hekel aan me had? Of dat hij me geld had geleend, mogelijk zonder dat Pike het wist? Of dat hij tegenwoordig over het algemeen te dicht bij me kwam staan; dat hij zijn warme hand tegen mijn onderrug had gelegd? Ik wist dat ik de neiging had te overdrijven. En als ik meneer Mitchell nou vertelde dat ik Geist had gezien als een wezen dat in de Arcade was achtergelaten, dat ik me op een bepaalde manier met hem verbonden voelde, dat ik een band met hem voelde die ik niet onder woorden kon brengen? Wat had ik me over Geist ingebeeld, en wat was echt? Ik had altijd een overactieve verbeeldingskracht gehad en de Arcade had dat alleen maar erger gemaakt.

Wat moest ik met Lillian? Vermoedde meneer Mitchell dat ik van Oscar hield? Kon hij me adviseren?

'Ja, Rosemary?' vroeg hij.

Ik had heel lang niets gezegd.

'O,' zuchtte ik. 'Nou, ik wilde u vragen of u denkt dat meneer Geist ziek is. Denkt u dat hij misschien, nou ja, op een bepaalde manier ziek is?'

'Ik houd me niet bezig met die man, lieve kind, maar zoals je weet is hij niet bepaald een robuuste...'

'Maar is het u de laatste tijd opgevallen dat hij er slechter uitziet?'

'Op wat voor manier? Kun je iets specifieker zijn?'

'Ik vroeg me af of het u is opgevallen dat zijn ogen... of u misschien denkt dat hij... Nou, of u misschien heeft opgemerkt dat hij blind wordt.'

De glimlach verdween van meneer Mitchells gezicht en hij keek me ernstig aan. 'Je weet dat hij vanwege zijn toestand slechte ogen heeft, Rosemary. Hij heeft altijd slecht gezien. Hij is afhankelijk van zijn mooie bril en dan heeft hij ook nog die speciale uitvinding voor de boekhouding. Ik geef niets om die man, dat kan ik jou wel vertellen, maar waarom denk je dat, lieve kind?'

'Hij ziet er de laatste tijd zo slordig uit en hij was juist altijd zo tot in de puntjes verzorgd. En,' ging ik verder, ondanks de innerlijke aarzeling die ik voelde, ondanks de innerlijke stem die me waarschuwde, 'ik moet hem voorlezen. Prijzen in de kelder, en laatst zelfs een brief. Volgens mij moet ik dat doen omdat hij zelf niet meer kan lezen. Volgens mij loopt hij hier rond en doet hij alles op de tast, omdat hij het hier zo goed kent, maar ziet hij niet waarmee hij bezig is.'

'Een brief!' riep hij. Hij had moeite te blijven zitten en zijn gezichtsuitdrukking vlamde op als de lucifer waarmee hij zijn pijp had opgestoken. Wat had ik gezegd? Wat had ik gedaan waardoor hij plotseling zo was ontvlamd? Meneer Mitchell probeerde zichzelf tot bedaren te brengen. Hij haalde zijn pijp uit zijn mond, duwde hem direct weer terug, begon er met korte, scherpe teugen aan te zuigen, haalde hem weer uit zijn mond en legde de kop in zijn grote handpalm terwijl hij door rook werd omhuld. De mythologische ogen staarden me van achter zijn hoofd aan, uitgeblust maar geniepig. Wat zijn pauwenveren toch decadent, bedacht ik terwijl ze me maar aan bleven staren door de rokerige lucht. Robert Mitchell schraapte luid zijn keel.

'Heb je iemand anders verteld dat je hem een brief hebt voorgelezen?' vroeg hij uiteindelijk met een asgrauw geworden gezicht.

'Nee,' loog ik; ik had het al aan Oscar verteld. Waarom zat

ik te liegen? En waarom loog ik tegen meneer Mitchell?

'Die brief die je hem hebt voorgelezen, van wie was die?' vroeg hij terwijl hij vooroverboog in een poging zijn stem rustig te laten klinken.

'O, het was een informatieaanvraag over boeken die te koop worden aangeboden,' probeerde ik het heel specifieke zo algemeen en onschuldig mogelijk te laten klinken. 'Hij heeft het grootste deel van de boekhouding aan Pearl overgedragen,' voegde ik er zinloos aan toe.

'Die brief was zeker niet aan hem gericht, of wel?' schreeuwde hij terwijl hij opstond.

Ik schudde mijn hoofd; ik begon bang te worden.

'Ik ben degene die dat soort brieven zou moeten lezen! Zeldzame boeken zijn niet Geists terrein!' spuwde meneer Mitchell. Hij probeerde zichzelf weer tot de orde te roepen en beet op het uiteinde van zijn pijp, dat hij vervolgens snel uit zijn mond haalde. Hij was verontwaardigd, zijn nukkigheid was zichtbaar. Ik was in de war. Erger nog: ik was teleurgesteld. Ik kreeg de indruk dat hij alleen aan zichzelf dacht.

'Er werd in die brief alleen om informatie gevraagd, dat soort dingen...' zei ik ontwijkend in een poging de schade te minimaliseren.

'Nou, dat denk jij misschien, maar informatieverzoeken zijn het bloed dat de afdeling zeldzame drukken levend houdt,' ging hij vurig verder. 'Ik weet niet of je begrijpt wat er op het spel staat. Je moet me vertellen of je Geist brieven hebt voorgelezen waarin boeken of papieren te koop worden aangeboden. Je moet onthouden wie die brieven schrijft en het aan mij vertellen. Dat hoef je niet tegen Geist zeggen. Hij weet heel weinig over mijn expertise. Hij is niet echt geïnteresseerd in zeldzame drukken. En Pike ook niet, hij wil alleen maar geld verdienen. Ik heb die brieven nodig. Ze zijn niet bestemd voor ogen die de waarde ervan niet kunnen zien. Ze bevatten kennis die voor mij onontbeerlijk is.'

Zijn pijp gloeide, een hemelbol in zijn hand, en ik was bang dat hij al vermoedde dat ik iets had voorgelezen over papieren die te koop werden aangeboden. Schuldgevoel gaat altijd vergezeld van achterdocht, had Chaps tegen me gezegd als ze probeerde uit te leggen waarom eerlijkheid belangrijk was als ik een kinderlijk leugentje had verteld.

'Het gaat echt nergens over, meneer Mitchell,' zei ik, en ik stond ook op, aangezien ik weg wilde voordat er helemaal niets meer over zou zijn van mijn vaderlijke fantasie. 'Het was een heel gewone brief,' ging ik verder. 'Saai zelfs. Niets wat u wilt weten...'

Ik besefte te laat dat ik een fout had gemaakt.

'Vergeef me, Rosemary,' zei hij droogjes.

Mijn gezicht bonkte.

'Maar ik denk niet dat jij in staat bent te bepalen wat ik wel en niet moet weten.'

Hoewel de tijd in de Arcade onopgemerkt verstreek, werden de momenten paradoxaal genoeg gemarkeerd door een geluidloos getik. George Pike voerde op zijn podium zijn magische prijsritueel uit met een regelmaat waar een metronoom niet tegenop zou kunnen. Ik zag hem voor me als het stille hart van de Arcade, waar de tijd werd bijgehouden zonder hem te onderscheiden, als het gestage ritme van een onbewust leven.

Ik kreeg weinig gelegenheid Pike te spreken, er was weinig gelegenheid voor hem om me op te merken, en ik vond het prettig zo. Pike stond omhuld door eenzaamheid op zijn podium, de muur van boeken achter hem geordend als de regels in een kasboek. Als Pike een boek was geweest, zou hij een kasboek zijn, betaald en ontvangen, en niemand behalve Geist mocht die pagina's vol inventaris zien.

'Rosemary,' riep Pike toen ik, bijna in tranen, langs zijn podium liep op weg naar Oscars afdeling nadat ik bij meneer Mitchell vandaan kwam.

'Ja, meneer Pike.'

'Heb je meneer Geist vandaag al gezien?' Dat klonk bijna als een vriendelijke vraag.

'Nee, meneer Pike.'

'Dan zal hij je niet hebben verteld wat je vanmiddag moet doen.'

Had George Pike nou echt een goed humeur? Wat gebeurde er? Alles was omgedraaid: meneer Mitchell was gemeen en meneer Pike deed aardig. Ik probeerde Geist te ontlopen en nu bekroop me het gevoel dat Pike me direct naar hem toe ging sturen.

'Nee, meneer Pike.'

'Je gaat met Walter Geist mee naar een belangrijke klant. Hij stelde voor dat je met hem meegaat.'

'Ik?' vroeg ik ongelovig.

'Inderdaad een heel ongebruikelijk privilege, Rosemary. Maar Walter stond erop en George Pike heeft vandaag een genereuze bui. Er is gesuggereerd dat het bezoekje educatieve waarde heeft.'

Nadat ik had vertaald wat Pike over zichzelf zei, was mijn eerste gedachte dat hij net iets bijzonders moest hebben aangekocht of iets duurs had verkocht, en dat hij daarom zo raar tegen me deed.

'Je gaat met Walter naar de bibliotheek van Julian Peabody. Probeer te helpen en bestudeer alles wat je ziet. Meneer Peabody is onze belangrijkste klant.'

Waar Pike mee bedoelde dat hij zijn rijkste klant was.

'Pardon, meneer Pike, maar is Oscar of meneer Mitchell niet veel beter in staat om meneer Geist te helpen?'

'Ga je nou tegen me in?' Hij tuurde naar beneden in mijn gezicht. 'Natuurlijk zijn ze dat. Ze kennen de Peabody-collectie allebei. Maar George Pike stuurt jou. Hun aanwezigheid hier is belangrijker. Let goed op, houd je mond en doe wat Walter je opdraagt. Wil je geen ervaring opdoen?'

'Jawel, meneer Pike, maar...'

'Mooi. En zorg dat je schone handen hebt. Zet jezelf of George Pike niet voor schut. Zeg maar gewoon helemaal niets.'

Hij wendde zich van me af met het boek dat hij nog in zijn hand had, haalde het potlood van achter zijn oor vandaan en kraste met zijn kenmerkende handschrift een prijs in het boek. Hoe kon hij in vredesnaam weten wat het waard was zonder het serieus te bestuderen?

'U wilde me spreken, meneer Geist? Ik ben het, Rosemary.'

'Ik weet altijd wanneer jij het bent, Rosemary. Je hoeft jezelf niet aan te kondigen.'

Hij zat achter zijn bureau. Diepe lijnen van uitputting sneden schaduwen in zijn witte huid. Ik zag de lus van de zilveren ketting om zijn hals in zijn borstzak verdwijnen, zijn bril klaarblijkelijk nog op zijn plaats. Het was me gelukt hem te omzeilen en het was ondertussen bijna drie uur.

'Mijn excuses voor mijn kortaangebonden gedrag, laatst.'

Ik zei niets; meneer Mitchells reactie op hetzelfde onderwerp sneed nog in mijn ziel.

'Je gaat vandaag met me op bezoek bij een verzamelaar.'

'Ja, dat weet ik. Meneer Pike vertelde het.'

'Ga je jas maar halen, dan zie ik je bij de achterdeur.'

'Meneer Geist, waarom neemt u mij mee? Ik weet helemaal niets over...'

'En daarom heb je nog zo veel te leren, Rosemary,' onderbrak hij me. 'Je hebt goed gezien dat het een heel speciaal privilege is. Je weet helemaal niets, maar er is veel wat ik je wil leren.'

Ik liep het kantoor uit om mijn jas uit de kast bij het damestoilet te gaan pakken. Ik keek of Oscar op zijn afdeling was, maar zag hem niet, hoewel hij al heel lang terug had moeten zijn van zijn lunch. Geist zou buiten in de sneeuw op me staan te wachten. Ik wilde dat Oscar wist waar ik was; ik wilde hem over die brief vertellen, over het toeval dat ik

Melvilles naam weer was tegengekomen, over hoe fel meneer Mitchell had gereageerd. Over Lillian.

Ik wilde geen geheimen hebben voor Oscar.

Ik liep naar de achterdeur en keek heel even door het bevroren raam naar Geist. Hij stond te wachten, de enige op het aangeveegde pad, zijn gezicht naar de grond gericht, zijn glanzend gepoetste laars tegen wat ijs trappend.

Geist droeg een donkere jas van een of ander dik materiaal en een kraag van sleets geworden astrakanbont. De vormeloosheid van de jas maakte van het hele silhouet een zielig aanzicht tegen de muur van sneeuw. Een versleten hoed van hetzelfde lelijke bont stond idioot op zijn wollige haar. Zijn gladde laarzen vielen op, een bewijs van interesse voor zijn uiterlijk, en dat ene teken van goede verzorging maakte zijn gehele verschijning nog triester. Hij boog voorover om de punt van zijn laars schoon te maken en veegde zijn hand aan zijn jas af.

Terwijl ik zo naar hem keek, zag ik voor me hoe hij zou oplossen in zijn versleten jas en hoed, die dan als klompjes kolen op de wit besneeuwde straat zouden blijven liggen. Ik dacht aan Arthurs opmerking over oude foto's: ze vervagen. Het lag aan de chemicaliën. Geist leek nooit samen te smelten met de realiteit. Hij had iets chimerisch.

Een voorbijganger staarde naar Geists verstrooide figuur en strekte toen zijn nek voor wat hij moest hebben gedacht dat een onopgemerkte blik was. Kijk nou, een albino! Walter Geist was een ijkmaat, zijn eigenaardigheid een graadmeter voor wat men van eigenaardigheid weet. Niet dat ik medelijden voelde. Hij had net zo goed medelijden met mij kunnen voelen. Ik was per slot van rekening een vrijwel onbeschreven blad met maar heel weinig kennis om indruk mee op iemand te maken.

Ik opende de deur. Toen hij me hoorde, draaide hij zich om. 'Rosemary,' zei hij zacht.

'Hier ben ik, meneer Geist.'

'We moeten met de metro naar 86th Street. Peabody woont hier vlakbij.'

'Dan moeten we deze kant op,' zei ik.

Geist liep kwiek van me weg richting de metro en ik moest mijn best doen om hem bij te houden; ik zakte diep weg in de sneeuw en gleed uit over stukken ijs. Er waren maar weinig stukken stoep aangeveegd. Hij leek precies te weten hoe groot elke afstand was, van stoep tot stoep, van straat naar hoek.

Ik was bijna vijftien centimeter langer dan hij en amuseerde mezelf met hoe verschillend we eruitzagen. Hij: kort, kleurloos en op middelbare leeftijd. Ik: lang, jong, bloedrood. De witte sneeuw legde alleen nog maar meer nadruk op hoe verschillend we waren, als een schilderdoek waartegen ik afstak terwijl hij erdoor werd opgenomen.

Toen we samen op het perron stonden te wachten, waren we een bizar paar, een vreemd peper- en-zoutstel, maar toen we eenmaal in de metro zaten, begon Geist te glimlachen. Hij leek bijna tevreden met zichzelf.

Ik zag dat een stel dat tegenover ons zat onhebbelijk naar Walter Geist zat te staren. Hij was zich er niet van bewust. Werd er overal zo naar hem gestaard?

'Kunt u me iets over Julian Peabody vertellen?' vroeg ik.

'Ik zou je heel veel over hem kunnen vertellen,' zei Geist. 'Maar dat doe ik niet. Dat is geen informatie die je vandaag nodig hebt. Je zult hem niet ontmoeten, je zult hem waarschijnlijk nooit ontmoeten. Ik heb hem zelf ook pas twee keer gezien in de twintig jaar dat ik in het vak zit.'

'Heeft hij een grote collectie?'

'Een van de indrukwekkendste in het land.'

'En is hij rijk?'

'Enorm.'

Ik wenste dat ik een betere jas had, of een rok, of dat ik een van mijn weinige goede blouses had aangetrokken. Die blouse die Oscar zo mooi vond, de groene. Hij had me verteld dat hij van balzarine was, een woord dat ik nog nooit had gehoord. Dat wist Oscar natuurlijk.

Mijn haar stond wild, het was statisch van de kou en ik had het graag even geborsteld, het bedwongen met een elastiekje. Jack had nota bene gegrapt dat mijn uiterlijk *farouche* was. Ook een woord waarvan ik nog nooit had gehoord, maar ik had het opgezocht in een van Oscars woordenboeken en was tevreden over de definitie: wild en ontembaar. Arthurs Tasmaanse duivel, een ongevaarlijk wezen tenzij je het uitdaagt. Maar ik wilde er niet uitzien als een dakloze, alsof ik van straat was geplukt. Ik streek met een hand mijn haar glad.

'We gaan bij Peabody's bibliothecaris op bezoek. Samuel Metcalf. Dat is een oude vriend van me.'

'Een oude vriend?' vroeg ik, en ik zag mezelf in de weerspiegeling van het donkere raam tegenover ons naast Geist zitten.

'Vind je dat moeilijk voor te stellen? Dat ik een oude vriend heb?'

'Nee, maar...'

'Ik heb buiten de Arcade ook een leven, Rosemary,' drong hij aan. 'Het is misschien behoorlijk solitair, maar het is een leven. Dat heb ik overgehouden aan de boekverkoop.'

'Natuurlijk. Ik bedoelde niet...'

'Het maakt niet uit wat je bedoelde.'

Zijn vijandige houding moest aangeboren zijn.

'Waarom maakt het niet uit wat ik bedoelde?'

'Omdat je mening over mij er weinig toe doet,' zei hij uitdrukkingsloos terwijl hij zijn trieste hoed afzette. Zijn bewering vertelde me dat het tegenovergestelde het geval was, dat die er veel toe deed. Ik begon het te begrijpen.

Het stel tegenover ons zat tegen elkaar te fluisteren. De wagon ratelde verder.

'Meneer Geist,' zei ik. 'Dat u zegt dat die er weinig toe doet, betekent dat zij er wel toe doet. Dat het wel iets uitmaakt.'

'Wat?' zei hij. Hij was de draad kwijt.

'Wat ik van u vind.'

Hij deed zijn ogen even dicht en ik zag ze bewegen onder zijn witte oogleden. Bewogen ze ooit niet?

'Ik wilde alleen maar zeggen, Rosemary, dat ik het betwijfel of je hoe dan ook over me nadenkt,' zei hij, en toen opende hij zijn ogen weer.

'Dat is niet waar. Ik heb eerlijk gezegd vrij uitgebreid over u nagedacht.' Ik zei het met een glimlach. Dat was tenminste waar.

Hij draaide zijn hoofd naar me toe, zijn ogen trillend in hun spierspanning, zijn mond in een heel voorzichtige glimlach kruipend. Hij sloeg zijn benen over elkaar.

We reden in stilte verder tot er een gedempte stem door de luidspreker klonk.

'We moeten bij de volgende halte uitstappen,' zei Geist, die zijn hoed pakte en hem weer opzette.

'Mijn moeder had in Tasmanië een hoedenwinkel,' zei ik terwijl ik me vooroverboog en het onelegante ding goed op zijn hoofd zette. Het bont voelde vettig. Hij deinsde niet terug door mijn gebaar, hij ging zelfs een beetje rechter op zitten.

'De winkel heette Opmerkelijk Hoeden,' zei ik.

'Een hoedenwinkel in Tasmanië klinkt nogal onwaarschijnlijk,' zei Geist. Het stel stond op en liep naar de deuren. De metro denderde voort terwijl ze door de wagon wankelden.

'Onwaarschijnlijke dingen zijn vaak waar,' zei ik. 'Dat ik in New York ben, bijvoorbeeld. We woonden boven de winkel. Ik heb mijn moeder mijn hele leven geholpen. Tot ze doodging.'

'O,' zei hij. 'Wat naar. Maar dan heb je tenminste verstand van hoeden,' zei hij.

Tenminste?

'Inderdaad. Die van u is te klein voor uw hoofd.'

Hij duwde hem verder naar beneden, maar de hoed stond raar, alsof hij walgde van Geists wollige haar.

'Ik heb hem geërfd,' zei hij. 'Hij was van mijn vader.'

'Dan had die een kleiner hoofd dan u.'

'We waren in alles verschillend,' zei Walter Geist. 'Hij was Duits, en heel erg streng. Mijn vader,' voegde hij er emotieloos aan toe, 'was erg teleurgesteld in me.'

U had tenminste een vader, dacht ik, maar dat zei ik niet. Als ik bij hem in de buurt was, vond ik mijn eigen zelfmedelijden sentimenteel, en dat van hem leek een eigenaardige bekentenis. Teleurgesteld was zo'n specifieke omschrijving.

De metro stopte en de deuren gingen open. Geist greep een paal vast en hervond zijn evenwicht voordat hij uitstapte en ik het starende stel, de enige andere mensen in het treinstel, ongegeneerd naar hem zag staren. Kijk, een albino!

Ik stak mijn tong naar hen uit voordat ik uitstapte, een stap van hem verwijderd achter de bizarre Walter Geist aan.

Twaalf

'Dag, Metcalf. Toegang, graag,' zei Geist in een gepoetste koperen intercom die in een zandstenen muur was gemonteerd. Hij had ondanks de sneeuw en de kou een heel goed humeur. Alleen zijn met deze buiten-de-Arcade-Geist was anders dan ik me had voorgesteld. Hij wilde me van alles laten zien.

De straat waarin we ons bevonden, bij Park Avenue, was op een absurde manier imposant, de panden leken met elkaar te wedijveren in buitensporige, overdreven details (koper, steen en gepolitoerd hout). Ik had me zelden zo ver de stad in gewaagd bij mijn lange verkenningstochten, zelfs op de dagen dat ik de hele dag op stap was geweest, was het om naar Central Park te wandelen en niet om te kijken naar de gevels van de rijke Upper East Side. Ik kende mijn grenzen. Ik was een indringer in een wereld die voor een heel ander soort was gereserveerd; de exclusieven, de bijzonderen.

Peabody's collectie was ondergebracht in een enorme structuur van zandsteen, halverwege de straat, zo breed als twee herenhuizen. We stonden achter een perfect verzorgd metalen hek te wachten en staarden naar de zware houten deur die donker glansde. De deur ging open; langzaam, vanwege het gewicht en de afmetingen. Een lange man stak zijn hoofd om de deur.

'Walter. Leuk je te zien,' zei hij terwijl hij het hek opende. Ze schudden elkaar de hand.

Samuel Metcalf was broodmager en zijn bewegingen vloeiden alsof ze door een briesje werden gedirigeerd. Zijn gezicht werd gedefinieerd door een zware, moderne bril die wel een architectonisch ontwerp leek dat ervoor zorgde dat hij in de wereld verankerd bleef en dat voorkwam dat zijn hoofd net zo wild heen en weer zou gaan zwaaien als zijn magere ledematen. En hij glom. Zo te zien gebruikte hij een hele lijn producten. Zijn dunner wordende haar was met gel van zijn voorhoofd geveegd en lag perfect glad over zijn hoofd. Zijn huid had een wasachtige glans en als hij bewoog, kwam de geur van verbena vrij. Metcalf was zo te zien ongeveer van dezelfde leeftijd als Geist, maar hij was geconserveerd als een soort perfect specimen. Hij droeg een zwarte kasjmieren coltrui, die aan zijn magere vorm kleefde. Aangezien hij helemaal in het zwart was gekleed, zou je zijn schaduw gemakkelijk met zijn echte zelf kunnen verwarren.

'Fijn dat we zo snel konden komen,' zei Geist een beetje nerveus. Hij leek zijn zelfvertrouwen kwijt te raken op het moment dat we over de drempel stapten. Een opvallender contrast in lichamen zou je je niet kunnen voorstellen, tenzij je Geist en mij naast elkaar zou zetten. Metcalf kwam mager en gecomprimeerd over; Walter Geist was net een spook.

'Ja, ja,' zei Metcalf, die mij ineens zag. 'Voeten vegen, alsjeblieft, met die sneeuw. Peabody's tapijten zijn meer waard dan mijn leven.' Hij wendde zich tot Geist en zei: 'Ik had gedacht dat Pike zelf zou komen, Walter, voor zoiets opmerkelijks.'

'Ik ben zijn manager, Sam. Hij heeft het helemaal aan mij overgedragen. Hij wil er pas bij betrokken worden als alles is geregeld.'

'Als het inderdaad authentiek is, is het iets groots, Walter,' zei hij met een zachtere stem. 'Heel groot.'

'Dat dacht ik al,' mompelde Geist terwijl we onze voeten veegden op een ruwe mat die binnen tegen de deur lag. Toen de zware deur weer dicht was, draaide Metcalf zich om en bestudeerde me, wachtend.

'Ja, eh, Sam,' zei Geist. 'Laat me je voorstellen aan de medewerkster van de Arcade die ik vandaag heb meegenomen. Mijn assistente.'

'Je hebt het helemaal niet over een jongedame gehad.' Metcalf grijnsde onoprecht naar me met zijn grote, vierkante tanden. Hij ging met zijn tong over zijn lippen. In tegenstelling tot de rest van zijn lichaam waren die vrij vol.

'We hebben het er boven nog wel over,' zei hij zacht tegen Geist.

'Rosemary Savage, uit Australië,' stelde Geist me voor terwijl we in de ontvangsthal stonden.

Een enorme trap leidde in een extravagante bocht naar boven. Prachtige objecten, beeldhouwwerken, schilderijen en een afgeschuinde spiegel die bestond uit honderden kleinere spiegeltjes, luisterden de enorme hal op. Ik had nog nooit zulke rijkdom gezien, zulke opzichtige ornamenten, zelfs niet in een museum, waar de objecten over het algemeen goed geproportioneerd staan opgesteld, met witte muren erachter zodat de toeschouwer niet wordt overweldigd. Dit huis was een museum, een huis waar de objecten met elkaar streden om aandacht, waar ze konden worden aangeraakt en zelfs werden gebruikt; toegankelijk en bijna vleselijk in hun aantrekkingskracht, hun variëteit.

'Echt waar?' Metcalf sprak me geïnteresseerd aan terwijl ik de omgeving in me opnam. Hij maakte een goedkeurend keelgeluid. 'Australië. Dat grote Amerika aan de andere kant van de aardbol... aan de verlichte wereld gegeven door de walvisman! Dat is wel een hele reis, alleen maar om in de muffe Arcade te kunnen werken.'

'Nog verder, zelfs,' hoorde ik mezelf ineens zeggen, me er niet van bewust dat hij Melville had geciteerd. 'Ik kom uit Tasmanië.'

'Dan kunnen we denk ik wel zeggen dat je een ongewoon wezen bent,' merkte Metcalf grijnzend op.

Het was inderdaad wel een grappig concept dat ik ongewoon was in deze hal vol exquise objecten, naast deze perfect verzorgde man. Ik zag mezelf in de Venetiaanse spiegel, met mijn wilde haar dat overeind stond, mijn weerspiegeling in honderd stukjes gebroken in het afgeschuinde oppervlak. Ik zat een moment gevangen in een gruwelijke caleidoscoop, steeds maar weer onthuld, als een enorme groep dickensiaanse weeskindertjes, rood en mager. Schraal van te veel blootstelling aan de elementen.

Geist, ook zo'n ongelukkig ongewoon wezen, zette zijn geërfde hoed af en trok zijn geërfde jas uit.

'Nou,' zei Metcalf terwijl hij onze jassen meenam naar een onzichtbare kast die openging toen hij op een knopje aan de muur drukte. 'Dit is zonder twijfel een plek voor rariteiten.'

'Pardon?' vroeg ik, verbijsterd over zijn lompe opmerking.

'Rariteiten, Rosemary,' zei Geist, die zich tot me wendde. 'Peabody verzamelt niet alleen zeldzame drukken, hij is in het bezit van een enorme collectie rariteiten. Een *Kunstschrank*,' zei hij in beschaafd Duits. 'Curiosa. Een rariteitenkabinet. Hij is gefascineerd door de laat-middeleeuwse gewoonte wonderen te verzamelen. Zulke collecties bestaan al sinds, wat is het, het einde van de zestiende eeuw, Sam?'

'Inderdaad, Walter. Misschien wil de jongedame een paar tentoonstellingsruimtes bekijken terwijl meneer Geist en ik naar de bibliotheek gaan?'

Hij probeerde van me af te komen. Het was wel duidelijk dat Geist me niet had moeten meenemen. Dat hij een fout had gemaakt. Hij sprak me zenuwachtig aan. 'Ja, misschien is dat inderdaad beter,' fluisterde hij. 'We moeten verscheidene zaken bespreken.'

Ik bleef verward en gegeneerd staan. Zo te zien ging ik hem niet assisteren. Ik wist op dat moment zeker dat Geist was gekomen om de brief te bespreken die ik hem had voorgelezen. Omdat ik Pike had afgeluisterd, wist ik dat Peabody alles van negentiende-eeuwse schrijvers wilde wat de Arcade bezat. Melville achtervolgde me. Had Metcalf net niet iets over walvissen gezegd? Hij maakte weer dat tevreden keelgeluid.

'Ik zal onze curator even roepen, juffrouw Kircher. Die zalen zijn niet mijn expertise. De bibliotheek is mijn terrein.'

Hij drukte op een knopje naast een minutieus in marmer en goud bewerkte console. Er klonk ergens ver weg in het huis een belletje, elegant hardnekkig, terwijl wij in een ongemakkelijke stilte stonden te wachten.

Er verscheen een chagrijnige dame van eind twintig, maar duur gekleed in kleding die beter bij een vrouw zou passen die twee keer zo oud was als zij. Ze droeg haar haar in een streng knotje en had een rond figuur zonder dik over te komen, een beetje strak in haar kleding, tegelijk mollig en stijf.

'Wat is er, meneer Metcalf?' snauwde ze.

'Ik vroeg me af, juffrouw Kircher, of u onze jonge vriendin zou kunnen bezighouden terwijl meneer Geist en ik boven wat boekenzaken gaan bespreken.'

'Hoe is het, meneer Geist?' vroeg ze op neerbuigende toon. Hij knikte. Ze kenden elkaar blijkbaar al.

'Ik heb het druk,' zei juffrouw Kircher tegen Metcalf nadat ze me even kritisch had opgenomen. 'En ik wil om vijf uur naar huis.'

Ze wilden me allebei niet in hun buurt en ik stond erbij als het meisje met de zwavelstokjes, in een scène terechtgekomen die ik door een raam aanschouwde, alleen in de ijzige sneeuw, naar binnen kijkend in een wereld van comfort en warmte. Er was inderdaad een fout gemaakt.

Metcalf staarde haar razend aan, draaide zich toen om naar de trap en legde zijn hand op Geists schouder, klaar om hem weg te leiden.

'Als je maar niets aanraakt,' fluisterde Geist voordat hij

achter Metcalf aan de enorme trap op liep, de brede, glanzende leuning vastgrijpend om zijn evenwicht te bewaren.

Juffrouw Kircher maakte een ongeduldig geluid. 'Ik zal even een brochure voor je pakken,' zei ze. 'Normaal gesproken wordt een bezoek van tevoren aangevraagd. Dit is heel ongebruikelijk,' voegde ze eraan toe.

'Het spijt me vreselijk,' antwoordde ik, totaal geïntimideerd. 'Dat wist ik niet.'

'Dat is duidelijk,' zei ze.

Juffrouw Kircher gaf me een stapeltje gedrukte brochures, ontworpen voor bezoekers aan de collectie. Boven de dubbele deuren naar de tentoonstellingsruimtes stond een Latijns aforisme geschreven: QUANTA RARIORA TANTA MELIORA.

'Pardon, juffrouw Kircher,' ze had zich al omgedraaid om weg te lopen, 'wat betekent dat?' Ik wees naar de woorden, mijn schrift al in de aanslag om ze over te schrijven.

'Hoe curieuzer, hoe beter,' zei ze droogjes. 'Het motto van meneer Peabody. *Wunderkammern* vieren de cultus van het ongewone. Dat staat allemaal in de brochure.'

Ze staarde me aan terwijl ik daar zo stond en ik voelde me vreemd vernederd. Juffrouw Kircher vond zichzelf duidelijk heel bijzonder, hoewel ik haar er helemaal niet speciaal uit vond zien. Misschien was het allemaal een kwestie van vertrouwen. Zelfingenomenheid was een privilege waarvan ik nooit had gedacht dat ik er recht op had, maar het had wel iets indrukwekkends.

'Niets aanraken,' waarschuwde ze. 'Er hangen overal camera's.'

Ze draaide zich om en liet me alleen achter in de kostbaar ingerichte hal.

Ik liep onder Peabody's motto door de eerste van een serie enorme ruimtes in, allemaal in een andere kleur geschilderd. De eerste, de grootste, die ook dienstdeed als zitkamer, was groen. Vlak onder het hoge plafond stond in geschilderde letters: NATURALIA. Langs de muren stonden glazen vitrines, en er stonden er ook een paar, midden in de ruimte, met maar één object erin. Ik had het gevoel dat ik werd bekeken. Ogen volgden me: de glazen ogen van dieren (een opgezette beer en hertachtige wezens) en de bruine, pupilloze ogen van formele bronzen bustes. De vreemd kleurloze ogen in een gruwelijk portret bekeken me ook: een misvormde man, een gehandicapte dwerg, op een in detail uitgewerkte plooikraag om zijn hals en een punthoed op zijn hoofd na naakt, staarde me van het schilderij aan. Zijn lichaam leek half vis en half mens. Ik huiverde.

Ik zag nergens camera's.

Ik ging even op een chique stoel zitten om een brochure te lezen, om tot rust te komen. Aan de achterkant van de stoel zaten spiraalvormige hoorns bevestigd, waardoor een alledaags object als een stoel in een mythisch monster was omgevormd. Een samengesteld geheel. Ik voelde een diepe onrust, maar ik was ook gefascineerd, en het drong voor het eerst tot me door dat nieuwsgierigheid voor een groot deel uit ongemakkelijkheid bestaat.

De brochure beschreef het doel achter laat-middeleeuwse rariteitenkabinetten: het definiëren, ontdekken en bewaren van het vreemde en unieke. Het in een speciale omgeving tentoonstellen om er zo nieuwe lagen betekenis aan toe te voegen; betekenis die wordt ingegeven door de manier waarop objecten bij elkaar worden gezet en die zelfs wordt geïmpliceerd door de lege ruimtes tussen de objecten in. Niet dat Peabody veel loze ruimte had overgelaten. Ik voelde me enigszins claustrofobisch nu ik werd omringd door zo veel ongebruikelijks.

Peabody werd in de brochure beschreven als iemand met een passie voor analogieën en overeenkomsten en, schreef ik over, hij zei dat dat een thema was, een esthetische theorie, die zowel bij magie als in rariteitenkabinetten thuishoorde. Het leek me dat Peabody zelf ook een rariteit moest zijn en er kwam ineens een analogie in me op: George Pike, de magiër van de Arcade, was een Julian Peabody voor de armen.

Naturalia betekende: dingen uit de natuur, en ik liep van kast naar kast en las de kaartjes. Fossielen, struisvogeleieren, prachtige schelpen, eenhoornhoorns (narwalslagtanden), opgezette vogels, versteend hout, gigantische zaaddozen, gedroogde en geperste bloemen, enorme kokosnoten van de Seychellen. Het deed denken aan de verzameling van een ambitieus kind, een kind dat obsessief alles opraapt wat het ziet liggen; het soort kind dat vogelnestjes plundert.

De kaartjes vertelden me dat grote doorzichtige kristallen ooit werden gezien als versteende godentranen, 'eeuwig ijs' met helende kracht. Rood koraal werd als afrodisiacum gezien. Een brok groene kwarts ter grootte van mijn hoofd deed me de amulet van Chaps grijpen, mijn bescherming tegen een gebroken hart, en de kleuren vergelijken. Ze hadden precies dezelfde kleur, het was dezelfde steen, hier beschreven als plasma, waar je beter van zou gaan zien en dat pijn zou verlichten. Een net zo grote zwarte opaal glinsterde donker, vanbinnen brandend met vlammen briljante kleur: een planeet, een zwarte maan.

De natuurlijke objecten maakten plaats voor buitengewone transformaties, Artificiala, in de ruimte ernaast, waar de muren geel waren. Door mensen gemaakte creaties stonden er met het natuurlijke in eigenaardige hybride vormen gecombineerd. Twintig of meer bizarre vaten en flessen, met schelpen als het centrum van gedetailleerde gouden en zilveren sculpturen van kippen, hanen, struisvogels, papegaaien, zeemeerminnen, zeepaardjes en zelfs een gehurkte sater die me wellustig bekeek met zijn ogen van robijn.

Een grote nautilusschelp, die de parelmoeren buik van een zilveren zeepaardje vormde, bleek een beker met een verborgen mechanisme te zijn die over een tafel bewoog tijdens een ingewikkeld drinkspel. Rode koraaltakken kwamen uit het hoofd van een indrukwekkende gouden man: Jupiter, vader van de goden. Hij stond wijdbeens op een ingewikkelde schrijfcassette met honderd laatjes en verborgen panelen, met nog een tak rode koraal in zijn hand, een bliksemflits, symbool van inspiratie, volgens het kaartje naast de cassette.

Hoge ivoren torens, verbijsterend mooi bewerkt, op sommige plaatsen zo dun dat ze doorzichtig waren, onthulden geometrische vormen binnen vormen, een meesterwerk in perspectief en bekwaamheid, waarvan je je nauwelijks kon voorstellen dat iemand dat had gemaakt. De ivoren beeldhouwwerken leken de grenzen van het zichtbare te verleggen: een piepklein fregat, tentoongesteld onder net zo'n loep als Geist in de Arcade gebruikte, leek een uitbeelding van de oneindigheid zelf. Kersensteen met gegraveerde miniatuurportretten, tientallen, in een bizar spel met verhoudingen. De hele expositie, die het ongebruikelijk grote en ongebruikelijk kleine tentoonstelde, was vreemd. Je ging je al ongemakkelijk voelen door de overdrijving zelf.

Al die hybride schatten, verfraaiingen van de natuur, waren tussen eind 1500 en begin 1600 gedateerd, en de meeste ervan waren oorspronkelijk in het bezit van Europese prinsen geweest. Peabody beschouwde zichzelf duidelijk als een soort prins, of speelde dat hij een prins was. De brochure schepte op dat de adel het begrip verzamelen had uitgevonden, en dat tijdens de renaissance zo had geformaliseerd dat het moderne museum eruit was voortgekomen. De adel kon alles kopen. Kennis was macht en collecties hadden de macht die kennis te bewaren. Alleen de adel had toegang tot *Kunstkammern*, net zoals er maar heel weinig mensen werden toegelaten in Peabody's collectie.

Ik liep naar een belendende gele ruimte en rustte even uit op een laag leren bankje dat voor een gruwelijke automaat stond, een groteske duivel met het lichaam van een

Grieks standbeeld. Toen ik ging zitten, draaide het hoofd naar me toe. Misschien zat er iets in de vloer waardoor het mechanisme in werking werd gesteld. Ik schrok er vreselijk van en ging er met mijn rug naartoe zitten, maar ik voelde de blik in mijn schouders priemen. Ik stond snel op.

Ik stond voor een serie klokken, astrolabia en astronomische apparaten. Ik las op bordjes aan de muur dat de fascinatie met het mechanische, met automaten in een rariteitenkabinet, ook een hybride vorm tussen kunst en natuur is, dat de natuur ermee wordt herschapen. Leven in het levenloze, zelfs een poging leven boven dood te stellen. Veel van de objecten leken inderdaad op een bepaalde manier memento mori's. De collectie was een onbedoeld huldebetoon aan verloren of eindige dingen. Ik vroeg me af of Peabody een melancholieke aard had; waarom hij bezittingen verzamelde van mensen die al heel lang dood waren. Maar was dat anders dan het kopen en verkopen van gebruikte boeken?

Ik maakte die dag heel veel aantekeningen over wat ik zag, maar ik was op mijn achttiende nog niet in staat om veel persoonlijke betekenis uit Peabody's kabinet te distilleren, behalve dan de bizarre schoonheid, de alarmerende aard ervan. Ik was vooral onder de indruk van de rijkdom. Al die jaren later ben ik gaan begrijpen hoe wijsgerig die echo's, die connecties, die mysterieuze correspondenties zijn die verzamelaars willen provoceren. Ik voelde ze zelf al heel jong, bij de ladekasten van Foys, met mijn eigen snuisterijen; een poging betekenis te vinden in snuisterijen, dingetjes in een plakboek te plakken. En ik bewaarde het Huonkistje, moeders as, ondanks het feit dat ze er niet meer was. Maar Peabody's rariteitenkabinet voelde niet persoonlijk of intiem. Hij had zijn collectie per slot van rekening, volgens de opschepperige kop in de brochure, het Theater van de Wereld genoemd.

Juffrouw Kircher verscheen in de ruimte toen ik een astronomische klok stond te bestuderen. Ik voelde haar aanwezigheid, vlak bij de automatische duivel, maar draaide me niet naar haar om. Ze had vast naar me zitten kijken op een of ander beeldscherm. Ik vond dat ze wel even kon wachten.

Ik bestudeerde een in het Duits gegraveerde plaat in een mahoniehouten sokkel die een ingewikkeld apparaat ondersteunde. Vier wijzerplaten registreerden de uren, kwartieren, de geografische breedte en de dagelijkse stand van de planeten. Ik zag dat Jupiter op de ascendant stond, dat Mars dalend was en dat het bijna acht uur was, het moment dat de klok was opgehouden te zeggen hoe laat het was voor altijd vastgelegd. Ik las op een bordje aan de muur dat de klok in 1572 was gemaakt, maar toen ik naar de wijzerplaten keek, naar het erop afgebeelde universum, leek de tijd die erop werd afgebeeld eeuwig en degene die de klok had gemaakt onsterfelijk.

'Prachtig, hè?' merkte juffrouw Kircher hard op. Ze had me willen overvallen, me misschien op heterdaad willen betrappen als ik toch iets aanraakte.

'Alles is hier prachtig,' zei ik in de hoop dat ze begreep dat ik haar daar niet mee bedoelde. 'En alles wat niet mooi is, is op een heel speciale manier bijzonder.'

'Ik ben blij dat je het weet te waarderen,' zei ze bits. 'Je hebt enorm veel geluk dat je deze objecten mag bekijken. De collectie is natuurlijk veel groter, maar ik wil graag dat je verder in de hal op meneer Geist wacht. Het is bijna vijf uur en ik hoorde hen net uit de bibliotheek komen.'

De bibliotheek! Ik was tijdens mijn bezoek aan die zalen helemaal vergeten dat Peabody met name boeken verzamelde! Ik was hier om de bibliotheek te bekijken.

'Weet u wat er op die klok staat?' vroeg ik mijn onwillige tolk. Ik was niet van plan mijn recht kennis te vergaren op te geven en wilde alle informatie die ik uit haar kon krijgen.

'*Vor mir keine Zeit, nach mir wird keine seyn. Mit mir gebiert sie sich, mit mir geht sie auch ein,*' las ze met een aanstellerig Duits accent voor. De manier waarop ze voorlas gaf duidelijk aan dat ze niet van plan was de woorden voor me te vertalen, dat ze vastberaden was die kennis voor zichzelf te houden. Maar Metcalf en Geist kwamen net toen ze stond voor te lezen aan lopen en bleven in de deuropening staan om te luisteren. Ze wachtten tot ze de vertaling zou geven, wat ze niet deed. Dus begon Walter Geist, die mij direct aansprak: 'Voor mij bestond er geen tijd,' zei hij terwijl hij de ruimte in kwam lopen, 'en na mij zal er geen tijd meer zijn.'

Hij was naast me komen staan en sprak op bijna intieme toon. 'Met mij is hij geboren en met mij zal hij sterven.'

Zijn stem viel zacht in de stilte van de gele ruimte vol stille klokken. Hij raakte mijn elleboog aan. Juffrouw Kircher haalde haar neus op.

'Ja, nou ja,' zei Metcalf, die weer dat geluid met zijn keel maakte, waarmee hij de betovering doorbrak. Ik begon het een irritante gewoonte te vinden. 'Je zult ongetwijfeld gelijk hebben, Walter. We zijn natuurlijk allemaal klokken! Geen tijd als het heden, en het is nu tijd dat we allemaal naar huis gaan.'

Hij maakte dat geluid weer. 'Ik zal jullie even uitlaten.'

'Dank u wel, juffrouw Kircher,' zei ik beleefd. Geist stond naast me.

'Goedenavond, meneer Geist,' zei ze, mij negerend. Ik leidde hem terug naar de voordeur. Hij had mijn elleboog nog steeds vast. Metcalf hielp hem met zijn jas en hoed, gaf mij mijn jas aan en toen stonden we weer op de besneeuwde straat, de zware deur en het metalen hek achter ons gesloten, de Kunstkammer als een droom, een hallucinatie.

Het was buiten donker en koud. De maan leek een glanzend zilveren spiegel, hij piepte net boven de daken aan het einde van Peabody's straat uit. Het licht dat ervan weer-kaatste, was vreemd vals, net of het niet echt was. Ik begreep niet waarom Geist me had meegenomen naar Peabody. Ik dacht aan de brief waarin Melville was genoemd en wist dat ik het hele gebeuren met Oscar zou moeten doornemen om het te kunnen begrijpen.

Ik had niet geluncht en stierf van de honger.

'Ik moet de andere kant op, Rosemary,' zei Geist. Hij klopte me op mijn schouder en wreef aarzelend over mijn arm. Het was een vreemd gebaar, ongepast intiem. Moest ik hem naar huis helpen? Was dat wat het betekende om zijn assistente te zijn? Ik wist niet waar hij woonde, of hoe hij navigeerde als het donker was. Hij stond te wachten, maar ik begreep niet waarop.

'Dank u, meneer Geist,' zei ik, vermoedend dat hij dank-baarheid verwachtte. Ik was echt dankbaar. Het feit dat ik zelfs maar een stukje van Peabody's collectie had gezien, was in alle opzichten een geschenk. 'Dank u wel dat u me heeft meegenomen. Ik zal het nooit vergeten. Nooit.'

'Ik dacht wel dat je het interessant zou vinden,' antwoord-de hij, nerveus maar overduidelijk tevreden. 'Ik wilde graag dat je Sam Metcalf zou leren kennen, maar vandaag was misschien niet zo'n...' Hij was even stil en zocht naar het goede woord, 'ideale dag. Misschien kunnen we nog eens teruggaan, er staan meerdere dingen die ik je wil laten zien. Boven in de bibliotheek.'

Ik had hem moeten vragen waarom het geen ideale dag was, wat hij dan wel een ideale dag zou vinden, maar ik wilde ineens van hem af. Ik wilde mijn gevoel van verplich-ting jegens hem even niet voelen. Ik was er niet van over-tuigd dat ik wilde zien wat hij me wilde laten zien, hoewel alleen al het idee dat Peabody ook nog een bibliotheek bezat, wel degelijk intrigerend was. Misschien zou Pike me er wel een keer met Oscar naartoe sturen. Of met meneer Mitchell.

Walter Geist rechtte zijn hangende schouders. 'Hij vond je heel aantrekkelijk, Rosemary,' zei hij plotseling. 'Sam zei dat je een heel ongebruikelijk uiterlijk hebt.'

Die twee uitspraken leken met elkaar in tegenspraak en ik kon me geen enkele spontane situatie indenken waarin zij het over mijn uiterlijk hadden gehad. Ik voelde me buitengewoon ongemakkelijk bij de gedachte dat ze een gesprek over mijn uiterlijk zouden hebben. Ik wist niet wat ik moest zeggen. De sfeer was beladen door een intimiteit die heel onveilig voelde. Hij leek op het punt te staan nog iets te gaan zeggen, maar dat deed hij niet.

Ik moest ontsnappen. Ik nam abrupt afscheid en liet hem op de straathoek achter, weifelend en aarzelend, onder de vervormde, razende blik van de zonderlinge maan.

De sneeuw was in die chique straten aangeveegd. Maar meer naar het zuiden reed een sneeuwruimer, die de sneeuw in een vederachtige boog tegen een appartementencomplex deed belanden. De nachtelijke stad was een heel andere plek, volkomen opnieuw vormgegeven. Ik liep door de straten, nadenkend, onbewust mijn pad in tegengestelde richting volgend, rechtdoor en opzij, rechtdoor en opzij, terwijl ik de inhoud van de ruimtes bij Peabody nog voor me zag. Ik greep de amulet die ik van Chaps had gekregen vast en dacht aan de bevroren kwartstranen, de gruwelijke mechanische mannen, de verontrustende dwerg, en Jupiter die met zijn koralen bliksemschicht schoot. Had hij die bij zich om iemand tot schrijven aan te zetten, of omdat het een afrodisiacum was?

Had ik echt een ongebruikelijk uiterlijk? Was ik aantrekkelijk?

Na het bezoek aan Peabody voelde de stad die nacht surrealistisch. Het rariteitenkabinet was me naar buiten gevolgd. Er waren veel meer straten en ze waren bedrieglijk: gereflecteerd, dubbel, verzonnen. De plattegrond die ik in mijn hoofd had, leek alleen overdag te kloppen. Die avond voelde de hele stad onecht. Ik liep en liep, vergat waar ik naartoe ging en waarom, verloren in fantasieën, in een poging de verschillende draden van mijn gedachten aan elkaar te knopen.

Waar stond het pand van Peabody precies? Ik zag het niet op mijn kaart; echte plaatsen bestaan niet, fluisterde Melville in mijn hoofd; ik werd nog steeds door hem achtervolgd.

Ik wilde naar Oscar om hem alles te vertellen wat ik had gezien. Ik voelde in mijn zak of ik de brochures die juffrouw Kircher me had gegeven wel had meegenomen. Ze waren als de bloem in dat gedicht van Coleridge, meegenomen uit een andere wereld. De brochures waren het bewijs, bewijs dat Peabody echt was en een bevestiging van het feit dat ik echt in het theater van de wereld was geweest.

Deel Drie

Dertien

'Waar ben je geweest?' vroeg Oscar ongelovig.

'Bij Julian Peabody. Gisteren, met meneer Geist. Ben jij er weleens geweest? Ken je hem? Het is de meest fantastische plek waar ik ooit ben geweest. Het is net een museum. Maar het is ook een huis. Ik had geen idee dat er zulke rijke mensen bestonden. Al die bezittingen, Oscar!'

'Dat is nogal een privilege voor iemand die pas een paar maanden in de Arcade werkt,' zei Oscar zuinig.

'Ja, dat weet ik. Meneer Pike zei dat ik vreselijk veel geluk had. Maar Oscar, het was zo geweldig. Peabody's bibliothecaris was er ook, hoewel die niet bepaald vriendelijk tegen me was. En die vrouw die er werkt, deed ook gruwelijk. Maar dat kan me niet schelen. Ik heb Peabody zelf natuurlijk niet gezien...'

'Wat ging Geist daar doen?' onderbrak hij me.

'Dat weet ik niet precies. Ze zijn zonder mij naar boven gegaan. Er zijn daar zalen die helemaal vol staan met stenen, eieren, botten en ivoor. Gepolijste stenen. En prachtige klokken en standbeelden. Een automatische duivel. Fantastisch. Ik had nog nooit zulke dingen gezien. Nog nooit. Waar dan ook. Ben jij er weleens geweest? Er lag zelfs een groot stuk van die groene steen die ik ook heb, deze.' Ik trok de druppel groene kwarts die ik op het vliegveld van Chaps had gekregen, onder mijn blouse vandaan.

'O, die,' zei Oscar, die zijn encyclopedische modus had aangenomen. 'Chrysoprase. Het is niets waard. Het wordt ook wel plasma genoemd. Ze dachten vroeger dat je er beter van ging zien en dat het inwendige pijn verlichtte.'

'Weet je dat zeker? Ik dacht dat het gebroken harten heelde,' zei ik terwijl ik teleurgesteld mijn ondoorzichtige steen bestudeerde. Daarom had ik hem van Chaps gekregen. Peabody dacht duidelijk wel dat hij waardevol was.

'Inwendige pijn, gebroken hart... dat is hetzelfde,' zei Oscar laatdunkend.

'Doet de kleur je nergens aan denken?' vroeg ik, naïef in de veronderstelling dat Oscar misschien wel had opgemerkt dat de steen de kleur van mijn ogen had.

'Nee, hoezo?' vroeg hij geïrriteerd. 'Hij is groen. Hij is gewoon groen. Je hebt nog niet verteld waarom je ernaartoe bent geweest, en waarom Geist jou heeft meegenomen.'

'Omdat hij wil dat ik leer. Hij wil dat ik dingen weet en ik moet hem helpen. Oscar, de hele middag was net een droom.'

'Dat zal best,' zei hij sarcastisch. 'Het was vast allemaal net een visioen.' Nu klonk hij kwaad. 'Ik ben voor het eerst naar Peabody geweest toen ik hier bijna vier jaar werkte en toen mocht het alleen maar omdat ik een expertise had. En ik heb de collectie ook niet gezien, alleen de bibliotheek. Peabody heeft een paar zeldzame op velijn gedrukte incunabelen. Ik heb verstand van velijn als medium, het is als textiel voor me. Voordat ik hier kwam werken, heb ik het bestudeerd in de bibliotheek waar ik werkte.'

'Ik wist helemaal niet dat je in een bibliotheek hebt gewerkt,' zei ik.

Oscar haalde zijn schouders op en leek daarmee te impliceren dat ik hoe dan ook maar heel weinig over hem wist. Hij mocht dan jaloers zijn, maar ik zou hem niet toestaan zijn kennis voor zichzelf te houden. Die had ik nodig.

'Wat zijn incunabelen?' flapte ik eruit.

'Dat bedoel ik. Waarom zou iemand jou meenemen naar Peabody?' verzuchtte hij intonatieloos. 'Incunabelen zijn boeken die vóór 1501 met los zetsel zijn gedrukt. Heel zeldzaam. Peabody verzamelt ze. En al het andere zeldzame dat hij te pakken krijgt. Maar het is toepasselijk dat je dat vraagt,' ging Oscar sardonisch verder, 'aangezien incunabel verwijst naar alles wat net bestaat, naar de eerste, primaire stadia van iets...' Hij was even stil om het dramatische effect te vergroten, 'zoals jouw opleiding.'

'Je hoeft niet zo gemeen te doen, hoor. Ik heb je nog gezocht om te vertellen dat ik ging, maar je was niet op je afdeling. Meneer Geist stond buiten op me te wachten. Ik had niet veel tijd.'

'Ik ben vroeg gaan lunchen. Ik heb namelijk van alles te doen. En ik moest die luie Arthur aflossen in de kelder omdat Geist blijkbaar met jou op stap was. Ik haat het in die kelder. Ik moet op mijn eigen afdeling blijven. Ik haat het onder de grond en ik haat al die nieuwe recensie-exemplaren... al die lelijke glanzende kaften.'

'Het spijt me, Oscar,' zei ik. Ik had het gevoel dat ik mijn excuses moest aanbieden, maar ik had geen idee waarom.

Oscar wilde me op een bepaalde manier (niet op de manier waarover ik droomde) voor zichzelf. Hij wilde me in zijn wereld, maar niet tegenover hem. Hij wilde me beperken tot zijn eigen onderzoek naar wie ik was, tot het meisje dat hij in zijn schrift beschreef. Misschien hield hij alleen van zijn eigen reflectie? Misschien hield hij van de Oscar die ik zag? Hoe dan ook, ik was een geboeide toehoorster voor al zijn kennis, ook al was het voor hem nodig om me met zijn obsessieve handschrift tussen bladzijden op te sluiten.

'Dus je hebt de bibliothecaris ontmoet, Samuel Metcalf?' vroeg hij, nu interesse veinzend. Hij ging rechtop op zijn kruk zitten. 'Die is heel bekend, wist je dat? Enorm ijdel, maar hij heeft wel verstand van zijn vak. Hij beweert dat hij verre familie van Herman Melville is. Dat zal de reden wel zijn dat Peabody hem heeft aangenomen. Heeft Geist je dat verteld?'

'Nee,' zei ik, verbijsterd door het voortdurend opduiken

van Melville. Als een thema je eenmaal opvalt, gaat het je achtervolgen... zich aan je opdringen. Als ik een nieuwe interesse ontwikkel, vraag ik me altijd af of ik de interesse heb ontdekt, of andersom.

'Wat typisch dat ik steeds maar van alles over Melville hoor,' zei ik tegen Oscar. 'Het lijkt wel of hij me achtervolgt. Het verbaast me dat Geist dat niet heeft verteld.'

'Waarom?' snoof Oscar. 'Omdat je *Moby Dick* toevallig aan het lezen bent? Omdat je onze eigen Redburn toevallig hebt gezien? Jij vindt elk redelijk toeval opmerkelijk.'

'Nee, ik bedoel vanwege die brief. Dan moet ik bij het begin beginnen. Ik wilde je er gisteren over vertellen, maar toen was ik zo overstuur over Lillian. Ik moet je ook nog over Lillian vertellen.'

'Begin maar bij Melville, als je dat niet erg vindt,' zei Oscar ongeduldig. 'Wat voor brief?'

'Ik moest meneer Geist een brief voorlezen, maar hij was aan meneer Pike gericht. Ik weet niet wie hem heeft geschreven, want Geist heeft hem uit mijn handen gegrist voordat ik klaar was met voorlezen! Die brief ging over een manuscript. Een manuscript dat de Arcade zou willen hebben en zou kunnen authentiseren. Een zeldzaam manuscript van Herman Melville.'

'Wat? Hoe kom je daar nu bij?'

Oscar sprong op van zijn kruk en greep me bij mijn arm. Hij duwde me als een kind naar een smalle werveling van stapels en poelen boeken op de vloer. Het leek wel of hij een dam van boeken op zijn afdeling had gemaakt. Dat was me nog niet eerder opgevallen, maar het was ook net alsof de hele indeling van de Arcade als iedereen weg was spontaan een heel andere vorm aannam.

'Het is iets belangrijks, hè?' vroeg ik.

Hij keek achterdochtig om zich heen.

'Rosemary, denk na! Er bestaan geen manuscripten van Melville die nog niet zijn gevonden,' fluisterde hij nadrukkelijk. 'Je moet me precies vertellen wat er is gebeurd en wat er in die brief stond.'

Ik vertelde zo nauwkeurig mogelijk wat ik nog wist, en genoot van het feit dat ik iets wist wat Oscar zo graag wilde weten. Nu was ik eens een keer degene met kennis. Ik benadrukte dat de briefschrijver had gezegd dat hij niet fatsoenlijk kon verklaren hoe het manuscript in zijn bezit was gekomen.

Ik wilde hem zo graag iets geven, en wat ik hem nu te bieden had, was een passend clandestien aanbod. Ik wilde hem, boven alles, iets teruggeven in dezelfde orde van grootte van alles wat ik vond dat hij mij had gegeven. Ik besefte niet dat wat ik had aan te bieden onbetaalbaar was.

'Ik heb die brief niet eens uitgelezen!' zei ik tegen hem, en ik beschreef hoe Geist de brief uit mijn hand had gegrist. 'Maar ik neem aan dat degene die die brief heeft geschreven, heeft gestolen wat hij aanbiedt.'

'Dat geloof ik niet, Rosemary.'

Oscars ascetische gezicht had een heel andere uitdrukking gekregen. Hij zag eruit alsof hij door de bliksem was getroffen, zijn prachtige hoofd scheef, zijn hand op zijn voorhoofd.

'Ik heb meer informatie nodig,' zei hij meer tegen zichzelf dan tegen mij.

'Meneer Mitchell heeft een hele kamer vol zeldzame documenten,' zei ik enigszins in verwarring over Oscars heftige reactie. 'Is dit zo veel belangrijker? Omdat het misschien is gestolen?'

'Je moet het me van nu af aan altijd vertellen als je Geist iets hebt voorgelezen, en ik moet ook weten of hij contact heeft met Samuel Metcalf. Metcalfs vader is een gepensioneerde antiquair. Hij had een winkel in Saratoga Springs, in het noorden van de staat New York. Metcalf is handschriftkundige; hij weet hoe hij papieren moet dateren. Dat heeft hij van zijn vader geleerd en dat is een van de redenen dat Peabody hem in dienst heeft. Hij is uitzonderlijk goed.'

'Denk je dat Metcalfs vader een manuscript in handen heeft gekregen?' vroeg ik in verwarring.

'Dat betwijfel ik. Dan zou hij direct naar Metcalf zijn gegaan en niet eerst contact hebben opgenomen met de Arcade. Peabody heeft de grootste privécollectie van Melville ter wereld.'

Dat wist ik al sinds ik Pike had afgeluisterd.

'Ware het niet dat hij het bezit van het manuscript niet fatsoenlijk kan verklaren,' hielp ik hem herinneren. 'Misschien dat de Arcade een soort respectabiliteit moet waarborgen.'

Oscar maakte een snoevend geluid.

'Pikes manier van zakendoen staat niet bepaald bekend om respectabiliteit, Rosemary,' hield hij me voor. Toen pakte hij zijn schrift en begon aantekeningen te maken. 'Hoelang zijn Geist en Metcalf in Peabody's bibliotheek geweest? Hoelang ben jij alleen geweest?'

'Ruim een uur, bijna twee. Toen we vertrokken, was het donker buiten.'

'Geist heeft iets gevonden,' zei hij. 'En hij wil het hebben, maar daar heeft hij Metcalf voor nodig. En hij wil dat het geheim blijft. Zelfs voor jou.'

'Maar meneer Mitchell kan ook documenten authentiseren. Waarom heeft Geist Metcalf dan nodig?'

Ik had er net zo goed niet kunnen zijn. Oscar was volledig gegrepen door wat ik hem had verteld en was plotseling bezield op een manier die ik nog nooit bij hem had gezien. Ik wilde mijn rustige vriend terug, die me details toewierp over onderwerpen die me fascineerden. Die me fascineerden omdat hij er verstand van had. Elk stukje kennis dat Oscar me gaf, was een soort talisman voor me. Als ik genoeg stukjes verzamelde, zou ik er een echte Oscar mee kunnen vormen; een Oscar die was opgebouwd uit tastbare onderdelen, die ik kon bewaren. Ik wist dat die brief die ik aan Geist had voorgelezen belangrijk was, maar ik kon toen nog niet weten hoeveel ervan afhing. Ik was op dat moment minder geïnteresseerd in Herman Melville of manuscripten dan in het feit dat ik er Oscars aandacht mee kon trekken.

'Weet je,' zei ik, 'als meneer Geist hem zelf had kunnen lezen, zou ik die brief helemaal niet hebben voorgelezen. Daar wilde ik ook nog met je over praten. Volgens mij wordt hij blind, ik denk dat hij...'

'Hij is officieel al blind,' onderbrak Oscar me, in beslag genomen door andere gedachten. 'Dat gebeurt veel vaker bij albino's. Hij ziet sinds een paar jaar steeds slechter. Hij verbergt het goed, maar het is de laatste tijd veel erger.'

'Wist je dat al?'

'Hemel, Rosemary, dat kan toch niemand ontgaan? We zijn er allemaal schuldig aan dat we doen alsof we het niet zien. Het verrast me dat je er nu pas over begint. Normaal gesproken ben je tamelijk opmerkzaam.'

Tamelijk? Was dat een compliment?

'Het maakt Pike niets uit, als de boeken maar kloppen en de Arcade winst maakt. En zolang er niets wordt gestolen, althans niet als hij er niets aan over houdt. En Mitchell denkt alleen aan zichzelf... en zijn klanten en het vetmesten van zijn afdeling. De rest van het personeel heeft zo'n hekel aan Geist dat het hem waarschijnlijk een erger lot toewenst dan blindheid.'

'Heb je er met hem over gesproken? Kunnen we hem helpen?'

'Ik wil hem helemaal niet helpen. Waarom zou ik dat willen? Ik heb mijn eigen sores. En Geist is heel erg op zichzelf. Als hij het redt, maakt het toch niet uit dat hij blind is?'

'Oscar, hij werkt in een boekwinkel!'

'Doe niet zo dom, Rosemary. Er zijn heel veel manieren waarop je kunt leven. Gebruik die verbeeldingskracht van je eens.'

'Ik kan me niet voorstellen hoe het moet zijn om blind te zijn,' zei ik.

En ik was helemaal niet dom! Ik was alleen maar traag van begrip bij Oscar in de buurt.

'Dat bedoelde ik niet. Hoe dan ook, ik wil weten hoe het met die Melville-kwestie zit.' Hij keek op zijn horloge. 'Ik ga tijdens mijn lunchpauze even iemand bellen. Misschien kan ik vanavond naar de bibliotheek.'

Hij maakte aanstalten uit het boekenreservoir weg te lopen. Dit was mijn kans. Hij zou zijn volgende onderzoek samen met mij moeten doen.

'Mag ik mee?' vroeg ik naar adem snakkend. 'Naar de bibliotheek?'

'Waarom?'

'Omdat ik ook wil weten hoe het zit. Jij hebt me *Moby Dick* gegeven en nu ben ik nieuwsgierig. Ik wil ook alles over Melville weten. Kom op, Oscar, als ik je niets had verteld, zou je hier niets over weten.'

'Ja, en?'

'Ik heb je die informatie gegeven, dus dan mag ik je toch wel helpen er meer over te vinden? Alsjeblieft?'

'Misschien kom ik er wel achter dat ik niet meer wil weten dan ik al weet.' Zijn ogen werden groot; hij aarzelde. 'Maar nu ik erover nadenk: er zijn bepaalde dingen die jij kunt achterhalen en ik niet.'

'Waar ga jij zo opgedirkt naartoe, meid?' zei Pearl plagerig toen ik in de toiletruimte voor de spiegel stond.

Ik ging met Oscar naar de bibliotheek. Ik zou alleen met hem zijn. Ik zou kunnen zien hoe hij nadacht, hoe hij zijn donkere haar glad over zijn hoofd veegde.

'O, nergens,' zei ik.

'Nou, stank voor dank,' zei Pearl een beetje gepikeerd. 'Ik heb iemand voor die vriendin van je gevonden en nou wil jij me ineens niets meer vertellen.'

'Heb je iemand voor Lillian gevonden. Pearl? Nu al?'

'Ik wilde geen tijd verspillen, het leek me belangrijk.'

'Dat is het ook. Het is heel belangrijk. Dank je wel.'

'Nou, bedank me nog maar niet. Ik heb alleen een naam en nummer van iemand die bij een particuliere instelling werkt. Niet voor de regering dus. Ik weet niet of ze haar daar kunnen helpen, maar het is denk ik wel een poging waard. Mario gaat vandaag zelf bellen. Zodat ze weten wie er contact met hen opneemt. Alsjeblieft.'

Pearl viste een opgevouwen papiertje uit een enorme tas vol partituren. Ik nam het aan, las het en stak het in mijn eigen tas.

'Pearl, ik ben je eeuwig dankbaar. Ik ga morgen na mijn werk meteen naar Lillian. Misschien dat haar broer kan bellen.'

'Waarom ga je vanavond niet naar haar toe?' vroeg Pearl slinks. 'Of heb je het druk?'

'Oké,' zei ik, en ik biechtte mijn nieuws op. 'Ik ga ergens naartoe met Oscar.'

'Toch geen afspraakje!' gilde Pearl. Ze sloeg haar hand over haar mond en haar zwart gelakte nagels lagen op haar wang als een vreemd leesteken.

'Nee, natuurlijk niet,' zei ik snel. 'Het is geen afspraakje. We gaan gewoon iets samen doen.'

'Wat kun je in godsnaam doen met hem?' vroeg ze. 'Vergeet niet wat ik tegen je heb gezegd, meid. Hij is geen man die van vrouwen houdt. Luister naar me. Ik maak geen grapje. Ik ben net droog van die tranen van laatst en je hebt voorlopig wel genoeg gehuild.'

'Dat weet ik. Ik heb je de eerste keer ook al gehoord. We zijn gewoon, we zijn gewoon...'

'Gewoon wat?'

Wat kon ik Pearl toevertrouwen? Oscar deed zo mysterieus en ik wist zelf nauwelijks waarover het ging. Geheimen slaan een wig tussen mensen. Ik had ineens informatie... om te delen, om te verbergen.

'Luister, Pearl, we gaan gewoon naar de bibliotheek. Ik

heb hem over wat dingen gevraagd waar ik niets van weet en hij gaat me helpen om ze op te zoeken.'

'De bibliotheek!' Pearl barstte in lachen uit. 'Dat moet waar zijn. Niemand in de hele wereld zou daar oprecht over zijn behalve Oscar. Naar de bibliotheek gaan is zijn idee van een avondje uit!'

Ik lachte met Pearl mee, maar ik besefte dat ik, ondanks het feit dat alle indicaties iets anders suggereerden, inderdaad dacht dat een avondje met Oscar in de bibliotheek iets betekende. We deelden een interesse: Herman Melville, nota bene. Ik fantaseerde over Oscars gouden ogen die op mijn huid schenen als zonlicht door een raam, dat me verwarmde. Ik stelde me voor dat we samen in een bibliotheek zaten, met een boek tussen ons in... elkaars perfecte aanvulling.

Pearl werd weer rustig. 'Hemel,' zei ze serieus, 'ik ben blij dat ik je weer zie lachen.'

Ze pakte haar tas en controleerde haar make-up in de spiegel.

'Vertel me maar hoe het afloopt met Lillian. Als je denkt dat het zin heeft, wil ik haar wel leren kennen.'

Pearl zwaaide met een lange vinger naar me, de zwarte nagel als een scherpe komma. 'Ik heb een auditie. Voor een echte opera! Die rol is me op het lijf geschreven. Een coloratuur. Wens me maar geluk, Rosemary. En vergeet me niet over de bibliotheek te vertellen. Wij meiden moeten dingen met elkaar delen.'

Pearl trok haar jas aan en gaf me een kus op mijn wang. 'Het is goed om dromen te hebben, meid, maar je moet wel realistisch blijven. Die Oscar heeft je niets te bieden.'

'Jawel, Pearl. Ik weet dat hij niet kan bieden wat ik zou willen, maar hij weet alles.'

'Niemand weet alles. Ik weet zeker dat er een heleboel is waarvan hij niets weet. Vrouwen, bijvoorbeeld. Wees duidelijk in wat je wilt, Rosemary. Ik wens je geen gebroken hart toe, hoewel je dat ongetwijfeld zult krijgen.'

'Maak je maar geen zorgen om me, Pearl. Je zou Lillian inderdaad eens moeten ontmoeten, die maakt zich ook altijd zo'n zorgen.'

'En terecht. Zorg je dat ze belt? Dan proberen Mario en ik te helpen.'

'Succes,' riep ik haar na.

Ze begon te lachen.

'Jij ook!'

Het hoofdgebouw van de New York Public Library was die avond dicht, maar Oscar wist een filiaal in de stad, gehuisvest in een groot modern gebouw, dat wel open was.

Toen we uit de metro de koude avondlucht in stapten, ging ik opzettelijk dicht tegen hem aan lopen en verwarmde mezelf met de gedachte dat een vreemdeling ons voor minnaars zou kunnen aanzien. Er lage vieze bergen sneeuw op de straathoeken en sommige delen van de stoep waren glad van ijs. De kleinere bibliotheek was een straat van het metrostation vandaan.

Het was er schoon en overzichtelijk. De architectuur van het pand – beton, glas en staal – was onpersoonlijk en ruimtelijk. Het was binnen fel verlicht; in alles het tegenovergestelde van de Arcade. Ik kende boeken als objecten die het heerlijk vonden om groepjes en ongeordende stapels te vormen, maar hier leken ze beroofd van hun idiote gewoonte uit het gelid te treden. Samen te zweren. Hier in de bibliotheek gedroegen de boeken zich.

Oscar kende de bibliothecaris al jaren, hij was een van die fans van de Burgeroorlog die regelmatig op Oscars afdeling waren te vinden. Oscar had die dag gebeld en er waren al wat boeken apart gezet, die keurig op een stapeltje bij de inleverbalie lagen te wachten. De bibliothecaris had ook al wat fotokopieën van artikelen verzameld om Oscar tijd te besparen. Hij wist dat Oscar dat niet zou vergeten en hem een wederdienst zou bewijzen. Voor de bibliothecaris was het een investering in zijn eigen collectie.

Het was druk in de bibliotheek. We liepen met de boeken en papieren naar een hoekje achter in de open ruimte. Naast de tafel waren ramen van de vloer tot het plafond, een buitenmuur van de bibliotheek, en we keken uit over Broadway naar de lichten van het centrum van de stad. Ik had nog nooit een afspraakje gehad, maar nu ik zo ongestoord in een hoekje zat met Oscar had ik het gevoel dat ik een afspraakje had, of Oscar dat nu ook dacht of niet. Ik had mezelf toegestaan me over te geven aan een misleide trance.

Oscar ging aan het werk. Hij pakte plechtig een potlood en een van zijn schriften en legde beide op de tafel. Hij bladerde door indexen en zijn vinger gleed in gedachten verzonken langs kolommen.

Ik was een beetje duizelig. Ik keek rechts van Oscar en bestudeerde al die boeken die zich zo keurig gedroegen en die zo netjes en onderworpen aan een gedwongen tucht op de plank stonden. George Pikes hang naar de milde saaiheid van alfabetische ordening leek hier bescheiden, zelfs aandoenlijk, vergeleken bij deze geciviliseerde uniformiteit. Er bestaan bepaalde ondernemingen waar een zorgvuldige wanorde de enige goede methode is, volgens Melville, en hij had door bibliotheken gezwommen.

Ik dacht weer aan het huis van Peabody, en hoe dat ook eiste dat je anders naar de dingen keek, op een manier die mij aansprak, een alternatieve esthetica. Die van mij was veranderd door de Arcade en de mensen die er werkten, en het tegengestelde voorbeeld in de bibliotheek bevestigde die nieuwe esthetica alleen maar. De Arcade, en het huis van Peabody nu ook, vertelden me dat er leven was te vinden in boeken, in objecten. Het ging er allemaal om dat je er oog voor had de ware betekenis achter de dingen te zien. Zoals Pike dagelijks bewees, hadden boeken iets magisch, zowel een zichtbare als een verborgen waarde.

Ik keek naar de ruggen van een paar biografieën over Melville en vroeg me af wat ik kon doen dat productief en doelmatig was. Oscar werd al snel zo opgeslorpt door zijn bezigheid dat hij, toen ik een paar minuten later naar hem keek, wel gevangen leek te zitten in een afdruk van zichzelf. Zijn eigen leven flikkerde alleen nog in de beweging van zijn ogen.

'Oscar,' fluisterde ik, en hij schrok op. Hij was vergeten dat ik er ook was.

'Wat?'

'Kan ik helpen? Waarnaar moet ik zoeken? Moet ik gewoon maar wat gaan lezen?'

Ik schoof de boeken over tafel van me af en verborg mijn weerzin nauwelijks. Maar ik wilde echt helpen. Ik wilde dat onze zoektocht een gezamenlijke was, ik wilde dat we een gedeelde interesse hadden; ik wist alleen niet waarnaar ik zocht. Oscar zuchtte.

'Als jij nou eens met die artikelen begint. Of dat boek met brieven, en zoek dan naar romans van Melville waarvan je nog nooit hebt gehoord.'

De enige roman van Melville die ik kende, was *Moby Dick*. En *Redburn*, natuurlijk, maar het enige wat ik daarvan wist, was dat meneer Mitchell de naam ironisch had geleend om een dief mee te betitelen.

'We zoeken naar iets wat kwijt is,' zei hij. 'Een verloren boek.'

'Maar als het is verloren, en mensen weten niet dat het kwijt is, wat moet mij dan opvallen?'

'Lees die brieven nou maar. Ga maar lezen en zeg het even als je iets interessants tegenkomt. Dat heet onderzoek. Het idee erachter is dat je niet weet waarnaar je zoekt tot je het tegenkomt,' voegde hij er geïrriteerd aan toe.

Ik begon te lezen en begon me na een tijdje zelfs te vermaken. Er ging misschien een uur voorbij. Ik las de introductie, die een samenvatting van Melvilles biografie gaf:

de vroege dood van zijn vader; dat hij eerst in de bont- en hoedenwinkel van zijn broer had gewerkt en daarna voor de klas had gestaan; zijn vlucht naar de zee en zijn terugkeer, toen hij begin twintig was. Hij had zijn bekendheid als romanschrijver in eerste instantie te danken aan enigszins gewaagde avonturenromans, en toen hij was gaan schrijven wat hij wilde, bijvoorbeeld *Moby Dick*, was hij bij het publiek uit de gratie gevallen, straatarm geworden en naar New York City vertrokken. Hij had negentien jaar lang, zes dagen per week, als douanebeambte gewerkt en had in de avonduren gedichten geschreven.

Oscar schreef af en toe iets in zijn schrift. Zijn nabijheid leidde me af. Hij rook ongelooflijk schoon.

Maar ik las verder en werd ook helemaal opgeslokt door het materiaal. Het boek met brieven bevatte er meerdere van Melville aan Nathaniel Hawthorne en ik werd, hoewel ik relatief weinig over beide schrijvers wist, al snel geraakt door Melvilles enthousiasme, door zijn opvallende behoefte met iemand te communiceren die hij bewonderde, met iemand van wie hij hield. Ik wist dat hij *Moby Dick* aan Hawthorne had opgedragen, als teken van zijn bewondering voor diens talent. Ik las dat Melville een kamer had gehuurd in een herberg in Lennox, Massachusetts, vlak bij hun beider huis, om de publicatie van *Moby Dick* te vieren. Hawthorne was zijn enige gast.

Ik wist al dat Melvilles stem in *Moby Dick* vaak geëxalteerd was, maar zijn toon in de correspondentie was vurig, intiem. Zijn brieven aan Hawthorne waren gepassioneerd en meeslepend. In antwoord op een brief van Hawthorne waarin hij *Moby Dick* prijst, reageert Melville: 'Ik voelde me pantheïstisch... jouw hart onder mijn ribben en dat van mij onder die van jou, dat van ons beiden in God.'

Ik vond zulk dramatisch taalgebruik fantastisch en wilde zelf ook zo praten. Ik wilde ook een pantheïst zijn, net als Melville. Ik wilde het hart van iemand anders onder mijn ribben voelen... dat van Oscar. Ik was achttien en las overal verlangen in. Ik bloosde toen ik las: 'Waar kom je vandaan, Hawthorne? Welk recht heb je om van mijn levenselixer te drinken? Toen ik het aan mijn lippen zette... zie, ze zijn van jou en niet van mij.'

Ik begreep op die leeftijd niet precies wat Melville daarmee bedoelde, behalve dat ik toen mijn hand naar mijn eigen lippen ging (wat gebeurde terwijl ik verder las) wenste dat het Oscars lippen waren. Toen ik mijn hart voelde, toen mijn hand over mijn eigen borst ging, wenste ik dat het Oscars hand was. Dat was toch niet wat Melville had bedoeld? Ik wist dat dat niet het geval was, maar wat hij ook bedoelde, het wond me op.

Ik voelde dat de godheid als het brood bij het Avondmaal werd gebroken, en dat wij de stukjes waren.

Mijn passie begon net te ontluiken en Melvilles brieven maakten dat ik ook gepassioneerd wilde zijn; gul en onbegrensd in mijn affectie. Toch herkende ik ook eenzaamheid, en Melvilles eenzaamheid was poëtisch, zelfs heroïsch. Hij wilde geloven dat Nathaniel Hawthorne hem beter kende dan wie dan ook. Hij herkende een oneindige broederschap in gevoel. 'Oneindig! Dat ik jou ken, doet me meer in onsterfelijkheid geloven dan de bijbel!'

Hij vertelde Hawthorne: 'Je was genoeg een aartsengel om het imperfecte lichaam te minachten en de ziel te omhelzen. Je omhelsde de lelijke Socrates omdat je de vlam in de mond zag en het – bekende – bewegen van de demon hoorde, het geluid herkende; want jij hebt het in je eigen eenzaamheid ook gehoord.'

Ik keek smachtend naar Oscar.

Omhels de ziel.

Melville schreef Hawthorne dat hij met hem als vriend 'tevreden en gelukkig kon zijn'. Ik dacht na over Oscar en dacht dat ik begreep wat Melville bedoelde.

En toch zal Melville hebben beseft dat Hawthorne hem

een beetje gek moet hebben gevonden, of in elk geval excessief opgewonden, want in dezelfde brief schreef hij: 'Geloof me, ik ben niet gek... maar de waarheid is altijd onsamenhangend, en als grote harten samen slaan, is de klap verwarrend.'

Oscar en ik hebben ook een groot hart, zei ik tegen mezelf. Ik voelde me zelfs een beetje duizelig.

Toen ik verder las, viel een brief me in het bijzonder op, die ik met het uitstekende deel van de boekomslag markeerde. Hij was toevallig geschreven op de dag dat mijn moeder jarig was, 13 augustus, bijna honderddertig jaar eerder, in 1852, dan ik hem zat te lezen.

Ik wilde Oscar vertellen dat ik een brief had gevonden die op mijn moeders verjaardag was geschreven. Wist hij hoe ik haar miste? Ik wilde hem vertellen dat ik iets had gevonden wat verloren was gegaan. Dat haar verjaardag me in een brief was teruggegeven. Miste Oscar zijn moeder net zo erg als ik die van mij?

Hij zat nog geen halve meter van me vandaan. Wist hij hoeveel we deelden? Als ik over de afstand tussen ons in reikte, kon ik hem aanraken.

Ik heb iets gevonden wat verloren was geraakt, wilde ik fluisteren. Liefde! Hij hield van zijn vriend. Er wordt zo veel liefde per post verzonden, Oscar. Maar hij was helemaal in zijn element, opgeslorpt door zijn onderzoek.

Wat bedoelde Melville met onsterfelijkheid? Harten die onder de ribben van een ander sloegen? Harten die samen sloegen? Uitwisselbare lippen aan een flacon levenselixer? Oscar, wilde ik fluisteren. Ik wenste dat ik het niet zo heerlijk zou vinden om zijn naam op mijn lippen te voelen, in mijn mond. Ik heb iets gevonden, wilde ik zeggen. Ik heb gevonden van wie Melville echt hield.

Oscar stak af tegen de donkere buitenlucht. Het tafereel achter de muur van ramen toonde de ontzagwekkende stad, koud en verhuld onder sneeuw. Ik had een paar weken daarvoor de eerste sneeuwvlokjes gezien. Met Oscar. Ik wilde al mijn ontdekkingen met Oscar doen. Ik wenste dat ik met Oscar naar Peabody was geweest in plaats van met Walter Geist. Dat het Oscar was die zijn hand op me had gelegd, die te dicht tegen me aan had gestaan, die wilde dat ik hem hielp, en niet Geist.

Maar ik wist zelfs toen al dat hij zijn obscure feitjes liever zonder mij zocht. Informatie vergaren was wat hij deed; gedenken zou worden wat ik deed.

Ik was me nauwelijks bewust van waarnaar ik zocht. Wat kon er voor documentatie zijn over iets wat verloren was gegaan? Ik was op zoek geweest naar een loze ruimte en had haar gevuld met al die vurige emotie gevonden. Met onsterfelijkheid!

En alsof hij nog niet genoeg aan Hawthorne had geschreven, raasde Herman Melville verder in een postscriptum:

PS Ik kan nog niet stoppen. Ik zal je vertellen wat ik zou doen als er alleen maar magiërs op aarde woonden. Ik zou aan een kant van het huis een papiermolen laten neerzetten, zodat ik een eindcloze rol papier op mijn bureau zou hebben; en dan zou ik op die eindeloze rol duizenden, miljoenen, miljarden gedachten schrijven, allemaal in de vorm van een brief aan jou. De hemelse magneet zit in jou en mijn magneet reageert erop. Welke is de grootste? Een domme vraag... ze zijn Eén.

Ik wilde het boek met brieven mee naar huis nemen om het helemaal te lezen, ongestoord en alleen. Allemaal in de vorm van een brief aan jou, zei ik geluidloos na.

Veertien

Nathaniel Hawthorne schreef in zijn dagboek dat zijn gepassioneerde vriend hem bezocht in zijn rode huisje in de Berkshires: 'Melville en ik hebben tot diep in de nacht over tijd en onsterfelijkheid gepraat, over wereldse en onwereldse dingen, over boeken en uitgevers, mogelijke en onmogelijke zaken.'

Er was dus een gezamenlijk gevoel geweest, zelfs als Hawthornes woorden afgemeten en ingetogen waren vergeleken bij Melvilles grenzeloze ontboezemingen.

Ik las verder in de brief die ik had gemarkeerd, die brief die was geschreven op mijn moeders verjaardag, 13 augustus, maar dan in 1852, en las:

Mijn beste Hawthorne,
Toen ik een week of vier geleden in Nantucket was, heb ik daar een heer uit New Bedford leren kennen, een advocaat, die me belangrijke informatie heeft gegeven over meerdere kwesties die me interesseerden. We zaten op een avond te praten over het grote geduld, & de lijdzaamheid, & de gelatenheid van de vrouwen van het eiland, die zich zonder te klagen onderwerpen aan de lange, lange afwezigheid van hun echtgenoten, die zeeman zijn, toen die advocaat me, als anekdote, iets over zijn werk vertelde. Hoewel hij niet meer alle details van het verhaal precies wist, vertelde hij genoeg om me uitermate nieuwsgierig te maken; ik smeekte hem het me goed te vertellen en me een gedetailleerder verslag te sturen zodra hij thuis was, aangezien hij me had ver-

teld dat hij er toen de kwestie speelde, aantekeningen van had gemaakt. Ik hoorde er verder niets meer over tot ik een paar dagen nadat ik hier in Pittsfield was aangekomen het bijgevoegde document per post ontving. Je zult uit het bijgesloten briefje van deze heer opmaken dat ik voorstelde literair gebruik van het verhaal te maken; maar dat had ik helemaal niet gesuggereerd, & mijn eerste spontane interesse in het verhaal was het resultaat van heel andere overwegingen. Ik moet echter wel toegeven dat ik het sindsdien door mijn hoofd heb laten gaan met oog op een verhaal over deze opmerkelijke gebeurtenissen. Sinds ik er echter dieper over heb nagedacht, heb ik bedacht dat de hele kwestie er een is waarmee jij heel bekend bent. Ik denk eerlijk gezegd dat jij de zaak veel beter zou kunnen beschrijven dan ik. Hij lijkt bovendien op natuurlijke wijze naar jou toe te bewegen...

Op dat punt gaf het boek aan dat er een regel miste, dat de woorden onleesbaar waren.

Ik vond het bizar dat de ene schrijver de andere aan een idee voor een roman probeert te helpen. Maar behalve het toeval met de datum vond ik de brief veel minder interessant dan andere die Herman Melville aan Nathaniel Hawthorne had geschreven. Veel minder een ontdekking dan die emotionele brieven.

Oscar zat nog steeds bewegingloos aan de tafel. Ik keek om me heen in de lege bibliotheek: het was er stil en menselijk. Achter de hoge ramen was de winteravond helder verlicht: licht dat reflecteerde in de sneeuw. Het tafereel had een dromerige sfeer, waardoor ik me een beetje gedesoriënteerd voelde, tegelijkertijd slaperig en paradoxaal alert op subtiele veranderingen.

Ik pakte het boek op en las verder:

De grote interesse die ik in me voelde opwellen terwijl het verhaal aan me werd verteld, werd nog heviger door de emoties van de man die het vertelde, die een enorm, oprecht mededogen uitstraalde, hoewel hij een gebeurtenis uit zijn verleden vertelde. Maar misschien dat die grote interesse van mij is aangewakkerd door de een of andere toevallige gebeurtenis; waardoor het verhaal voor jou mogelijk minder pathos & minder diepgang bevat. Je zult het wel zien.

Ik zag hoe graag Melville wilde dat Hawthorne er iets mee zou doen. Dat hij wilde dat hij de emotie achter het verhaal voelde. Wat was het voor verhaal? Ik bladerde verder naar de aantekeningen van de advocaat, die bij de brief waren ingesloten.

Het was een eenvoudig en zelfs gewoon verhaal. Melville wilde dat Hawthorne zou schrijven over een vrouw die Agatha Robinson heette (of Robertson, volgens de notities van die advocaat, ene meneer Clifford). Agatha's verhaal was er een van diep verlangen; het was er een van verlating en, zo suggereerde Melville, van diepe wroeging. De details stonden in Cliffords aantekeningen:

Robertson heeft schipbreuk geleden aan de kust van Pembroke, waar dat meisje, dat toen Agatha Hatch heette, woonde. Dat hij gastvrij werd ontvangen en verzorgd en dat hij minder dan een jaar later een wettig huwelijk met haar aanging, en twee korte zeereizen maakte. Een jaar of twee na de bruiloft liet hij zijn vrouw enceinte (zwanger) achter en ging op zoek naar werk en vanaf dat moment heeft ze zeventien jaar niets meer van hem gehoord, hoe dan ook, direct of indirect, geen woord. Aangezien ze arm was, verdiende ze haar brood als min, maar het lukte haar toch om genoeg geld te sparen om een degelijke opleiding voor haar dochter te kunnen betalen. Ze was quaker geworden en stuurde haar naar de beroemdste kostschool van die gemeenschap, en toen ik haar leerde kennen, zag ik dat ze aantrekkelijker was dan de meeste vrouwen. Robertson was ondertussen naar Alexandria D.C. vertrokken, was een succesvol en rijk zakenman geworden en met een tweede vrouw getrouwd. Na die lange periode van zeventien jaar die de arme in de steek gelaten vrouw eenzaam had doorgebracht, kwam de vader terwijl ze van huis was in een sjees aanrijden en informeerde haar dat hij haar en haar kind wilde zien – of als zij hem niet wilde zien, hij in elk geval zijn kind wilde zien. Ze ontmoetten elkaar en troffen hem op weg naar de afspraak ongeveer een kilometer van haar vaders huis. De dochter vertelde me over de ontmoeting. Alles wat er was voorgevallen en gezegd leek in het geheugen van beiden gegrift. Hij verontschuldigde zich zo goed hij kon voor zijn lange afwezigheid en stilte, kwam heel liefdevol over, maar weigerde te vertellen waar hij woonde en kreeg hen zover er niet naar te vragen; gaf hun een grote som geld, beloofde voorgoed terug te komen en vertrok de volgende dag. Ongeveer een jaar later kwam hij weer, net voordat zijn dochter ging trouwen & hij gaf haar een huwelijksgeschenk. Niet lang daarna stierf zijn vrouw in Alexandria. Hij schreef zijn schoonzoon dat hij ernaartoe moest komen – wat hij deed – en die bleef er 2 dagen en kwam terug met een gouden horloge en drie prachtige sjaals die door iemand waren gedragen. Ze gaven allemaal toe dat ze achterdochtig waren & hieruit afleidden dat hij een tweede keer was getrouwd.

Hij ging kort daarna weer naar Falmouth & dat bleek de laatste keer te zijn. Hij kondigde aan dat hij naar Missouri wilde & spoorde het hele gezin aan met hem mee te gaan, geld en land en andere zaken aan zijn schoonzoon belovend. Het aanbod werd afgeslagen. Hij weende toen hij afscheid van hen nam. Vanaf het moment dat hij naar Missouri vertrok tot zijn dood werd er regelmatig gecorrespondeerd, hij stuurde jaarlijks geld en vertelde hun dat hij met ene mevrouw Irvin was getrouwd. Hij had geen kinderen bij zijn laatste twee vrouwen.

Meneer Janney was zeer teleurgesteld in het bewijs en karakter van de eisers. Hij zag hen in eerste instantie als medeplichtig aan het bedrog waarvan mevrouw Irvin en haar kinderen slachtoffer waren geworden. Maar ik was tevreden en hij denk ik ook, dat hun motieven om er het zwijgen toe te doen verheven en puur waren, en zonder meer toe te schrijven aan de echte mevrouw Robertson. Ze vertelde met een oprechtheid & pathos over de kwestie die me zeer overtuigden. De enige manier om hem te ontmaskeren zou zijn Robertson weg te jagen & dat zou mevrouw Irvin & haar kinderen zeker de rest van hun leven ongelukkig hebben gemaakt. "Ik wilde niet," zei de vrouw, "dat zij ongelukkig zouden zijn, ondanks alles wat hij mij had aangedaan." Het was het opmerkelijkste voorbeeld van langdurige & geduldige onderwerping aan onrecht en zielenleed van een echtgenote dat ik ooit had gezien, wat haar in mijn ogen tot een heldin maakte.

Agatha's verhaal raakte iets in me. Ik dacht aan moeder die me alleen had opgevoed; aan mijn afwezige vader. Ik dacht aan het wachten op de terugkeer van een geliefde. Lillian wachtte. Dood of verdwenen? Jaren van wachten samengebald in één moment van terugkeer, de onmogelijkheid tot een verzoening. 'Ik wilde niet,' zei de vrouw, 'dat zij ongelukkig zouden zijn, ondanks alles wat hij mij had aangedaan.' Agatha was een heldin. Maar waarom had haar verhaal zo veel indruk op Melville gemaakt? Waarom wilde hij Hawthorne een verhaal over zulk verlangen geven?

Waarom had hij het zelf niet geschreven? Ik las verder en het was net alsof Melville Agatha's verhaal zelf schreef, in elk geval in zeer verkorte vorm. In zijn poging het verhaal aan zijn vriend te geven, schreef Melville gedetailleerd aan Hawthorne over hoe het eruit zou moeten zien:

Stel dat het verhaal begint met de schipbreuk, dan moet er een storm zijn; & een vage echo van de voorgaande kalmte om het geheel in te leiden, zou mooi zijn. Stel je een hoog klif voor dat over de zee heen hangt & waar een schapenweide is; iets verderop – verder naar boven – een vuurtoren, waar de vader van de toekomstige mevrouw Robertson de Eerste woont. Het is een rustige & warme middag. De zee heeft een plechtige, doelbewuste uitstraling en rolt moeizaam doelbewust, ceremonieel het strand op. De lucht is vol van het geluid van golven in de branding. Tegenover het klif is geen land te bekennen, behalve Europa & West-Indië.

Stel dat? Is dat wat schrijvers elkaar voorstellen? Stel dat je dit schrijft? Voor mij?

Oscar zou wel begrijpen waarover het ging. Ik zou het hem vragen. Hij zou het me wel vertellen. Ik keek steels opzij.

Hij leunde over zijn leesmateriaal heen, zijn grote hoofd naar voren gebogen, alsof hij over een rand tuurde waar hij naar beneden werd getrokken door een beeld van zichzelf als hij naar beneden viel. Ik aarzelde.

'Oscar?' vroeg ik zacht.

'Wacht even, ik heb iets,' zei hij ongeduldig. Hij pakte zijn potlood en schreef iets in zijn schrift. 'Ik moet dit even afmaken,' snauwde hij.

'Sorry. Laat maar,' mompelde ik.

Ik hielp niet. Hij dacht niet dat ik iets zou vinden. Ik pakte de brief er weer bij en las het postscriptum van Melville:

PS Het zou goed zijn als Agatha, vanwege haar kennis over de diepe ellende die vrouwen die met zeelieden trouwen te verduren hebben, al jong zou besluiten nooit met een zeeman te trouwen; en dat die vastberadenheid dan nadien wordt overtroffen door de almacht der Liefde.

De almacht der liefde? Geloofde Melville dat liefde elke onzekerheid, elk obstakel overwon? Of alleen in boeken? Kregen mensen zulke ideeën van boeken? Agatha wordt verliefd, wat haar diep ongelukkig zal maken. De zee had haar een echtgenoot gegeven en hem vervolgens, dacht ze, weer afgenomen. Maar hij had geen schipbreuk geleden. Hij had haar verlaten. Melville voegde er nog een postscriptum aan toe:

PS nr 2. Agatha zou betrokken moeten worden bij de schipbreuk en op de een of andere manier tot redster van de jonge Robinson worden gemaakt. Hij zou de enige overlevende moeten zijn. Hij moet verpleegd worden door Agatha tijdens het herstel van zijn verwondingen van de schipbreuk. Dat kapotte schip werd over een zandbank geduwd & het strand op, waar het helemaal uit elkaar valt, behalve de voorsteven. Jaren verstrijken en de boeg verdwijnt onder het zand en uiteindelijk is alleen bij laag water nog een centimeter of zestig van de voorsteven te zien. De rest van het schip ligt bedolven onder zand. Zodat de verdrietige Agatha er door dit melancholieke monument dagelijks aan wordt herinnerd dat haar man is verdwenen.

Agatha is Robinsons redster. De voorsteven steekt als een wachter uit het zand. Agatha ziet de boeg van het kapotte schip begraven liggen, een herinnering aan de ellende die de zee heeft aangericht. Arme Agatha. Maar wat verwachtte

Melville dat Hawthorne zou doen met zijn ideeën? Zat Hawthorne met zijn ogen te rollen tegen de tijd dat hij bij dit tweede PS was aanbeland? Wat moet je doen met het idee van een ander? Het dragen als een slecht passende hoed? Ik las vluchtig de rest van de brief. Het tweede PS ging nog bladzijden lang door, de ene na de andere beschrijving, en eindigde:

Vandaar dat ik absoluut niet zo naïef ben, mijn beste Hawthorne, dat ik mezelf vlei met de gedachte dat ik je iets van mezelf geef. Ik geef je enkel je eigen bezit terug – dat je snel genoeg zelf zou hebben gevonden – als jij op die plek was geweest waar ik op dat moment was.

Gaf hij Hawthorne zijn eigen bezit terug? Ik begreep er niets van. Op de laatste pagina stond nóg een postscriptum. Nog meer details, nog meer suggesties voor het verhaal, en Melville verzekert hem dat: 'Als ik dacht dat ik het net zo goed als jij zou kunnen, ik het jou niet zou geven.' Als Hawthorne na al die woorden het verhaal over Agatha niet zou schrijven, zou Melville geen andere keuze hebben gehad dan het voor hem te doen. Hij had er zo veel in geïnvesteerd.

Ik keek naar Oscar. Hij was verdiept in zijn leesstof, zijn hand lag op zijn hoofd alsof het pijn deed, alsof zijn inspanning zijn gebeeldhouwde hoofd van zijn schouders zou tillen. Oscar? wilde ik in zijn oor fluisteren. Ik heb iets gevonden.

Ik heb nu het idee dat Melville Hawthorne aan zich bond door hem het verhaal te geven, dat ze bij elkaar hoorden via zijn cadeau. Het identificeren van een verhaal over verlangen en verlies was voor Melville een manier om over dergelijke emoties te kunnen communiceren met zijn beroemde vriend. De hele kwestie leek ineens op een geschenk dat ik Oscar kon geven. Een geheimzinnige queeste was een cadeau dat hij echt zou willen hebben.

'Oscar?' zei ik nogmaals terwijl ik het boek met brieven

weglegde. Ik reikte over de leegte heen en raakte zijn mouw aan, nu vastberaden hem te storen.

'Wat?' antwoordde hij geïrriteerd.

'Heeft Herman Melville of Nathaniel Hawthorne ooit een roman geschreven over een vrouw en een schipbreuk? Over een vrouw die jarenlang zonder haar man heeft geleefd nadat hij haar had verlaten? En vrouw die Agatha heette?'

'Zei je Agatha?' vroeg Oscar met grote ogen van verbijstering. Hij legde zijn potlood neer.

'Ja, ik heb brieven gevonden over een vrouw die Agatha Robertson heet. Ze staan vol details, die je voor een roman zou kunnen gebruiken. Allerlei ideeën voor een verhaal...'

'Wie had dat gedacht?' zei Oscar tegen de lucht. 'De wereld wordt bijeengehouden door geheime knopen.'

Vijftien

'Wat heb je precies gevonden?' vroeg Oscar.

'Dat weet ik niet,' antwoordde ik. 'Maar ik heb brieven van Melville aan Nathaniel Hawthorne gelezen en er zit een heel lange bij waarin hij probeert een idee voor een roman aan Hawthorne te slijten. Maar het is net of Melville eigenlijk liever zelf dat verhaal schrijft.'

'Over een vrouw die Agatha heet?'

'Ja, maar dat was haar echte naam, die zou hij hebben veranderd. Een advocaat, ene meneer Clifford, had hem een waar gebeurd verhaal verteld. En die Clifford heeft hem een bladzijde met aantekeningen over de familie gestuurd. Ken jij een roman van Melville over verlating? En de lijdzaamheid van vrouwen?'

'Er staat in de index van deze biografie iets wat *The Agatha Story* heet, ik heb er een aantekening van gemaakt.'

Hij trok zijn schrift naar zich toe en bestudeerde zijn keurige handschrift. 'Hier. Ik dacht dat het naar een kort verhaal verwees. Er wordt ook verwezen naar correspondentie tussen Melvilles zussen over iets wat *The Isle of the Cross* heet. Daar heb ik nog nooit van gehoord. Uit, even kijken, 1853.'

Hij veegde met zijn hand over zijn hoofd.

'Zouden zijn zussen iets over zijn werk weten?' vroeg ik.

'Ze woonden in die periode bij Melville en zijn vrouw. Net als zijn moeder. Beide zussen kopieerden zijn werk voor hem, met name Augusta. Het was gebruikelijk om een nette versie van je werk te laten maken en de enige manier om dat te doen was het hele manuscript met de hand over te schrijven. Melvilles taalbeheersing was niet geweldig, hij maakte heel veel spelfouten. En hij zag erg slecht, door de roodvonk die hij als kind had gehad. Hij onderhield het hele gezin met zijn geschriften, dus zijn werk ging zijn zus ook aan.'

Geists brief was in een prachtig handschrift geschreven. Van wie? Ik dacht aan de prachtig krullende letters, aan Melvilles zussen die plichtsgetrouw pagina's en pagina's van het manuscript kopieerden. Het geduld en de lijdzaamheid van vrouwen. Agatha die langs de kustlijn dwaalde, waar de boeg half lag begraven, berustend en in de steek gelaten.

'Oscar, zei je 1853? Die brief aan Hawthorne is van een jaar eerder.'

Ik gaf hem het boek, geopend op de goede bladzijde. Oscar keek in zijn aantekeningen.

'Hij schrijft in een van zijn postscripta aan Hawthorne dat Agatha over het strand zou moeten dwalen, denkend aan haar verdwenen echtgenoot,' zei ik. 'En dat de oude boeg van het schip een stukje uit het zand steekt. Misschien als een kruis?'

'Laat zien,' zei hij op eisende toon.

Ik bestudeerde zijn gezicht nauwkeurig terwijl hij zat te lezen. Zijn hoofd was heel dicht bij dat van mij en ik begon later te denken dat ik had gedroomd dat hij zo dicht bij me was geweest. Hij las even en ging toen achterover zitten. Hij begon weer op zachte, opgewonden toon tegen de lucht te praten.

'Die biografie suggereert dat een deel van Melvilles ontwikkeling als schrijver onverklaarbaar is. Nadat hij aanvankelijk enorm succesvol was, viel hij vreselijk uit de gratie. *Moby Dick* werd slecht ontvangen en hij heeft onmiddellijk een ander boek geschreven, dat werd verguisd. Dat was *Pierre*, in 1852, het jaar van die brief. Critici zeiden dat hij gek was.'

Hij was niet gek, dacht ik. Intense gevoelens worden vaak

verkeerd begrepen. Geloof me, ik ben niet gek... maar de waarheid is altijd onsamenhangend, en als grote harten samen slaan, is de klap verwarrend.

'Hij zat diep in de schulden,' ging Oscar verder. 'Na *Pierre* gebeurt er even niets en dan beginnen er meer dan een jaar later korte verhalen in tijdschriften te verschijnen. In een andere stijl, je zou het een berustende kunnen noemen. Iets in hem was veranderd.'

Ik moet hem uitdrukkingsloos hebben aangestaard, want Oscar probeerde uit te leggen: 'Weet je Bartleby nog? Je moet Bartleby kennen! Melvilles Bartleby, de klerk! Waar het om gaat, is dat hij bij elk boek iets bijleerde. Het zou heel plausibel zijn als Melville tussen *Pierre* en die verhalen nog iets anders heeft geschreven.'

'Nou, als je denkt dat dat een mogelijkheid is, hebben we misschien een verhaal gevonden. Een verhaal waarin hij duidelijk was geïnteresseerd.'

Ik wees naar het boek met brieven in zijn hand.

'Een vrouw wordt verlaten door een zeeman die schipbreuk heeft geleden, die ze verpleegd heeft en met wie ze is getrouwd. Melville zegt dat hij geïnteresseerd was in berusting en lijdzaamheid. In standvastigheid en wroeging. Die boeg in het zand is bijna een grafzerk. Ik ga dit boek lenen en alle brieven lezen.'

'Melville moet tegen die tijd het gevoel hebben gehad dat hij ook wel wat wist over lijdzaamheid,' zei Oscar tegen zichzelf.

We zaten allebei even doodstil voor ons uit te staren.

'Zou het kunnen dat Walter Geist op een exemplaar van *The Isle of the Cross* is gestuit?' vroeg Oscar zijn dubbelganger, zijn verbaasde reflectie, die hem aanstaarde vanuit de zwartheid van het bibliotheekraam.

'Denk je?'

We lazen nog meer correspondentie; Oscar haalde een biografie van Nathaniel Hawthorne. We moesten ons haasten voordat de bibliotheek om tien uur zou sluiten en die avondklok gaf ons werk een koortsachtige sfeer. Ik leende het boek met brieven, vastberaden ze ongestoord in bed te lezen. We hadden heel wat ontdekt en hoewel de werkelijke betekenis me grotendeels ontging, was ik helemaal opgewonden door de ontzagwekkende kwaliteit van de zoektocht en het feit dat ik samen met Oscar zocht.

Hawthorne, zo stond er in die biografie, had kort gewerkt aan iets wat *The Isle of Shoals* heette, en Melville had die titel een tijdje voor het Agatha-verhaal willen gebruiken. Hij had het blijkbaar terzijde gelegd. Ik zocht verder in de brieven. Ik nam het boek mee naar huis en vond later een brief van Melville die veel beheerster was, van een paar maanden na die gepassioneerde brieven die ik zo indrukwekkend had gevonden. Er was iets onduidelijks gebeurd tussen de vrienden:

Mijn beste Hawthorne,
Je sprak laatst bij Concord je onzekerheid uit over het schrijven van het verhaal over Agatha en uiteindelijk spoorde je mij aan het te schrijven. Ik heb besloten dat te doen en ga er direct aan beginnen als ik thuiskom; ik zal voor zoverre ik dat in me heb mijn best doen zo'n indrukwekkend waar gebeurd verhaal recht te doen. Melville zal de roman voor Hawthorne schrijven omdat Hawthorne hem heeft aangespoord dat te doen. Het geschenk zal de andere kant op werken.

Er was nu in elk geval geen twijfel meer over dat Herman Melville nog een roman had geschreven, die *The Isle of the Cross* heette.

'Wat denk jij dat het allemaal betekent?' vroeg ik Oscar toen we de bibliotheek verlieten en naar de metro liepen.

Het was na tienen en we waren bijna vier uur samen geweest. Oscar was stil.

'Waarom vertellen we meneer Geist niet gewoon wat we hebben ontdekt,' stelde ik voor. 'En proberen we de Arcade te helpen dat manuscript in handen te krijgen?'

Hij bleef staan en draaide zich naar me om. 'Is het al in je opgekomen dat Geist misschien helemaal niet wil dat de Arcade een onbetaalbaar manuscript in handen krijgt? Een manuscript dat best eens bepaalde ideeën over een groots Amerikaans auteur zou kunnen gaan veranderen? Dat het gestolen zou kunnen zijn? Dat Geist er wellicht andere plannen mee heeft? Dat hij er helemaal niets over zou moeten weten, aangezien die brief aan Pike was gericht?'

Ik kon niets zeggen. Ik was zo opgewonden dat ik niet helder kon nadenken, en zelfs Oscar leek, op een heel eigen manier, opgewonden; dronken van het onderzoek, geestdriftig geworden door geheimzinnige details.

'Ik rammel van de honger,' zei hij plotseling. Hij bleef me verbazen. 'Ik ga hier naar binnen.'

Oscar liep verder alsof hij naar de deur van een eettentje met een OPEN-neonbordje voor het raam werd getrokken. Een duidelijkere uitnodiging zou ik van hem niet krijgen. Ik liep achter hem aan. We gingen tegenover elkaar in een box van rood vinyl zitten (samen!; in een restaurant!). Er kwam een stokoude serveerster met een zware bril met zwart montuur naar ons toe. 'Koffie?' vroeg ze met een krakende stem.

'Roerei. Zonder toast. Thee,' zei Oscar zo afgeleid dat het impliceerde dat hij met iets heel anders bezig was, iets wat zich geheel in zijn hoofd afspeelde. De serveerster draaide zich naar mij om en begon met een uitdrukkingsloze blik in haar ogen aan haar behabandje te sjorren.

'Doe mij dat ook maar,' zei ik. Ik kon me niets te eten voorstellen waarvan ik op dat moment zou kunnen genieten. 'En ik wil graag melk in mijn thee. Alstublieft.'

'Die staat op tafel,' zei ze ongeïnteresseerd.

Ik was bang de betovering te verbreken die ik over mezelf had uitgeroepen. Er werden twee glazen water op tafel geknald. De ijsklontjes rammelden.

'Wat bedoelde je precies, Oscar, toen je zei dat meneer Geist zijn eigen redenen heeft om het manuscript geheim te houden?'

'Het lijkt me alleen maar redelijk om zijn motieven te wantrouwen,' zei hij terwijl hij van zijn water nipte. 'Hij heeft die brief toch uit je handen gegrist? En kort daarna had hij een afspraak met Samuel Metcalf. En jij mocht niet bij hun gesprek zijn en hij heeft nooit meer iets tegen je gezegd over die brief.'

Het afgescheurde hoekje zat nog steeds in mijn zak. Ik voelde eraan alsof het het ontbrekende stukje van een ingewikkelde puzzel was, een bevestiging van alles wat ik niet begreep.

'Hoe zit dat met dat verhaal van Metcalf, dat hij familie van Melville zou zijn?'

'Het belangrijkste bewijs voor die familieband is dat hij uit het stadje in het noorden van de staat New York komt waar Melvilles moeder kort heeft gewoond.'

'Lansingburgh?' Dat had ik die avond ergens gelezen. Maria Melville had een huis in Lansingburgh gehuurd, in de buurt van Albany, toen de familie geldzorgen had.

'Precies! Zie je nu wel, je hebt iets geleerd zonder te weten dat het nuttige kennis zou zijn. Maar één van de vier Melville-kinderen, Frances, is getrouwd, en haar kind is met een Metcalf getrouwd. Maar er is geen enkele reden om te denken dat hun overeenkomstige naam meer dan een toevalligheid is.'

'Er stond niets op die envelop van Geist, dus de brief moet door iemand zijn afgegeven in de Arcade. Mercer kan hem niet hebben bezorgd, maar als Samuel Metcalf langs was geweest, zouden we dat toch hebben geweten?'

'Julian Peabody is een van Geists weinige contacten met zo veel geld dat hij zo'n zeldzame vondst zouden kunnen betalen. Als hij authentiek is. En Metcalf is de sleutel tot de man en het manuscript. Peabody is een obsessief verzamelaar. Als de informatie uit die brief klopt, als we erin kunnen geloven, dan hoort zo'n document thuis in een universiteit of grote bibliotheek, waar het kan worden bestudeerd door wetenschappers.'

'Maar de Arcade kan het net zo goed aan een instelling als aan Peabody verkopen.'

'Ja, maar dan zou Geist zijn commissie mislopen, en Metcalf misschien ook, omdat hij geen "fatsoenlijke" verklaring voor de achtergrond kan geven. Geen universiteit of bibliotheek wil gestolen goederen aanschaffen. En Peabody kan het document zo lang hij wil achter slot en grendel bewaren. Bovendien bestaan er dingen waarvan de prijs zo hoog is dat niemand ze kan kopen.'

Onze eieren werden geserveerd. Oscar begon eraan alsof hij uitgehongerd was.

'Bedoel je dat Geist als hij het manuscript zonder dat Pike ervan weet verkoopt, een percentage krijgt?' vroeg ik in een wanhopige poging te begrijpen hoe het allemaal zat.

'Misschien dat Metcalf en hij de commissie willen delen. Maar dan bedriegen ze niet alleen Pike, maar ook Peabody, dan stelen ze allebei van hun werkgever.'

'Maar die brief is aan Pike gericht. En wat moet meneer Geist met zo veel geld? De schrijver van die brief gaat heus wel contact opnemen met Pike. Waarom vertellen we het niet gewoon aan meneer Pike?'

'Dat is het laatste wat we gaan doen! Luister, ik begrijp ook nog niet precies hoe het zit, Rosemary. Een behoedzame samenzwering neemt haar tijd. Ik heb een paar dagen nodig om erover na te denken.'

'Sorry.' Ik keek toe hoe hij een hap ei nam. 'Ik ga die brieven lezen, misschien dat dat helpt.'

Zijn kaken bewogen onder zijn papierachtige huid.

'Het is wel een bizar detail dat Metcalf misschien via Geist weet dat dat manuscript bestaat,' zei hij met een volle mond. 'Als dat zo is, kan de schrijver niet Metcalfs vader zijn.'

Ik vertelde Oscar alles wat ik me kon herinneren van ons bezoekje aan het huis van Peabody. Hij luisterde naar me op een manier die ik heel spannend vond. Ik vertelde hem dat het Metcalf had verbaasd dat ik met Geist was meegekomen en dat hij me had afgescheept met de tentoonstellingsruimtes. Hij had tegen Geist gezegd dat het iets groots was, dus hij moest in elk geval weten dat hij iets had wat zijn werkgever wilde hebben.

Oscar had zijn bord al leeg voordat ik aan mijn eten was begonnen, zo graag had ik alles willen vertellen wat ik nog wist. Hij zat afgeleid door het raam de nacht in te staren terwijl ik in stilte mijn lauw geworden eieren at. Hij vroeg om de rekening en rekende nauwkeurig zijn deel uit. Het was nog niet in me opgekomen dat Oscar een krent zou kunnen zijn.

'Jouw deel is twee dollar 97,' zei hij verlangend te vertrekken. 'Inclusief fooi.'

Ik dronk mijn thee op. Ik had het gevoel dat de avond me ontglipte. Ik wilde zijn staart grijpen en me eraan vastklampen. We liepen het eetcafé uit en bleven even staan voordat we de straat overstaken.

'Ik heb veel om over na te denken,' zei Oscar tegen zichzelf. Hij liep vooruit en draaide zich om, duidelijk ongeduldig om weg te gaan.

Maar ik had gewacht en voor mij was dit het moment. De avond bezat een ingebeeld doel en ik dacht dat mijn wilskracht alles kon waarmaken. Dat verlangen alleen genoeg was om me Oscar te geven, die nu voor me stond bij de ingang van het metrostation.

Ik leunde bijna onwaarneembaar naar hem toe. Het leek

hem niet op te vallen, of niet uit te maken; hij zocht in zijn zak naar een metromuntje.

Verlangen werd als een draad door de koude avondlucht getrokken. Er ging een briesje door mijn haar. Er werd getoeterd, wat hem afleidde. Ik leunde nogmaals naar voren en had het gevoel dat ik werd geregeerd door wetten waarvan ik geen weet had. Twee centimeter van zijn prachtige gezicht vandaan, zijn wang een curve in levend gips, mijn mond een beetje open nu ik terugdacht aan hoe ik hem zijn eten had zien verslinden. Hoe zijn mond bewoog, die dag in mijn vieze park, toen ik een condoom onder het bankje had getrapt. Zijn gezicht dat zo dicht bij dat van mij was in de bibliotheek. Zijn lippen terwijl hij zijn thee dronk. En toen ik hem aan mijn lippen zette... zie, ze zijn van jou en niet van mij. Mijn hele wezen werd door hem aangetrokken.

Ik ging hem kussen.

'Stop! Stop!' snauwde hij ontzet met opeengeklemde kaken. Zijn gele ogen stonden groot van afgrijzen. 'Stop!' Hij trok zijn hoofd naar achteren. 'Stop!' Hij duwde me tegen mijn schouder, van zich vandaan.

'Wat is er mis met jou? Waar ben je mee bezig? Zo mag je niet denken, Rosemary! Hoor je me?' Zijn stem klonk verbitterd en hoog. 'Rosemary!' Hij was razend. 'Ben ik niet duidelijk geweest? Nee? Je moet één ding begrijpen. Ik ben niet geïnteresseerd... in niemand... op die manier. Doe niet zo idioot!'

Hij sprak me aan alsof ik iemand was die niet in staat is het meest basale concept te begrijpen. Er klonk medelijden in zijn stem, maar de walging was scherper. Hij deinsde van me terug alsof hij ergens door werd gebeten. Alsof ik hem had bedrogen. De warme tranen die over mijn koude wangen rolden, maakten me wakker alsof ik in mijn gezicht werd geslagen. Ik tuimelde tegen een berg sneeuw, gleed uit en viel hard op de met ijs bedekte stoep. Mijn tas vloog van mijn schouder. Mijn handen schraapten over de stoep.

Oscar liep de trap af naar de metro zonder nog een woord te zeggen.

Ik was met al het gewicht van vernedering gevallen. Ik greep mijn tas, het bibliotheekboek, mijn portemonnee, mijn sleutels. Ik zag meteen in hoe stom en inhalig ik me had gedragen. Ik veegde met de mouw van mijn jas mijn gezicht af en stond op. Ik voelde een beurse plek op mijn heup. Ik had het gevoel dat ik het had verdiend dat ik was gevallen, dat ik me had bezeerd. Ik voelde me verachtelijk.

Ik besloot dat ik, met mijn pijn, als een verschoppeling, het hele eind naar huis zou lopen. De boetedoening zou me eraan helpen herinneren dat ik onbezonnen was geweest. Ik had geen recht op zulke dingen. Geen recht iets op te eisen.

Oscar. Het maakte niet uit dat Pearl me had gewaarschuwd, ik had mezelf misleid. Het was mijn eigen schuld. De fout van een meisje dat verliefd was geworden op personages als Pip, Darcy, Knightley, meneer Rochester (de gebruikelijke helden) zonder op te merken wat ze gemeen hadden: ze waren fictief. De Oscar van wie ik hield, was ook een hersenspinsel. Het onderzoek naar Melville had me bedwelmd. Zijn vurige brieven, zijn prachtige metaforen... magneten, uitwisselbare harten. Oscar leek in niets op Herman Melville. En hij was ook geen Ismaël. En hij was niet aan mijn verbeelding ontsproten. Als ik het objectief bekeek, had ik mezelf aan hem opgedrongen.

Ik geloofde echt dat ik mijn verdiende loon kreeg.

Ik voelde terwijl ik door de stad liep hoe vreemd ik was en werd getergd door het besef dat ik maar zo weinig wist, dat ik zo weinig begreep. Toch vulde een lege zekerheid mijn navigatie langs de stoplichten, in tegenstelling tot op de avond dat ik bij Peabody vandaan kwam. Ik was een slaapwandelaar, ik liep gedachteloos langs groepen mensen op sommige plaatsen, en over lege pleinen op andere.

Maar toch was ik nu echt wakker, niet meer in trance.

Theaterbezoekers stroomden in het centrum in een slaperige processie de straat op; ze blokkeerden Times Square en strandden op de betonnen verkeerseilandjes, op drift in de stedelijke oceaan. Ik liep verder, met mijn hand op mijn heup, door griezelige buurten en woonwijken. Er lag een dik pak sneeuw op de struiken voor een paar vooroorlogse flatgebouwen. Mijn voeten waren gevoelloos geworden in mijn goedkope laarzen. Ik liep ondertussen mank en had nog vele straten te gaan voordat ik bij mijn koude flatje zou zijn.

Chaps had me eens verteld dat vrij zijn vaak betekent dat je eenzaam bent... zou ze dit hebben bedoeld?

Voordat het echt tot me doordrong waar ik was, vertelde een bekendheid met de gebouwen, de halfschaduw om een vervallen, slecht verlicht pand een straat verderop, dat ik in de buurt was van het Martha Washington, van 29th Street.

Ik zou even naar binnen lopen om te kijken of Lillian nog op was. Er waren belangrijkere zaken dan dit, dan ik. Ik herinnerde me het briefje in mijn tas dat Pearl me had gegeven. Het was belangrijk dat ik naar Lillian ging.

Ze zat onderuitgezakt in een stoel achter de receptiebalie te slapen. De televisie flitste geluidloze beelden de ruimte in. De koptelefoon was op haar borst gevallen. Ik raakte haar voorzichtig aan en ze schrok doodsbang wakker.

'*Vive Dios!*' gilde ze.

'Lillian, ik ben het.'

'Wat doe jij hier?' Ze was gedesoriënteerd van schrik en slaap. 'Ik schrik me dood! Je moet me niet zo laten schrikken!' Ze ging rechtop zitten en trok haar kleren recht, streek haar zachte haar glad. Ze zette de televisie uit. 'Ben je terug, Rosemary? Kom je hier weer wonen?'

'Nee. Nee. Ik was aan het wandelen en wilde even kijken of je er was.'

'Ik ben er altijd. Waar zou ik anders zijn?' Ze wreef in haar ogen. 'Grappig, het is net een droom. Het is net als de avond dat je hier voor het eerst kwam. In die zomerse regenbui. Dat aparte meisje uit Tasmanië. Weet je nog? Dat jonge meisje.'

'Ik ben degene die heeft lopen dromen,' mompelde ik.

Ze keek me argwanend aan. 'Wat is er?' vroeg ze op eisende toon.

'Niets,' loog ik. 'Ik had gewoon zin in gezelschap. Ik ben weg geweest en was op weg naar huis.'

'Ben je met een man uit geweest?' raadde ze.

'Ja, maar niet zoals je denkt,' zei ik, Oscars woorden herhalend. 'Zo was het helemaal niet. Ik ben met een vriend naar de bibliotheek geweest om informatie op te zoeken.'

'Waarom kijk je dan zo verdrietig? Je hebt gehuild. En waarom ben je zo verkleumd?' Ze legde haar hand op mijn gezicht. 'Je moet je warmer aankleden.'

Lillian stond op om me goed te kunnen inspecteren. 'Je bent helemaal nat. Ben je in de sneeuw gevallen? Je moet voorzichtig zijn, hoor je me? Wij zijn niet gewend aan dit weer. Ons bloed is dunner, dat heb ik je toch al verteld? Ga even zitten.'

Ze duwde me op een stoel achter de balie. 'Het gaat niet goed met je, dat kan ik zien. Vertel eens wat er is gebeurd. Heeft iemand je pijn gedaan? Vertel.'

'Nee. Het gaat wel,' zei ik terwijl de tranen over mijn wangen stroomden.

Lillian schoof een elektrisch kacheltje naar mijn voeten. 'Trek je laarzen even uit. Ze zijn helemaal doorweekt. Je bent uitgeput,' zei ze terwijl ze me uit mijn laarzen hielp. 'Je moet vannacht maar hier blijven. Heb je nog steeds geen verwarming? Straks vat je nog kou. Je moet gaan slapen.'

Ik keek haar in haar bezorgde gezicht, beschaamd dat ze zich zo om me bekommerde, met al haar echte pijn. Hoewel mijn pijn op dat moment ook heel echt voelde. Ik voelde me stom.

'Blijf vannacht maar hier,' spoorde Lillian me aan. 'Ik regel wel een kamer voor je. Gratis. Ik vertel het wel aan mijn broer. Ga maar slapen.'

Ik kon mezelf niet tegenhouden. 'Ik heb geslapen,' flapte ik eruit. 'Ik heb al die tijd geslapen. En ik heb over iemand gedroomd. Verder niets.' Weer die hete tranen; een gênante snik. 'Het was allemaal een stomme droom,' snotterde ik. 'En nu ben ik wakker geworden. Net. Vanavond.'

'En je wilt weer dromen,' zei Lillian, die me geruststellend over mijn rug streelde. Ze knielde naast de stoel en sloeg haar armen om mijn schouders, liet haar hoofd tegen dat van mij rusten. 'Ik weet het,' zei ze. 'Dat wil ik ook altijd.'

Ik sliep die nacht in het Martha Washington. Lillian leende me een nachtpon en stopte me in bed, een hartverscheurende echo van hoe moeder vroeger voor me zorgde, waaraan ik al in geen jaren meer had teruggedacht, zelfs niet toen ze nog leefde. Lillian trok de deken naar mijn kin en neuriede een verdrietig melodietje, en ik vroeg me af of zij een parallelle echo beleefde, of zij terugdacht aan hoe ze Sergio als klein jongetje in bed had gestopt.

Mijn heup deed pijn. Lillian bleef bij me zitten tot ik sliep. Het was een diepe en droomloze slaap.

Ik werd vroeg wakker, alleen. Ik waste me in de smerige badkamer in de gang. Ze waren sinds ik uit het Martha Washington was vertrokken nog niet aan de renovaties begonnen. Het hele pand stond stil, gevangen in een andere tijd. Over minder dan een maand begon er een nieuw decennium, de stad veranderde, knapte zichzelf op, maar niet in 29th Street. Lillian had verteld dat haar broer problemen had zijn geld uit Argentinië te halen, dat de situatie in haar moederland nog niet was verbeterd. Ik gaf haar voordat ze weer achter de receptie ging zitten het briefje van Pearl, met de naam en het telefoonnummer, en zei dat ik later die dag nog even zou terugkomen. Lillian gaf me een schouderklopje alsof ze me naar school stuurde.

Ik begon, licht kreupel, aan de bekende wandeling van het Martha Washington naar de Arcade. Maar de gewoonte was ingesleten en het wandelingetje had niets van de vroegere verrassing, de stad was zijn frisse uitstraling die bij daglicht hoorde, kwijt. Als je de weg eenmaal kent, krijg je dat vroegere gevoel van ontdekking niet meer terug; ik kon het onbekende New York niet meer terugkrijgen. Ik liep langs het vieze park, dat door de sneeuw bijna niet te onderscheiden was van de stedelijke omgeving, dat nu onderdeel van een groter landschap was, niet meer dan de herinnering dat het had gefunctioneerd als mijn natuurlijke klok die de seizoenen had aangegeven. Ik haalde diep adem. Ik moest naar de Arcade, ik moest aan het werk. Ik moest Oscar onder ogen komen. Ik moest mijn excuses aanbieden. Ik moest volwassen worden en mijn fantasieën voor mezelf houden.

De winter was moeilijker dan ik me had voorgesteld.

Zestien

Walter Geist was de eerste die ik zag toen ik in de Arcade binnenkwam. Pike en hij waren vrijwel altijd vroeg; meneer Mitchell was bijna altijd te laat. Ik keek toe hoe Geist bij het podium van Pike tegen een stapel boeken, die lag te wachten om in de kast gezet te worden, aan liep. Hij keek schichtig om zich heen om te controleren of iemand hem had gezien. Ik had nog niets gezegd, maar hij wist op de een of andere manier dat ik er was.

'Ik wil je even spreken in het kantoortje,' zei hij. 'Kom alsjeblieft zodra je je jas hebt opgehangen naar boven, Rosemary.'

Hij zag er ziek en gespannen uit, als een schaaldier dat buiten zijn schelp uitdroogt. Nu ik er was, voelde ik me een beetje zoals hij eruitzag: ernaar smachtend gevoed te worden.

Ik had mijn jas al uitgetrokken en had hem in mijn hand. Ik had dezelfde kleren aan als de dag ervoor en er zat een wittige zoutvlek bij mijn heup, maar Pearl zou de enige zijn die dat zou zien. Ik had een flinke blauwe plek op mijn been, die pijnlijk was als ik hem aanraakte. Die amulet van Chaps was dus ook niet zo geweldig: innerlijke pijn, een gebroken hart. Oscar had gezegd dat dat hetzelfde was.

Geist liep naar zijn kantoor.

Pike stond op zijn podium te telefoneren en sneed met zijn vrije hand de lucht in stukjes van ongeveer een bladzijde. De hoorn in zijn andere hand was lachwekkend groot, zelfs de telefoon was een anachronisme in de Arcade. Het grootste deel van de stokoude technologie die er werd gebruikt, was kapot, maar de oude telefoon deed het nog. Pike wilde zich niet aanpassen aan de eeuw waarin hij moest functioneren, vooral als dat betekende dat hij een object moest vervangen dat nog prima functioneerde. Ik vroeg me af of dat ook voor Geist gold. Ik kon me niet voorstellen dat die nu goed functioneerde.

'Daar klopt helemaal niets van, Mitchell,' zei Pike vrij fel. 'Je hebt het mis. Zoals altijd. Ik zal het tegen hem zeggen, maar ik weet zeker dat je je vergist. Alle correspondentie ligt bij mij. Bespaar de Arcade je samenzweringstheorieën! En je bent weer te laat!'

Hij gooide de zware bakelieten hoorn op de haak. Hij zag dat ik bij het podium stond.

'Ik wil niet dat je naar de gesprekken van George Pike luistert, juffrouw Savage. Dat wordt ook wel afluisteren genoemd. Het is ordinair.'

Wist hij dat ik het al eerder had gedaan? Ik bloosde.

'Het spijt me, meneer Pike, ik was net op weg naar, eh, het kantoor. Het spijt me.'

'Ben je wel in orde?' vroeg hij meer nieuwsgierig dan bezorgd.

'Ja, hoor. Dank u, meneer Pike. Het gaat prima.'

'Mooi. En niet ronddrijven vandaag. Als je bij meneer Geist klaar bent, ga je de rest van de dag op Oscars afdeling werken.'

'Op non-fictie?' Ik schrok bij het idee dat ik zo snel met Oscar geconfronteerd zou worden. Ik had geen idee hoe ik het moest aanpakken. Wat moest ik zeggen? Zou hij wel tegen me praten? Ik moet er geschokt uit hebben gezien.

'George Pike zegt dat je vandaag op non-fictie werkt. Is dat een probleem?'

'Nee, meneer. Ik...'

'Oscar is er vandaag niet,' zei hij. Er ging een golf van opluchting door me heen. 'Je zult moeten proberen zijn vaste klanten tevreden te stellen. Het is druk! Het is bijna kerst!'

Die uitspraken deed hij tegen de omringende lucht, en daarna draaide hij zijn hoofd enigszins mijn kant op.

'George Pike adviseert winkeldieven goed in de gaten te houden. Dieven zijn gek op deze tijd van het jaar. Ze zien in alles een cadeau, zelfs als het dat niet is. Aankopen zijn geen cadeaus. Opgelet!'

Hij gebaarde naar zijn eigen gezicht en zette komisch grote ogen op. Was Redburn weer hier geweest? Hoeveel andere dieven waren er? Zijn paranoia nam duidelijk de omvang van een hele roversbende aan.

'Ja, meneer Pike.'

Ik zou het moeten goedmaken met Oscar, maar niet vandaag.

Ik hing mijn jas op in de toiletruimte, waar het GEORGE PIKE TOLEREERT GEEN DIEFSTAL VAN GELD OF BOEKEN!-bord me toeschreeuwde, overbodig verwijzend naar de auteur. Ik liep op verzoek van Geist naar boven, langzaam de treden op: mijn been deed pijn en de gammele leuning bood aan die kant van de trap geen enkel houvast.

'U wilde me spreken, meneer Geist?' zei ik nadat ik even bij de deur had staan wachten.

Geist zat een papiertje te lezen, dat hij nog geen drie centimeter van zijn gezicht vandaan hield.

Het leek me onmogelijk dat hij iets wat hij zo dicht tegen zijn gezicht hield, kon lezen. 'Aha,' zei hij, en hij gooide het papiertje op zijn overvolle bureau. Ik vroeg me af waarom hij zijn loep niet gebruikte, waarom zijn bril nog in zijn borstzak zat; ik zag de ketting glinsteren. Misschien had hij het opgegeven.

'Kom binnen, Rosemary,' zei hij terwijl hij anders ging zitten en naar voren leunde. 'Ik heb je hulp nodig.'

'Ja, meneer Geist,' zei ik weinig enthousiast. Nu ik hem verdacht van samenzwering tegen Pike, tegen de Arcade, wist ik niet hoe ik me tegenover hem moest gedragen. Kon het waar zijn? Wilde hij mij erbij betrekken?

'Meneer Pike wil een kleine kerstreceptie organiseren. Niet overdreven. Of duur. Wijn en kaas. Na sluitingstijd.'

Hij zwaaide met zijn delicate hand door de lucht alsof die meer verstand had van dit soort zaken dan hij.

'Heeft u een datum in gedachten?' vroeg ik, opgelucht dat dit nu het enige soort hulp was waarom hij vroeg.

'Nou, op eerste kerstdag zijn we gesloten, dus zullen we het op kerstavond doen?'

'Vandaag over twee weken dus?'

'Nee. Of wel?' Hij leek verward en leunde achterover. 'Echt waar?'

Hij wreef met twee handen over zijn gezicht en liet ze een lang moment liggen, zijn hoofd in zijn handen. 'Er is nog maar weinig tijd, Rosemary,' zei hij raadselachtig. Toen liet hij zijn handen vallen.

'Pardon?' vroeg ik terwijl ik naar zijn bureau liep. Hij was echt ziek. 'Meneer Geist, wat is er?'

'Wat er is?' herhaalde hij. 'Alles gaat voorbij, Rosemary. Tijd is een last, vind je niet? Als je een klok bent, zoals Metcalf zei. Bij Peabody. Ga even zitten,' zei hij. 'Alsjeblieft?'

'Maar meneer Geist, ik moet Oscar vervangen. Die is er vandaag niet.' Ik ging toch maar zitten.

'Dat weet ik,' zei hij. 'Dat is voor het eerst. Hij is onze betrouwbaarste werknemer. Heel opmerkelijk. Hij is in vijf jaar nog geen dag ziek geweest.'

Ik voelde me schuldig en dacht, heel dwaas, dat hij er niet was vanwege mij. Geist zag er uitgeput uit en hij hield op met praten. Zijn weifelende ogen waren rusteloos, op die aparte manier afgewend; hun beweging voorkwam direct oogcontact. Hij zakte wat in elkaar.

'Slaapt u niet goed?' vroeg ik, zenuwachtig dat ik tegenover hem zat zonder een gesprek te voeren. Ik maakte me echt zorgen. Ik vond hem ontroerend, ondanks zijn geheime plannen, ondanks zijn vreemde behoeftes. Het drong tot me door dat ik me niet kon voorstellen dat deze kwetsbare man een dief was, het voelde idioot dat te suggereren.

'Ik lijd aan slapeloosheid, Rosemary, nu je ernaar vraagt. Dat is een symptoom dat de melancholieken onder ons kruisigt, zoals iemand ooit eens heeft gezegd,' verzuchtte hij.

Gekruisigd? Door slapeloosheid? Ik dacht meteen aan Agatha, aan de boeg die uit het zand stak. Misschien had hij *The Isle of the Cross* nodig om een vreselijke schuld af te betalen? Ik wist dat moeder aan slapeloosheid had geleden door de geldzorgen en dat haar gezondheid erdoor was ondermijnd.

'Bent u naar een dokter geweest?' was het enige wat ik kon bedenken te zeggen.

Hij gebaarde met beide handen, een prachtige geste, alsof hij vleugels spreidde, en toen liet hij ze op het slordige oppervlak van het bureau vallen.

'Ik heb mijn loyaliteit verlegd,' zei hij cryptisch na een lange stilte. 'Ik wil uiteindelijk toch geen janitsaar zijn, geen strooplikker die zich laat koeioneren.' Hij keek van me weg. 'Ik kan niet berusten in mijn situatie, begrijp je. Jaloers op iedereen en heimelijk verliefd. Ik wil iets voor mezelf.'

Ik begreep geen woord van wat hij zei, maar leunde naar voren om zijn gelispelde woorden beter te kunnen verstaan. Ik riep mezelf tot de orde. Ik moest opletten, dacht ik, opletten. Oscar wilde weten wat Geist tegen me zei. Ik moest alles wat hij zei, onthouden. Wat was er precies met hem aan de hand?

'Ik ben altijd een buitenstaander, Rosemary,' sprak hij zacht verder. 'Een opvallende buitenstaander. Er zijn altijd anomalieën, en ik ben er een.'

Ik vermoedde dat hij bedoelde dat hij altijd overal buiten stond, dat hij een rariteit was, wat ook zo was, maar op een bepaalde manier was ik dat ook.

'Dat kan ik ook over mezelf zeggen, meneer Geist. Ik heb

vaak het gevoel dat ik een verbannelinge ben. Een vis op het droge.'

Hij klaarde op door mijn woorden, bij het idee dat ik mezelf met hem vergeleek; misplaatst en analoog. Hij had een keer geprobeerd me zover te krijgen dat ik toegaf hoe gewoon ik was, en nu probeerde ik hem gerust te stellen met onze overeenkomsten.

'Rosemary, ik wil het met je over iets anders dan mezelf hebben,' begon hij, en hij leunde naar voren. 'Je kunt heel veel voor me doen. Vorige week, toen we naar Peabody zijn geweest en we Sam Metcalf hebben ontmoet...'

Jack Conway verscheen in de deuropening; hij klopte onbeschoft hard op het houten kozijn. 'Het spijt me dat ik stoor,' zei hij met zijn brutale Ierse accent. Zo te zien speet het hem helemaal niet. Hij zag er nieuwsgierig uit.

'Wat is er?' vroeg Geist razend.

'Pike wil u spreken. Hij heeft me naar boven gestuurd om u te halen. Probleem met een klant. In de kelder.'

'Goed,' snauwde Geist. 'Rosemary, ik...'

'Ik weet het, meneer Geist. Ik moet vandaag naar nonfictie.'

Jack wachtte in de deuropening tot ik opstond en de overloop op liep.

'Zaten jullie gezellig te babbelen?' mompelde hij tegen me. 'Als je behoefte hebt aan gezelschap, hoef je niet naar die getikte oude Geist, hoor.' Hij trok suggestief zijn wenkbrauwen op.

'Wat!'

'Ik doe een eenzaam meisje altijd graag een plezier,' zei Jack, en hij liet de kapotte leuning rammelen. Ik liep voor hem uit naar beneden. 'Ik wil wel, hoor,' fluisterde hij achter me in mijn haar. 'Je zegt het maar, Rosemary. Je hoeft het maar te zeggen.'

Zijn hand schoot naar voren en greep mijn bil. Ik struikelde.

'Voorzichtig. Als je valt, vang ik je wel, hoor.' Hij begon te lachen.

Ik sprong de laatste twee treden van de trap af en er ging een stekende pijn door mijn heup.

'Nee, bedankt, Jack,' snauwde ik terug. Mijn gezicht voelde heet van walging voor hem.

'Speel je liever Belle en het Beest?' fluisterde hij. 'Of is eenoog koning in het land der blinden? Houd je wel van een beetje plagen?'

Hij stak zijn hoofd op een minachtende manier omhoog, zijn glanzende litteken ook een soort belediging. Wie was hij dat hij iemand anders een beest mocht noemen?

Walter Geist stond ondertussen achter ons, en blafte tegen Jack dat hij naar de paperbacktafels voor in de winkel moest. Ik dacht niet dat hij Jacks beledigingen had gehoord, maar ik voelde me erdoor gekwetst en bedacht, met stil ongenoegen, dat hij waarschijnlijk niet de enige was die dergelijke gedachten had. Ik wist dat Geist me iets wilde vertellen en ik wist ook dat ik liever niet had dat hij dat deed. Ik zou alles wat hij mij vertelde, doorgeven aan Oscar. Ik zou Oscar nu alles aanbieden wat hij interessant vond, als vorm van verontschuldiging, om het goed te maken met hem.

Ik had tenminste een dag uitstel gekregen voor ik Oscar onder ogen zou moeten komen. Ik dwaalde door zijn afdeling; ik miste hem. Dacht hij aan *The Isle of the Cross*, aan Melville en zijn verhaal over wroeging, of aan mij? Ik voelde me verward en gegeneerd over mijn gevoelens over Jacks insinuaties; over Geists vertrouwelijkheden. Ik liet mijn hand langs de planken in Oscars psychologieafdeling glijden, te wanhopig om een boek uit de kast te pakken en wat te lezen. Misschien moest ik iets pakken wat indirecter was dan de werking van de geest. Misschien de ziel? Omhels je ziel. Ik liep naar de filosofieafdeling, ondanks het feit dat ik me alles behalve filosofisch voelde, en pakte zomaar een boek dat op ooghoogte stond. Ik las oppervlakkig iets onbegrijpelijks over hoe tijd de gestalte van intelligentie is, een dunne lijn die ons alleen één voor één dingen onthult. Ik sloeg het met een klap dicht. Wat een onzin!

Meneer Gosford, verzamelaar met een schijnbaar onuitputtelijke hoeveelheid geld, verscheen in mijn ooghoek en ik verstopte me in de hoop hem te ontlopen achter een kast. Ik had geen zin om vragen te beantwoorden. Ik voelde de werveling van boeken waarin Oscar en ik ons samen hadden teruggetrokken niet meer en toen ik Gosford richting mijn verstopplek zag komen lopen, dook ik achter de biografieën en liep door het militaire-geschiedenispad, maar toen stond ik plotseling exact op de plek waar Oscar gewoonlijk zat om zijn klanten te begroeten en in zijn schrift te schrijven.

Non-fictie was nog steeds een doolhof voor me, maar nu ik even vrij was van Gosford kon ik stiekem doen alsof ik Oscar was. Er lag een dichtbundeltje op zijn kruk. Ik pakte het en ging op de kruk zitten om mijn heup even rust te geven. Ik had nog nooit op zijn kruk gezeten en had er ook nog nooit iemand anders dan Oscar op zien zitten. Het was zijn troon, en niet bepaald een comfortabele. Ik opende het boekje waar het was gemarkeerd met het uitstekende deel van de flap. Er waren een paar regels gemarkeerd, met potlood, midden op de bladzijde. Ik keek om me heen. Had een klant het achtergelaten? Was het voor mij neergelegd? Voor Oscar?

Wie weet er nog wat magie is...
De macht te betoveren
die voortkomt uit desillusie.
Wat je van boeken kunt leren
is dat de meeste verlangens eindigen in stinkende meren...

Onder een andere regel, bijna onder aan de pagina, stond een dikke streep. Hij leek wel speciaal voor mij geschreven. Zo interpreteerde ik hem tenminste. Als je zomaar tegen een gedicht aanloopt, voelt dat nooit als toevallig.

Alles wat we niet zijn, staart wat we wel zijn in de ogen.

Wat moest ik daarmee? Iemand moest opzettelijk een dichtbundel op de non-fictieafdeling hebben achtergelaten, nota bene op Oscars kruk. Ik draaide het boek om en besloot het naar de goede afdeling terug te brengen, naar de plank die ik op de eerste dag dat ik in de Arcade werkte, was beginnen te ordenen, zes maanden daarvoor. Ik gleed van Oscars kruk en liep naar de poëzieafdeling.

Ik dacht terug aan mijn eerste ontmoeting met George Pike en Walter Geist. Alles had toen zo onafwendbaar gevoeld, mijn toekomst als een open boek dat lag te wachten tot ik het zou lezen. Dat Pike me zo gemakkelijk had aangenomen, voelde magisch. De hele Arcade had die dag gevoeld als een creatie die speciaal was ontworpen om in mijn behoeften te voorzien.

Dat die gedachtegang niet klopte, is me nu pas duidelijk. Hoewel de Arcade me enorm bevredigde en me heel veel leerde, was het geen wensvervulling dat ik hem had gevonden. Het leven is gecompliceerder en wordt gekenmerkt door lijden dat niet kan worden verlicht en in sommige gevallen zelfs niet begrepen. Het voelde alles behalve een lijn in de tijd waarin ervaringen je één voor één worden aangeboden... alles tegelijk in een groot kluwen was meer hoe ik het ervoer.

Voordat ik het boek in de kast zette, daar op de eerste plank van de poëzieafdeling, trok ik een haar uit mijn hoofd, die ik in de vouw waar de bladzijden tegen elkaar liggen, stopte. Ik markeerde een plek; mijn hele wezen in één rode haar. Het voelde als een boodschap voor degene die het boek op Oscars kruk had achtergelaten. De haar krulde als een koperdraad op het witte papier, een enkele draad die het verhaal kon vertellen, die de weg kon wijzen.

Ik had de boodschap gelezen, hoewel ik haar niet begreep. En daar was ik, in een boek, dat ik had teruggezet op de plek waar ik was begonnen, net zo cryptisch als het gedicht. Oscars afwijzing had me duidelijk gemaakt wat ik niet was, wat ik niet voor hem kon zijn. Ik las de dichtregels nogmaals. Stond er echt in boeken dat de meeste verlangens in stinkende meren eindigen? Dat stond niet in de boeken die ik had gelezen. Boeken waren juist een bron waar verlangen ontstond. Was dat niet precies de bedoeling?

Zeventien

Arthur kwam aansjokken van de kunstafdeling en haalde me uit mijn dagdroom. Hij keek naar de kaft van het boek dat ik van Oscars kruk had gepakt. 'Lees je nu Auden, Tasmaans duiveltje? *De zee en de spiegel?* Je wordt toch niet de volgende dichteres van de Arcade, hè? Heb je die speciale oorziekte opgelopen... rijmelarij?'

'Doe me een lol, Arthur,' zei ik vlak en niet geïnteresseerd in een babbeltje. Ik dobberde net zo tevreden rond.

'Normaal gesproken ben je 's ochtends vroeg niet zo kortaf, TD,' zei hij quasi gekwetst. Hij wees naar het boek. 'Hij is een van mijn helden, wist je dat? Dit is zijn commentaar op *De Storm.*'

Nu Chaps favoriete toneelstuk werd genoemd, moest ik aan haar denken. Ik miste haar, ik miste het gevoel dat het vanzelfsprekend was dat er iemand onvoorwaardelijk van me hield. Iemand die absoluut zeker wist wie ik was, die me had geholpen te worden wie ik was.

Arthur verplaatste zijn gewicht naar zijn andere voet en keek me aan. Hij stonk uit zijn mond en ademde zwaar; zijn gewicht lag als een straffend pak over wat ik me voorstelde dat zijn slanke zelf was. Er zat daarbinnen een andere Arthur gevangen; dat bevestigden zijn ogen toen hij naar me glimlachte.

'Ik sta altijd open voor een babbeltje, TD... als je daar behoefte aan hebt,' bood hij aan. 'Je weet dat ik dol op je ben, en ik ben niet dol op veel mensen... tenminste niet hier.'

Hij was bezorgd om me, hoewel ik er niet van was overtuigd dat hij oprecht was. Ik had heimwee, en bij gebrek aan Chaps zou ik graag even naar meneer Mitchell zijn gegaan. Maar na mijn laatste bezoekje wist ik ook niet meer wat ik van hem moest denken en betwijfelde of hij me de troost kon geven waaraan ik behoefte had.

'Ik moet vandaag op Oscars afdeling werken,' zei ik tegen Arthur. 'Hij is er niet. Dat boek lag op zijn kruk, dus ik kom het even terugbrengen.'

'Aha, de Eeuwige Terugkeer!' grapte Arthur boven mijn hoofd. 'Dit is voor het eerst dat Oscar er niet is,' zei hij, en toen wreef hij bedachtzaam over zijn enorme buik. 'Laat staan dat hij Auden laat rondslingeren.'

'Volgens mij heeft hij het niet laten liggen. Dat moet iemand anders hebben gedaan.'

'Dat zal wel,' zei hij. Zijn maag maakte een zompig geluid. 'Oscar houdt niet van poëzie, tenzij het in velijn of zijde is gebonden.'

'Waarom is Auden je held?' vroeg ik terwijl ik het boek op zijn plaats probeerde te wringen. Het voelde alsof ik de muziek terug probeerde te duwen in een accordeon. Ik gaf het op en legde het boven op wat andere boeken.

'O, je weet wel: omdat kunst van de verkeerde kant is en zo, of zoals Auden het zei: "*Art is like queerness*". Dat begrijp ik,' zei Arthur. 'Behalve dan dat ik geen dichter ben en dat de enige kunst die ik tegenwoordig maak kunst is die je kunt eten. O, en die kunst die ik opgeborgen in boeken verkoop.'

Hij probeerde luchthartig te klinken, maar in plaats daarvan klonk hij berustend.

'Wat betekent dat, Arthur? Dat kunst van de verkeerde kant is?'

'O, dat is gewoon een theorie.' Hij zwaaide met zijn dikke hand door de lucht. 'Volgens mij bedoelde Auden dat als er ergens een talent in schuilt, er ook een schuldbewust geheim is, een doorn in het vlees, een keerzijde. Je krijgt beide tegelijk en de aard van het een hangt af van de aard van het ander. Ik heb zijn werk bestudeerd. Toen ik in de war was, en jong, en me schaamde voor wie ik was. Toen ik nog dacht dat ik schrijver zou worden.'

Hij glimlachte verdrietig. 'Dat was heel lang voordat ik hier kwam werken, TD.'

Audens idee kwam op me over als diepzinnig geheimzinnig. Excentriciteit en kunst... een schuldig geheim. Ik dacht aan Oscar en de avond ervoor. De brieven van Melville aan Hawthorne, het verhaal van Agatha. Misschien was verlangen gewoon een ander woord voor excentriciteit? En excentriciteit een ander woord voor een manier om het aan te kunnen, een manier om zingeving te vinden? Arthur raakte mijn schouder aan en ik ontwaakte uit mijn dagdroom.

'Wat is er, mijn Tasmaanse duiveltje?'

'Wat denk jij dat Oscars talent is?'

'Oscar?' Arthur zuchtte. 'Dat is moeilijk te zeggen. Hij is zo op zichzelf. Ik heb door de jaren heen heel wat lange gesprekken met hem gevoerd en het enige wat ik ben gaan beseffen, is dat het monologen zijn. Hij luistert alleen maar. Ik neem aan dat dat een talent is. Hij is heel slim. Maar zijn talent ligt niet in liefhebben, als dat is waarnaar je vraagt. Hij kan niemand liefhebben, dat weet ik zeker. Geen vrouwen en geen mannen.'

'Echt? Niemand? Dat klinkt ongelooflijk triest.'

'Alleen als je wilt dat hij ook van jou houdt,' zei Arthur, die zijn gewicht weer naar zijn andere voet verplaatste. 'En dat is minder zijn probleem dan dat van jou. Of zelfs,' hij zag er verdrietig uit, 'dat van mij.'

Hij gebaarde richting Oscars boekenkasten. 'Oscar heeft zijn non-fictie. Zijn stofjes. Zijn dierbare schriften. Volgens mij heb jij een vreselijk romantische inborst, Rosemary.'

'Dat denk ik ook.'

'Voor iemand die zo kwetsbaar is als Oscar, is romantiek een extravagantie. Een onmogelijke eis.' Hij klopte op mijn wilde haar. 'Genoeg gekletst! Wil je me helpen met een voorraad? Ik heb een ongelooflijke doos Goya-monografie-en. Ik zal ze je laten zien... kunst opent het meest wezenloze oog, wist je dat? Fantastisch materiaal. Of ken je hem al? *De droom van het verstand baart monsters?* Of *Saturnus verslindt zijn eigen kinderen?*'

'Nee,' zei ik, en ik haalde mijn schouders op. Arthur wilde me ook onderwijzen. 'Ze klinken niet al te vrolijk.'

'De Oude Meesters wisten waarover ze het hadden als het op lijden aankwam.' Hij sloeg een zware arm om mijn schouders. Ik rook zijn zweet. 'Kom, dan laat ik je Goya zien en dan verhuizen we hem naar voren. Pike denkt nota bene dat die boeken het goed zullen doen met de kerst!'

Hij kneep in mijn arm. 'Je bent een grote sterke Australische,' zei hij. 'Jouw rug is veel sterker dan de mijne.'

Arthurs maag rammelde hoorbaar en hij sloeg er met zijn hand tegenaan. 'Over verslinden gesproken. Mijn god! Ik barst van de honger!'

'Ik heb ook honger, ik ga aan de overkant wel even broodjes voor ons halen.'

Ik had die avond ervoor voor het laatst gegeten, met Arthur in dat eetcafé. Ik zag weer voor me hoe hij tegenover me zat in die rode box, minutieus de kosten van zijn eieren berekenend, afgeleid door en opgewonden over Melville, over de mogelijkheden van *The Isle of the Cross.*

Ik had vreselijke honger.

'De maag is een tiran,' zei Arthur, die helemaal vrolijk werd bij het vooruitzicht op eten. Hij gaf me een verfrommeld, vochtig briefje van tien dollar, dat hij uit zijn broekzak had gevist.

'Die van mij eist onvoorwaardelijke gehoorzaamheid, Rosemary. Rosbief met alles erop en eraan. Ik betaal, als je maar opschiet!'

Toen ik via de achterdeur terugkwam met de broodjes, zag ik meneer Mitchell de trap naar het kantoor van Geist op lopen. We hadden elkaar niet meer gesproken sinds mijn bezoekje aan zijn afdeling, toen ik die flater had begaan hem over die brief te vertellen die ik aan Geist had voorgelezen. Ik voelde me nu ongemakkelijk, ik was niet meer overtuigd van zijn goedwillendheid.

'O, meneer Mitchell. Goedemorgen. U zie ik niet vaak buiten de afdeling zeldzame drukken.'

'Je hebt mij gevonden, lieve kind, maar ik was op zoek naar jou. Ik dacht dat je misschien in zijn kantoor was.'

'Waarom denkt u dat?' vroeg ik.

'Ik nam aan dat Geist er zou zijn en dat jij er misschien ook zou zijn, om hem te assisteren. Je brengt veel tijd door met hem assisteren.'

'Hij is in de kelder. Ik heb net broodjes gehaald voor Arthur en mij. Ik werk vandaag op Oscars afdeling. Hij is er niet.'

'Dat is heel ongebruikelijk. Dat vertelde Gosford me net ook al. Hij was op zoek naar iets van Nietzsche. Geen idee waarom. Ik heb een eerste druk,' vervolgde hij afgeleid, 'maar die was hem te duur, en ik wilde niet zakken met de prijs. Vandaag niet, tenminste...'

'Maar goed,' zei ik, en ik draaide me om om weg te lopen, maar meneer Mitchell hield me tegen.

'Wat is er, meneer Mitchell? Ik moet naar Arthur, hij heeft vreselijke honger.'

'Ik wilde eerlijk gezegd mijn excuses aanbieden voor die emotionele uitbarsting, laatst. Over dat Geist je had laten voorlezen. Het spijt me, Rosemary. Dat was heel ongevoelig van me. En egoïstisch.'

Ik vergaf het hem onmiddellijk; het drong tot me door dat ik had gehoopt dat hij mij zou vergeven, hoewel ik eigenlijk niets had gedaan. Met alles wat er sindsdien was voorgevallen, wilde ik alleen maar dat hij aardig tegen me was. Ik was afhankelijk van zijn vriendelijkheid en net als met Oscar had ik er alles voor over om te zorgen dat hij niet kwaad op me zou zijn. Maar ik kon hem niet over *The Isle of the Cross* vertellen. Dat was van Oscar.

Meneer Mitchell zei zacht, maar op dringende toon: 'Maar je houdt het wel in de gaten, hè, lieve kind?'

Hij wees naar zijn open oog en kneep het andere dicht alsof hij door een telescoop tuurde. Hij zag eruit als een piraat op leeftijd.

'En als je iets wilt vragen over een brief, kom je naar me toe, toch? Je hoeft niet te wachten tot je een klant moet brengen, hoor, kom maar gewoon naar boven. Als er nog brieven komen, bedoel ik. Of als je iets anders hoort.' Hij voegde er verontwaardigd aan toe: 'Alles wat Geist in handen krijgt.'

'Ja, natuurlijk, meneer Mitchell,' stelde ik hem gerust. 'Natuurlijk doe ik dat. En u hoeft u niet te verontschuldigen, hoor, ik weet hoe belangrijk de afdeling zeldzame drukken voor u is.'

'Eilaas, ze is mijn leven!' Hij keek theatraal om zich heen, alsof hij medeleven zocht. 'Maar zoals ik maar al te goed weet, en zoals mevrouw Mitchell me regelmatig helpt herinneren: *Habent sua fata libelli.*'

Mijn gebrek aan kennis was overduidelijk, dus hij legde uit: 'Latijn, lieve kind. Een van mijn strijdkreten: boeken hebben hun eigen lot! Ik weet zeker dat dat zo is. Ik geloof het. En ik moet niet inhalig zijn over wat me toevalt. Over hoe het me toevalt. Het spijt me. Vergeef je me?'

Hij pakte mijn hand en klopte erop. Zijn rode gezicht kwam dichter naar dat van mij. Hij gedroeg zich samenzweerderig, maar zolang ik bij de samenzwering werd betrokken, maakte dat me niet uit. Ik dacht terug aan Pike, die aan de telefoon had gezegd dat hij het mis had. Helemaal mis. Waarover kon Robert Mitchell het in vredesnaam mis hebben?

'Natuurlijk,' zei ik. 'Er valt niets te vergeven.'

'En je zult toch aan me denken, hè? Als er brieven zijn? Of andere informatie?'

Ik knikte afgeleid, ik wilde mijn broodje opeten.

'Goed zo, lieve kind,' zei hij. Toen viste hij zijn pijp uit zijn zak en stak de steel in zijn mond.

'Had jij gisteren niet hetzelfde aan?' vroeg Pearl slinks toen ik later die middag het damestoilet binnen liep, onze ontmoetingsplaats. 'Je gaat me toch niet vertellen dat je niet thuis bent geweest, hè? Zeg dat dat niet waar is!'

'Ik ben vannacht niet thuis geweest, Pearl. Wil je me er alsjeblieft niet naar vragen?'

'Oké,' zei ze. 'Ik zal jou niets vragen als je mij niet naar mijn auditie vraagt.'

'O, het spijt me, Pearl.' Die was ik helemaal vergeten. 'Sorry, dat ik er niet naar heb gevraagd. Hoe ging het?'

'Het was een ramp, meid.' Pearl ging zuchtend op de kapotte bank zitten. 'Ik had een scène uit Händels *Orlando* voorbereid. Ik kan als mezzosopraan een countertenorstem zingen. Er worden weleens vrouwen in die rol gecast. Het is een travestierol, en daar heb ik natuurlijk verstand van. Maar hoe dan ook, het leek me goed om eens iets ongebruikelijks te doen. Maar ik heb het verpest. Ik ben dichtgeklapt. Ik kan het net zo goed onder ogen zien. Je kunt niet alles hebben.'

'Wat is er dan gebeurd?'

'Mijn stem, Rosemary. Al die pillen die ik slik. Al die hormonen. Alles verandert, als in het sprookje. *Mutabor!* Ik ben Pearl!' Ze zwaaide met haar arm alsof ze iets transformeerde, maar haar gezicht stond wanhopig. 'Ik wil veranderen, dat weet ik zeker. Maar ik had er geen rekening mee gehouden dat ik mijn stem kwijt zou raken. Het is net alsof ik altijd iets moet kwijtraken om iets anders te kunnen krijgen.' Ze wees tussen haar benen, wat ik nogal gênant vond. 'En dat bedoel ik niet,' zei ze.

'Bedoel je dat je niet kunt zingen? Maar Pearl, ik hoor je zo vaak zingen. Je hebt een prachtige stem.'

'O, voor sommige genres is hij prima, maar voor opera ben ik niet geschikt. Niet meer, in elk geval. Niet als je verstand hebt van zingen.'

Pearl sloeg haar benen over elkaar en bestudeerde zuchtend haar oranje nagels. 'Weet je, die rol is voor een castraat geschreven. Dat zal je net zien,' zei ze sarcastisch. 'Over een paar maanden word ik geopereerd. Laat ik me daar maar op concentreren.' Ze keek naar me op. 'Na de operatie krijg ik alleen nog maar meer pillen.'

'Laat je het in New York doen, Pearl?' vroeg ik. 'Kan ik bij je op bezoek komen?'

'Natuurlijk kan dat, meid. Daar reken ik op. Maar het gebeurt niet in New York. Ik ga naar het Johns Hopkins in Baltimore. Dat heeft een geweldige reputatie. Ik ben er al een paar keer voor een gesprek geweest. Mario betaalt alles, zelfs de therapie die ik het afgelopen jaar heb gehad.'

'Ben je bij een psychiater geweest?' Pearl was mentaal de gezondste persoon die ik kende in New York. 'Helpt dat?'

'Voor sommige dingen wel,' antwoordde ze vaag.

'Waarvoor dan?'

'O, bijvoorbeeld dat ik nu net als jij een weeskind ben. Behalve dan dat mijn familie nog leeft... ik ben degene die dood is!' Ze glimlachte verbitterd. 'Maar ik heb nooit getwijfeld. Het is altijd zo voor me geweest, Rosemary. Ik had nooit iemand anders moeten zijn dan deze Pearl.' Ze greep liefdevol haar eigen borsten en ik bedacht hoe heerlijk het zou zijn als ik me net zo gemakkelijk en vertrouwd met mijn lichaam zou voelen als zij.

'Natuurlijk niet,' zei ik. Ik had geen idee wat ik anders moest zeggen.

'Je lichaam moet bij je passen.' Ze wees naar haar slaap. 'Het moet allemaal bij elkaar passen en het moet echt van mij zijn,' voegde ze eraan toe. 'Ik ben niet homoseksueel, zoals Arthur. Ik ben net als jij een vrouw. Er is alleen een foutje gemaakt en dat moet worden rechtgezet.'

'Natuurlijk,' zei ik nogmaals.

Ik begreep het niet echt, maar ik geloofde Pearl en ik geloofde wat zij over zichzelf wist. Ik was op een bepaalde manier zelfs jaloers op haar. Ze was zo zeker van zichzelf, zo actief in het proces waarmee ze zichzelf zou worden. Het was voor haar een praktisch, pragmatisch probleem. Ze zette me aan het denken over mijn eigen lichaam en of ik dat net zo geloofwaardig, net zo geheel van mij kon noemen als zij haar vrouwzijn verdedigde.

'Geist en meneer Pike zullen de kassa moeten doen als ik er niet ben. Ik zal een paar weken moeten herstellen, en ik overweeg meteen wat andere dingen te laten doen!' Ze gebaarde lachend naar haar prachtige lange neus en tuitte haar vermiljoenkleurige lippen.

'Niet doen, Pearl!'

Ze schoot in de lach.

'Meneer Pike heeft er vanaf het begin geweldig op gereageerd. Ik heb heel wat om dankbaar voor te zijn, Rosemary. Mario bijvoorbeeld, mijn eigen prins op het witte paard. En er is hier in de Arcade altijd een plekje voor me geweest.'

'Wat denk je dat meneer Pike gaat doen?' vroeg ik. 'Als je er niet bent, bedoel ik?'

'Wie weet?' grinnikte ze. 'Met al die geflipte kerels? Misschien zetten ze jou wel achter de kassa,' stelde ze voor. 'Dat zouden de klanten geweldig vinden!' Toen begon ze weer te lachen. 'Geen knorrige Pearl meer.'

'Maar ik ben helemaal niet goed met geld,' zei ik geschrokken. 'Ik kan mijn eigen financiën niet eens op orde houden. En jij bent veel geduldiger dan ik. En trouwens, ik drijf graag rond. Ik wil in de winkel werken, met de boeken.'

'Met Oscar, bedoel je,' zei Pearl. Ze imiteerde mijn accent en sloeg theatraal haar handen tegen haar borst.

'Pearl,' ik ging naast haar zitten en begon zachter te praten. 'Kan ik even met je praten? Ik moet je iets vertellen. Ik heb gisterenavond geprobeerd hem te zoenen, Pearl.'

'Nee!' zei ze heel hard. 'Na wat ik je had verteld!'

'Echt, Pearl. Ik heb me laten gaan en toen heb ik geprobeerd hem te zoenen.' Ik zag zijn gezicht voor me, verwrongen van walging. 'En hij is geschokt weggerend. En vandaag is hij voor het eerst niet op zijn werk.'

Ze probeerde niet te lachen en ik probeerde niet te huilen. Ze sloeg haar arm om mijn schouders en grinnikte zacht. Mijn problemen waren niet Pearls idee van een tragedie.

'Nou, Rosemary, meid, dit soort kwesties kan heel gecompliceerd zijn. En ik kan het weten.'

Ze ging rechtop zitten. 'Luister,' zei ze terwijl ze mijn schouders vastpakte en me dwong haar aan te kijken. 'Ik weet niet wat Oscar voor sores heeft, maar maak er niet jouw probleem van. Je bent jong en aantrekkelijk en je moet gewoon een man zoeken die van vrouwen houdt. Mijn god, er lopen hier dagelijks honderden mannen rond. Genoeg vissen in de zee, en dat soort geklets.'

Ik zag onwillekeurig het schilderij van de mismaakte vissenman uit Peabody's collectie voor me en huiverde bij de herinnering. Een ding wist ik zeker: de mannen die naar de Arcade kwamen, waren niet op zoek naar een vrouw... al hun – evidente – verlangen was op boeken gericht.

'Die zoeken geen vrouw, Pearl. Het lijkt wel of we in Henry James' *Brieven van een dode dichter* verzeild zijn geraakt!'

'Nou, zeg!' zei Pearl ongeduldig. 'Ga dan eens uit en kijk om je heen. Zo moeilijk is dat niet. Doe mij gewoon na. Het heeft mij nooit moeite gekost!'

Ze ging nog rechter op zitten en stak haar pronte boezem vooruit.

We schoten allebei in de lach. Pearl veegde in een zusterlijk gebaar mijn haar achter mijn oor.

'Luister, we gaan vanavond samen wat drinken. Om onszelf op te vrolijken. Alleen de vrouwen van de Arcade, met z'n tweetjes een avondje uit. Ik weet wel een leuke bar.'

Ze zwaaide naar me met haar lange nagels.

'Ik moet na het werk even naar Lillian. Ik heb gezegd dat ik zou komen. Ga je mee? Dan kun je haar leren kennen.'

'Tuurlijk, meid. Heb je haar dat telefoonnummer gegeven?'

Ik knikte.

'Ze zei dat ze zou bellen. Ik heb vannacht bij haar geslapen, Pearl. Nadat Oscar was weggerend. Ik had behoefte aan gezelschap en Lillian... Nou ja, ze was hier mijn eerste vriendin.'

'Je hebt me helemaal niet verteld waarom je met Oscar naar de bibliotheek bent geweest, Rosemary.' Pearl stond op en controleerde haar make-up in de spiegel. 'Dat was vragen om moeilijkheden,' voegde ze eraan toe. 'Waar waren jullie trouwens naar op zoek?'

'O, dat maakt nu niet meer uit. Het lijkt vandaag niet eens meer belangrijk.'

Pearl keek me sceptisch aan via de spiegel. 'Nou ja, je mag natuurlijk zelf bepalen wat je me wel en niet vertelt,' zei ze. 'Maar ga niet tegen mij klagen dat je eenzaam bent.'

Achttien

Lillian zat zoals gebruikelijk achter de receptiebalie aandachtig naar de televisie te kijken; de draad van de koptelefoon liep van het apparaat naar haar oren. Pearl en ik stonden minstens een minuut naar haar profiel te glimlachen voordat ze geschrokken opkeek alsof we opeens uit het niets waren gematerialiseerd.

'Rosemary!' schreeuwde ze. Ze was vergeten dat ze een koptelefoon op had.

'Lillian,' ik leunde over de balie heen en trok de koptelefoon van haar hoofd. 'Dit is mijn vriendin, Pearl, van de Arcade. Weet je nog dat ik je over haar heb verteld? Pearl Baird. Van dat telefoonnummer?'

'Ja,' zei ze. 'Leuk je te leren kennen. Lillian La Paco.'

Ze schudden elkaar de hand.

'Ben jij echt Pearl?' zei ze tactloos terwijl ze Pearls hand en haar gelakte nagels bestudeerde. 'Maar je bent toch een man?'

'Dat is de ellende met mensen,' zei Pearl tegen mij. 'Ze beoordelen een dame altijd op haar minpuntjes.'

'Lillian, alsjeblieft,' zei ik terwijl ik over de balie leunde om haar terecht te wijzen. 'Dat gaat je niets aan.'

'Ik wilde haar niet kwetsen, hoor.' Lillian haalde haar schouders op, alsof ze zich niet kon voorstellen dat Pearl zich gekrenkt zou voelen.

'Het viel me gewoon op, verder niets. Ik moet je bedanken, Pearl,' zei ze terwijl ze opstond en over de balie heen leunde. 'Ik heb vandaag een telefoongesprek gehad met iemand die daar werkt. Ik ga er volgende week na de kerst naartoe om met iemand te praten. Met een advocaat. Ze spreken daar Spaans en ik heb over Sergio verteld. Ze weten wat er gebeurt in Argentinië. Ze zeiden dat ze daar mensen hebben. Dank je wel, Pearl. Ik ga ernaartoe; ik heb het al aan mijn broer verteld, maar ik heb geen hoop.'

'Je hoeft me niet te bedanken,' zei Pearl. 'Maar probeer optimistisch te blijven. Misschien dat ze je kunnen helpen. Leven is moeilijk als je geen hoop hebt.'

'Dat is waar,' zei Lillian eenvoudigweg. 'Maar toch leef ik nog... Je moet begrijpen dat ik al heel wat mensen heb gebeld; heel veel mensen hebben me net als jij een telefoonnummer of een naam gegeven. Ik ben naar bijeenkomsten geweest, heb brieven gestuurd, heb met de Dwaze Moeders over het plaza gelopen. Om te protesteren, begrijp je? Ik probeer Sergio al jaren te vinden. Ik ben je dankbaar dat je me wilt helpen, maar ik heb geen hoop.'

Lillian vertelde het allemaal op heel feitelijke toon. Haar aristocratische gelaatstrekken verrieden de vernietigende werking van alles wat ze niet had gezegd, van alles wat ze niet had beschreven. Chaps had me weleens verteld dat ouder worden het proces was waarbij je hoop door inzicht verving, en ik bedacht dat Lillian die ruil veel te vroeg had gedaan. Ik zag dat Pearl haar bewonderde. Ze vonden elkaar aardig, ondanks de foute start. Ik voelde mijn vriendenkring uitbreiden, al was het maar op deze minimale manier. We glimlachten alle drie, schroomden om over iets anders te beginnen, maar dat was wel wat we wilden.

Deze twee vrouwen raakten me, ze waren zo anders maar toch ook hetzelfde, op een manier die ik niet onder woorden kon brengen. Misschien dat hun geduld, of zelfs de gelatenheid die hun leven kenmerkte, hen hetzelfde deed lijken. Of misschien kwam het gewoon doordat ik van hen allebei hield, en die affectie nu bewust voelde, nu ik voor het eerst met hen allebei samen was.

'En hoe is het nu met jou?' vroeg Lillian, en ze draaide zich naar me toe.

'Prima,' zei ik chagrijnig. 'Uitstekend. Een beetje gegeneerd over gisteren. Bedankt dat ik hier mocht slapen. Dat heeft me goed gedaan.'

'Je bent een jonge vrouw die dingen beleeft die soms alleen in je hoofd bestaan. Geen echte dingen. Dat is niet altijd slecht, Rosemary. Zo gaat dat in het leven. Maar je zult je af en toe wel gekwetst voelen.' Ze gebaarde naar haar hart en reikte toen over de balie heen om mijn gezicht aan te raken. 'Maar je hoeft je nooit te generen,' zei ze.

Pearl stond met een warme blik in haar ogen naar Lillian te kijken.

'Pearl en ik gaan vanavond uit, Lillian. Om onszelf op te vrolijken,' zei ik.

'Ga je ook mee?' vroeg Pearl. 'Of moet je hier blijven?'

'Ik kan niet,' zei Lillian. 'Maar bedankt voor de uitnodiging. Mijn broer heeft me hier nodig. Misschien wil er vanavond wel iemand inchecken. Hij heeft andere dingen te doen.'

Pearl keek steels om zich heen in de smoezelige lobby, naar de afgesloten gedeeltes, een ladder tegen de muur achter de voordeur. Ik begreep haar dubieuze gezichtsuitdrukking maar al te goed.

'En als we nou ergens wat te drinken halen en het mee hiernaartoe nemen?' stelde Pearl voor. 'Dan houden we je gezelschap.'

'Maar ik heb hier wijn!' zei Lillian, die opsprong en door een deur glipte. Het was de zij-ingang van het oude restaurant, dat de lobby van het Martha Washington ooit heel levendig had gemaakt. Zo zag het er tenminste uit op de vervaagde zwart-witfoto's die achter Lillians balie hingen. In de jaren dertig waren er blijkbaar mannen in het restaurant toegestaan, hoewel ze niet in het hotel mochten overnachten. Ze stonden met hun arm om een vrouw geslagen glimlachend op de foto.

Lillian kwam terug met een stoffige fles wijn en drie glazen. Ik liep met de glazen naar de toiletruimte op de gang en spoelde ze om. Tegen de tijd dat ik terugkwam met de glazen, was de fles open en zaten Pearl en Lillian half-Spaans, half-Engels met elkaar te praten.

'Ik heb een beetje Spaans geleerd van de vriend die ik voor Mario had,' zei Pearl tegen me toen ik de drie glazen op de balie zette. 'Jammer genoeg bijna alleen scheldwoorden.'

'Eén glaasje dan,' zei Lillian. 'Anders wordt mijn broer kwaad.'

'Hoe komt hij daar dan achter?' vroeg Pearl.

'Is hij er, Lillian?' vroeg ik. Ik had hem al die maanden maar een paar keer gezien.

'Nee. Hij is er niet, maar hij komt later en als hij me dronken en slapend aantreft...'

'Als je dronken ligt te slapen, kan het je niets schelen, geen *malcedir*,' zei Pearl. 'Dan valt het je niet eens op.'

'*Salute!*' zei Lillian, die lachend haar glas hief. 'Een toost op het je niet kunnen schelen. *No me importa un comino.* Dat het ons niet langer opvalt!'

We toostten alle drie op dat verstandige, onwaarschijnlijke idee en onze glazen klonken. Toen toostten we op kerst en het nieuwe jaar; op Pearls operatie; op Lillians gesprek met die mensenrechtenadvocaat en op een geschikte man voor mij. Niet te oud, vonden ze allebei, en iemand die in niets aan Oscar deed denken, voegde Pearl eraan toe.

'Het gaat allemaal om seks,' verklaarde Pearl, waarop Lillian achter haar hand begon te grinniken. 'Seks, seks, en nog meer seks!'

Tegen de tijd dat we klaar waren met op mij te toosten, was de fles leeg.

Lillian wilde nog een fles halen, maar ik voelde hoe moe ik was. Mijn hoofd tolde een beetje; ik was opgehouden te proberen het Spaans-Engelse gesprek te volgen en wilde naar huis.

'Dames!' onderbrak ik hen. 'Als jullie het goed vinden, ga ik nu naar huis. Ik ben moe en ik ben gisterenochtend voor het laatst thuis geweest.' Het voelde alsof ik een week was weg geweest.

'Wil je nog een glas wijn?' vroeg Pearl.

'Ik heb genoeg gehad,' zei ik beneveld. 'Maar zullen we dit nog eens doen?'

'Natuurlijk.'

'Eerste kerstdag?' stelde ik voor. 'Bij mij thuis? Dan is de Arcade dicht, Pearl. Het wordt mijn eerste kerst zonder mijn moeder. Ik kan wel wat gezelschap gebruiken.'

We spraken af dat Lillian met haar broer en Pearl met Mario zou overleggen. Ik werd eraan herinnerd dat ik niemand had om mee te overleggen... ik voelde me tegelijk opgelucht en verdrietig.

De vrouwen gaven me een kus voordat ik hen achterliet achter de balie van het Martha Washington, keuvelend als een stel volleerde kletskousen. We waren allemaal een beetje aangeschoten en extra lief voor elkaar, en ik bedacht dat de overeenkomst tussen Lillian en Pearl, behalve mij, was dat ze allebei onvoorstelbare ervaringen hadden gehad. Ervaringen die zo pijnlijk waren dat ze, als ze elkaar aankeken, oprechte verwantschap voelden.

Toen ik thuiskwam, stond er een pakje van Chaps voor me tegen de deur geleund, de kleurrijke Australische postzegels optimistisch in de rechterbovenhoek. Een kerstcadeau! Ik had haar andere pakje nog ongeopend op mijn kamer liggen en nu had ze me er nog een gestuurd. Maar dit kon niet wachten.

Er wachtte me binnen nog een cadeau: het was er wonderbaarlijk warm. De radiator stond geruststellend te ratelen, als het gemompel van een intieme vriend. Het voelde bijna tropisch warm; ik miste Australië, pakte het kerstcadeau van Chaps en scheurde het open. Er zat een in tissuepapier ingepakte, prachtige rode blouse van glanzend materiaal in, heel onpraktisch. Was Chaps vergeten dat het winter was in New York? Er zat een kaartje bij en een brief vol vragen. Waarom had ik niets van me laten horen? Wat voor boeken las ik? Had ik aardige mensen leren kennen? Overwoog ik moeders as te begraven, of nog beter: zou ik hem naar haar opsturen? Hoe was het in de Arcade?

Ik trok de blouse meteen aan. Ik had sinds ik in New York was nog niets nieuws gekocht; als ik Jack de huur had betaald en boodschappen had gedaan, was al mijn geld op. Mijn toch al lage inkomen van de Arcade was nog kleiner omdat ik ook nog de lening aan Geist moest afbetalen. Toen de winter was begonnen, had ik laarzen en een dikke jas moeten kopen, maar ik had het goedkoopste van het goedkoopste moeten aanschaffen. Het cadeau van Chaps voelde ontzettend chic. Het materiaal was bijna doorzichtig en ik was verrast dat Chaps me een cadeau stuurde dat, nou ja, onthullend was.

Ik bedacht met een steek in mijn hart dat ik Oscar wilde vragen waarvan de blouse was gemaakt. Dat hij naar me zou kijken als ik hem aan had, me zou aanraken en even zou nadenken voordat hij zou vertellen wat het voor materiaal was. Ik keek naar mijn weerspiegeling in de oude ovale spiegel en zag een jonge vrouw in een vrolijke blouse terugkijken, een enorme bos rood haar op haar hoofd. Het kon allemaal wel wat netter, dacht ik, maar ze was best knap, hoewel ze er te vurig uitzag, een beetje te intens. Een beetje te veel van het goede, zoals ze dat zeggen. Ik wilde tegen het meisje zeggen dat ze zich geen zorgen hoefde te maken.

Ik trok de blouse weer uit.

Ik liep in mijn beha rond in mijn flatje, waar het voor het eerst sinds ik er woonde behaaglijk voelde. Ik zette zonder erbij na te denken twee grote pannen water op het fornuis, maar toen bedacht ik dat ik waarschijnlijk ook eindelijk heet water zou hebben. Ik draaide de badkraan hoopvol open en na een grote pruttelende straal kwam er dampend, roestbruin water uit. Ik liet er een vers stuk zeep in vallen en er stegen geurige wolken damp uit op. Toen het bad eenmaal vol was, zag het eruit als een enorme mok thee met melk.

Ik kleedde me verder uit, inspecteerde mijn heup, die in het midden bruinig was en geel aan de randen, een rafelige vlek kleur op mijn huid met sproeten; net alsof er een herfstblad op mijn been zat geplakt.

Een symbool van vernedering.

Ik liet me in het warme water zakken en ontspande mijn lichaam, dat omhoog dobberde. Er bleef zeep aan de driehoek oranje schaamhaar tussen mijn benen kleven, een eilandje in het roestige water. Wat moest Pearl allemaal doorstaan om een lichaam te krijgen dat op het mijne leek! Mijn tepels dreven roze op het water en ik kneep er een beetje in; ze werden hard. Ik had behoefte aan seks; daar had Pearl helemaal gelijk in.

Alleen ervaring zou me de kennis over mijn lichaam geven waarnaar ik zo verlangde. Ik wilde dat er iemand van me hield. Ik wilde dat er iemand naar me verlangde. En ik wilde niet wachten.

Mijn handen streelden over mijn lichaam en ik probeerde me voor te stellen dat ze van iemand anders waren. Oscars handen. De handen van een man. Jouw hart onder mijn ribben en dat van mij onder die van jou. Mijn hand gleed tussen mijn benen. Ik zag Oscars mond bewegen en liet me helemaal in het water zakken, mijn hoofd achterover als een van Arthurs naakten, verloren in een landschap van huid. Ik zag gouden ogen. Ik streelde over een tepel en er ging plotseling een onwillekeurig en steels beeld van de vederachtige vingers van Geist door me heen.

Ik ging ontzet overeind zitten. Waar kwam dat vandaan? Ik wilde niet dat Walter Geist zich opdrong aan mijn fantasiewereld en de gedachte aan zijn witte handen op mijn lichaam was meer dan verontrustend. Ik had wel een idee van zijn bedoelingen, maar ik was vooral geschokt door mijn eigen verbeelding.

Ik waste me en kleedde me aan.

Toen ik later in de hete alkoof lag, pakte ik het boek met brieven van Melville, dat ik uit wat ik zag als Oscars biblio- theek had geleend. Ik wilde de gepassioneerde epistels aan Hawthorne nog eens lezen. De hemelse magneet zit in jou en mijn magneet reageert erop.

De brieven wekten een andere indruk dan de eerste keer dat ik ze had gelezen. Misschien kwam het doordat Oscar nu niet naast me zat, maar ze leken ineens een beetje ge- stoord, net als sommige stukken van *Moby Dick*. Herman Melville kende blijkbaar een meer angstaanjagende een- zaamheid dan ik me kon voorstellen. Het soort verwilderde emotie dat ik in Lillian had gezien; het soort wanhopige melancholie dat ik in Walter Geist zag. Ik had ergens gele- zen dat Melvilles vader in een paroxisme van wanhoop over zijn geldzorgen was gestorven. Was dat het soort wanhoop dat een einde aan moeders leven had gemaakt?

Er stond een brief uit 1849, van Melville aan zijn redac- teur en vriend, Evert Duyckinck, in het boek. De brief refe- reerde aan de ziekte van een gemeenschappelijke vriend, een dichter, Charles Fenno Hoffman, die 'krankzinnig' was geworden.

Arme Hoffman... ik weet nog hoe geschokt ik was toen ik voor het eerst hoorde dat hij krankzinnig was gewor- den... Maar hij was precies het type dat aan waanzin lijdt: met een levendige verbeelding, zinnelijk ingesteld, arm, werkloos, op grote afstand van zijn minderen in de race van het leven, ongehuwd, zonder haven of toevluchts- oord in zijn universum.

Dat beschreef een groot deel van de mensen die ik in New York kende. Het beschreef mij zoals ik toen was, behalve dan dat ik een baan had waarmee ik heel tevreden was.

Dat een vriend of kennis krankzinnig wordt, maakt grote indruk op iedereen die zijn ziel in zich voelt... wat maar weinigen doen. In elk van ons huist dezelfde brandstof om hetzelfde vuur mee te ontsteken. En een ieder die nog nooit, tijdelijk, heeft gevoeld hoe het is om gek te worden, heeft maar weinig hersenen.

Ik legde, onverklaarbaar verontrust, het boek weg. Het hete flatje siste en tikte van onbekende geluiden. Ik voelde me rusteloos. Ik wilde met moeder praten, zoals zo vaak, maar iets weerhield me daarvan. Ik had niets over de voorgaande avond aan het Huon-kistje verteld, en had niet uitgelegd waarom ik die nacht niet thuis was gekomen. Ik voelde me opstandig en schuldig dat ik moeder niet eens een verkorte versie van de gebeurtenissen gaf. Het kistje as stond er met stille minachting, bedekt door de oranje sjaal, op de vloer tegen een muur.

Ik trapte de deken van me af en lag naakt in de hitte. Ik viel uiteindelijk in slaap en droomde over een donkere, anonieme minnaar, die gek werd van verlangen. Zijn ogen brandden, glinsterend als grote volle manen, toen ik hem boven me zag.

Oscar zat op zijn kruk toen ik hem benaderde; hij was in zijn schrift aan het schrijven. Toen ik hem zag met zijn perfect gevormde hoofd boven zijn aantekeningen, voelde ik mijn maag samentrekken. Hij keek pas op toen ik heel dichtbij was, en staarde me effen aan.

'Oscar,' zei ik met een zwakke stem.

'Dag, Rosemary.' Zijn stem was net zo gelijkmoedig als zijn blik en ik vond er niets verzoenends in.

'Nog even over eergisteren,' begon ik zwakjes.

'Volgens mij ben ik duidelijk geweest. We hoeven het er verder niet over te hebben.'

'Het spijt me, Oscar...'

'Je hoeft je niet te verontschuldigen, Rosemary,' onderbrak hij me; hij stak zijn lange hand in de lucht om me de mond te snoeren. 'Het zal nooit meer gebeuren. Ik wil dat je me belooft dat het nooit meer zal gebeuren. Dat je je niet meer op die manier aan me zult opdringen.'

Ik kon hem nu onmogelijk verkeerd interpreteren, ik kon hem onmogelijk een rol in mijn verbeelding laten spelen.

Ik schudde mijn hoofd.

'Nee, Oscar,' zei ik. 'En het spijt mc. Echt. Toen je er gisteren niet was...'

'Denk maar niet dat dat iets met jou had te maken,' zei hij onbehouwen.

Elke illusie die ik zou kunnen hebben dat hij zich ongemakkelijk voelde door mijn poging hem te kussen, hem aan te raken, was slechts ijdelheid.

'Ik heb gisteren nogal een risico genomen,' zei hij vastberaden.

Ik dacht dat ik degene was die een risico had genomen.

'Hoe bedoel je?' vroeg ik.

Hij keek me stoïcijns aan.

'Ik ben naar Samuel Metcalf geweest, in het huis van Julian Peabody.'

Hij stond overdreven hooghartig op en ik liep achter hem aan tussen zijn kasten door, naar de werveling van boeken die ik niet had kunnen vinden toen ik in mijn eentje door zijn sectie dwaalde in een poging klanten te ontwijken. Hij nam een soort pose aan, met een arm tegen een plank, zijn schrift in zijn andere hand. Ik had het gevoel dat Oscar genoot van het drama van zijn jacht en dat hij wilde dat ik zag hoe slim hij was. Ik was zijn publiek, zijn enige volgeling.

'Het zal je niet verbazen, Rosemary, dat Metcalf meer dan verrast was me te zien.'

Oscar had een dag vrij genomen om meer details over Melville op te sporen. Mijn gedrag was nauwelijks meer dan irritant en hij wilde, hoewel het duidelijk onacceptabel was, mijn walgelijke actie alleen maar vergeten. Ik zag ineens hoe absurd, hoe belachelijk het was dat ik iets anders had gedacht.

'Ik zal je vertellen wat ik heb ontdekt, maar je moet wel discreet zijn.'

Hij staarde me streng aan. Hij bedoelde dat ik discreter moest zijn dan ik me jegens hem had opgesteld. 'Dat betekent dat je er niet met Pearl, Mitchell, of wie dan ook over praat.'

Ik knikte.

'Geist mag niet weten dat we onderzoek doen naar *The Isle of the Cross*,' sprak hij verder. 'Metcalf vertelt het hem niet; ik heb hem gedreigd met Pike te gaan praten. Ik neem je in vertrouwen omdat je moet beloven dat je alles wat we hebben ontdekt, geheimhoudt. Ik vermoed dat Mitchell in de gaten heeft dat er iets aan de hand is. Ik weet niet waarom, maar hij liep vanochtend op mijn afdeling rond te snuffelen, met de smoes dat hij me voor winkeldieven kwam waarschuwen, terwijl Redburn al weken niet is gesignaleerd.'

Ik zei maar niet dat ik meneer Mitchell had verteld dat ik Geist die brief had voorgelezen, hoewel ik dat wel had moeten doen. Maar ik had het met beiden nu weer goedgemaakt, en wilde het hervonden vertrouwen niet op het spel zetten. Ik dacht niet dat het iets uitmaakte en had meneer Mitchell hoe dan ook niets over de inhoud van die brief verteld.

'Ik heb gedaan alsof ik wist dat hij een overeenkomst met Geist heeft, en heb Metcalf er zo toe misleid me te vertellen hoe het zit.'

Oscar knikte licht met zijn hoofd; hij was duidelijk met zichzelf ingenomen dat hij zo slinks was geweest.

'Hij moest even gaan zitten toen ik de woorden *The Isle of the Cross* uitsprak. Hij heeft het manuscript niet in handen gehad, maar Geist heeft hem ervan verzekerd dat dat nog gaat gebeuren. Hij lijkt te denken dat het niet in Melvilles eigen handschrift is. Zoals je nog zult weten van ons onderzoek, zal dat wel komen doordat Melvilles zus, Augusta, altijd een nette kopie voor zijn uitgever schreef. De centrale bibliotheek heeft brieven van Augusta. Ik heb haar handschrift gezien.'

Oscar was even stil en streelde over zijn donkere, dun wordende haar.

'Ze heeft overigens een prachtig handschrift,' voegde hij eraan toe.

Een rondschrift, dacht ik, prachtig krullend. Oscar dacht meer hardop dan hij tegen mij sprak, maar ik was betoverd door zijn woorden, de intensiteit van zijn interesse en de opwinding die met hem te mogen delen. Zelfs Melvilles brieven leken nu onderdeel van een intiem gesprek dat we leken te voeren. Het was, op een bepaalde manier, net alsof Oscar er het onderwerp van was geworden. Melville had Hawthorne geschreven:

Het is een vreemd gevoel... hoop noch wanhoop. Inhoud, dat is het; en onverantwoordelijkheid; maar dan zonder losbandigheid. Ik heb het over mijn diepste gevoel van zijn...

'Ik heb nog steeds geen idee wie die brief aan Pike heeft geschreven,' vervolgde Oscar. 'En als ik Metcalf mag geloven, weet hij het ook niet. Maar hoe meer mensen erover weten, des te ingewikkelder het zal worden om alles geheim te houden. Je hebt zelf gezien hoe eenvoudig het voor ons was om erachter te komen dat er een verloren roman is en dat die *The Isle of the Cross* heet. Iedereen met een beetje tijd en interesse is daar zo achter.'

'Ik heb die brieven gelezen,' zei ik. 'Peabody moet er ook

een exemplaar van hebben. Hij moet van Agatha weten.'

Ik vond het vervelend dat Metcalf, of wie dan ook, die brieven had gelezen. Het was belachelijk, maar ik had er een gevoel van bezitterigheid over.

'Maar ik snap het nog steeds niet, Oscar. Waarom zou Metcalf Peabody willen bedriegen? En waarom zou meneer Geist van Pike willen stelen?' vroeg ik.

'Is geld geen goed motief?'

'Maar als het wordt ontdekt, zijn ze allebei hun baan kwijt. Werk waarop ze dol zijn, dat hun leven is.'

'Een van die psychologieboeken komt vast met van die onzin over vaderfiguren of mislukte adoptie,' hij gebaarde afwijzend naar de boekenplanken, 'maar ik weet dat geld het enige motief kan zijn dat mensen nodig hebben. Of een intrige. Verzamelaars, en vergeet niet dat ze dat allebei zijn, zijn gek op al die geheimzinnigheid. En wellicht dat beroemdheid, in elk geval voor Metcalf, er ook nog in mee-speelt. Degene die deze vondst aankondigt, zal er beroemd mee worden. Ze zullen natuurlijk nog wel moeten verzin-nen hoe ze hem hebben "ontdekt".' Hij staarde bedacht-zaam langs me heen.

'Wie heeft het, Oscar?' fluisterde ik.

'Het interessante is dat Metcalfs vader een paar jaar ge-leden daadwerkelijk originele papieren van Melville heeft gevonden. In een koffer op een zolder. In een huis in Lan-singburgh. Weet je nog, Lansingburgh?'

Hij glimlachte een beetje naar me, de naam van het stadje een fragment van de nutteloze informatie die ik had verza-meld, nu plotseling nuttig geworden. Ik putte een enorme troost uit dat glimlachje. Het gaf me het gevoel dat ik deze Oscar in elk geval wel kon hebben, de Oscar die me dingen wilde leren, die mij, ook al was het alleen marginaal, betrok bij zijn enthousiasme, die me tot een geheime deelgenoot in zijn intriges maakte.

Ik moest alleen mijn handen thuishouden.

'Ik weet dat het onwaarschijnlijk klinkt, maar het gebeurt nog steeds regelmatig dat mensen hier binnen komen lopen met papieren die in een koffer of lade zijn gevonden. Mijn eigen theorie is dat als *The Isle of the Cross* in het handschrift van Augusta is geschreven, dit een manuscript is dat Melville naar de gebroeders Harper heeft gestuurd, die het zullen hebben afgewezen zonder het terug te sturen. Dat ben ik nog aan het uitzoeken.'

'Ik wil echt niet denken dat Geist een dief is, Oscar. Ik weet niet of ik dat kan geloven. Misschien wil hij meneer Pike met de aankoop verrassen. Omdat hij de Arcade een buitenkans gunt.'

'Doe niet zo naïef, Rosemary. Denk er eens over na. Geist heeft niet veel tijd meer. Hij kan hier niet oneindig blijven werken. Hij ziet geen steek; hij heeft een of andere ziekte. Zijn gedrag begint net zo bizar te worden als zijn uiterlijk.'

'Hij heeft me verteld dat hij aan slapeloosheid lijdt,' zei ik vaag.

En dat zijn tijd bijna op was. Ik herinnerde me Geists vermoeidheid, en hoe hij iets had gemompeld over jaloezie, en heimelijke verliefdheid, op iedereen. Motivatie genoeg, lijkt me nu, om te proberen iets voor zichzelf te houden, iets van waarde in bezit te krijgen.

'Die slapeloosheid is niet waarom het gaat,' zei Oscar. 'Albino's hebben allerlei ziektes omdat hun immuunsysteem zo zwak is.'

Dat wist hij natuurlijk, aangezien hij het onderwerp had bestudeerd. Ik had vreselijk met Walter Geist te doen. Het was allemaal zo ingewikkeld en onduidelijk. Wat zou hij doen als hij niet in de Arcade zou werken? Wie zou er voor hem zorgen als hij echt ziek was? Was hij zo op George Pike gesteld dat hij onvoorwaardelijke loyaliteit jegens hem voelde?

'Er is nog iets anders wat je moet weten, Rosemary. Aangezien het over jou gaat.'

Oscar streek met zijn hand over zijn donkere haar.

'Ja,' zei ik. 'Zeg het maar, hoor.'

'Metcalf kreeg de indruk dat Geist je deels had meegenomen om met je te... pronken,' zei hij snel.

'Hoe bedoel je, "om met me te pronken"?' vroeg ik. Tentoongesteld als een van die bizarre objecten? Metcalf had gezegd dat ik een ongebruikelijk uiterlijk had. Dat ik aantrekkelijk was.

'Geist heeft blijkbaar geïmpliceerd dat jullie een soort...' hij keek naar zijn schrift, alsof hij er bevestiging zocht, 'relatie hebben.'

Was dat een vraag? Stelde Oscar me echt die vraag? Hij keek me aan. 'Dat dacht ik natuurlijk niet,' zei hij snel. 'Maar ik vertel het omdat het iets is waarover je maar eens moet nadenken. Het zou kunnen zijn dat je onderdeel van Geists intrige bent. Hij overweegt wellicht om je in zijn plan met Metcalf te betrekken. Toen je naam viel, dacht ik aan die lening. Je hebt Geist toch om een voorschot gevraagd? Je hebt me verteld dat hij, en niet Pike, je dat geld heeft geleend. Misschien denkt Geist dat hij, als hij veel geld heeft, als hij dat gestolen manuscript kan verkopen, iets te bieden heeft.'

Ik wist wat er nu zou komen.

'Dat hij jou iets te bieden heeft, Rosemary,' ging hij verder.

'Dat hij me in ruil waarvoor iets te bieden heeft?' vroeg ik hardop, hoewel ik vermoedde dat ik het antwoord wel wist, al toen de vraag nog in de lucht hing.

'Nou,' zei Oscar met overduidelijke walging in zijn stem, 'mannen willen dingen van jonge vrouwen. Maar waar het om gaat, Rosemary, is dat je erachter komt wat Geists plannen zijn. Je zou hem een beetje kunnen... aansporen. En je zou mij kunnen vertellen wat hij al weet en of hij het manuscript al in handen heeft.'

'Bedoel je nou dat ik hem moet vertellen wat ik over *The Isle of the Cross* weet?'

'Natuurlijk niet,' zei hij. 'Maar je hebt hem die brief voorgelezen en je kunt meer doen. Je kunt meer te weten komen. Lok hem uit zijn tent. Zeg tegen hem dat je hem graag wilt helpen.'

'Zodat ik jou kan helpen?' vroeg ik.

Oscar legde in een van zijn kenmerkende gebaren om me erbij te betrekken zijn hand op mijn arm. Zijn bijzondere ogen keken me zonder te knipperen aan. Ik voelde hoe hun hitte mijn huid verwarmde. We bleven een lang moment zo staan. Hij had me vergeven.

'Rosemary,' zei Oscar, 'ik vertrouw erop dat je me alles vertelt wat je ontdekt.'

Negentien

Ik had een missie voor Oscar uit te voeren en ging een week later in mijn eentje de kelder in op zoek naar Walter Geist. Meer over Herman Melville, dat had ik nodig, en ik moest weten hoeveel Geist over *The Isle of the Cross* wist. Ik trof hem onder het kale peertje aan, met zijn hoofd in zijn handen.

'Meneer Geist, gaat het wel?' vroeg ik hem terwijl ik naar zijn tafel liep.

'Ben je alleen, Rosemary?' vroeg hij terwijl hij zijn hoofd optilde en naar me toe leunde.

'Ja, ik kwam even kijken of ik u ergens mee kon helpen.' Ik dacht aan wat Oscar tegen me had gezegd, en voegde eraan toe: 'Of u me ergens voor nodig heeft.'

'Dat is aardig van je,' zei hij. Hij keek enigszins verward. 'Ik zou eerlijk gezegd graag dat gesprekje afmaken waaraan we waren begonnen toen Conway ons laatst onderbrak.'

'Ja,' zei ik eenvoudigweg, 'dat is prima.'

'Je moet voorzichtig zijn, Rosemary. Jack Conway is niet het soort man met wie je tijd wilt doorbrengen.'

Het viel me op hoe iedereen in de Arcade me altijd voor de anderen waarschuwde en ik vroeg me af of hij had gehoord wat Jack op de trap tegen me had gezegd.

'Ik breng geen tijd met hem door, meneer Geist,' verzekerde ik hem.

'Mooi.'

Ik leunde over de tafel naar zijn gebogen figuur en we zaten even zonder iets te zeggen. Ik hoorde voetstappen in de doolhof van kasten, klanten op zoek naar buit. Ik had door het lage plafond in de kelder, met de kasten die er helemaal tegenaan stonden, altijd het gevoel dat ik er moest bukken. Het was net alsof die kelder de houding van Geist aan zijn klanten opdrong.

'Heb je vanavond plannen na het werk?' vroeg hij plotseling, en ik schrok van de *non sequitur*. Zijn hand verdween in zijn zak en speelde met wisselgeld.

'Vanavond?' herhaalde ik. Vroeg hij me mee uit? Zou Oscar willen dat ik met hem mee zou gaan? 'Vanavond? Eh, nee, ik heb geen plannen, meneer Geist. Ik moet de wijn voor het feestje dat u me heeft gevraagd te organiseren nog regelen, maar dat kan ook morgen.'

'Mooi,' zei hij, en hij ging wat rechter op zitten. 'Dan kunnen we ons gesprekje afronden met een kop koffie.' Hij glimlachte. 'Dan zie ik je om zes uur bij de achteruitgang.'

'Zes uur? Kunt u dan al weg?' vroeg ik hem. 'Blijft u gewoonlijk niet langer?'

'Vanavond vertrek ik om zes uur,' zei hij vastberaden. 'Ik ben geen lijfeigene, hoor. Pike is mijn eigenaar niet. Ik ben per slot van rekening de manager van de Arcade.'

Ik liep terug naar boven, naar Oscar, die op zijn kruk zat.

'Heb je Geist gesproken?' vroeg hij. Hij zag aan mijn gezichtsuitdrukking dat dat zo was.

'Ik heb om zes uur buiten met hem afgesproken,' zei ik. 'Hij wil dat gesprek afmaken dat we in zijn kantoor zijn begonnen, voordat Jack ons onderbrak. Ik weet zeker dat het over Peabody gaat. Hij stond op het punt me te gaan vertellen waarom we ernaartoe zijn geweest.'

'Mooi. Mooi. Je mag niet vertellen dat we onderzoek in de bibliotheek hebben gedaan,' zei hij. Zijn enthousiasme deprimeerde me. 'Laat hem jou maar vertellen wat hij heeft ontdekt. Je moet alleen luisteren.'

'Ja, Oscar. Dat weet ik.'

'En neem je schrift mee,' zei hij. 'Schrijf alles op waarvan je denkt dat je het niet onthoudt.'

'Ik kan daar niet gaan zitten met mijn schrift voor mijn neus om aantekeningen van ons gesprek te maken.'

'Als je de mogelijkheid hebt, bedoel ik. Meteen na het gesprek. Alles wat je nog weet.'

'Je zou nog verrast zijn over wat ik allemaal onthoud, Oscar.'

'Mooi,' zei hij bemoedigend. 'Verras me dan maar.'

Ik stond om zes uur op de hoek van de straat naar de smerige sneeuw te kijken en dacht aan hoe de situatie nu was omgekeerd. De dag dat Geist me had meegenomen naar Peabody had hij op mij staan wachten terwijl ik hem door het raam bij de achteruitgang had gadegeslagen. En er was nog iets omgedraaid, maar dat besefte ik op dat moment niet. Walter Geist kwam naar buiten in zijn belachelijke jas met hoed en ik riep hem zodat hij zou weten waar ik stond op de schoongeveegde stoep. Hij liep naar me toe en stelde een café een straat verderop voor. Hij liep vlak naast me, mouw tegen mouw, en paste zijn tred aan de mijne aan terwijl we over de stoep liepen.

De serveerster gaf ons een tafeltje achter in de ruimte en we hingen onze jas aan een haak naast de stoelen. Geist gleed op het bankje en legde zijn hoed naast zich neer. Ik ging tegenover hem zitten en dacht onwillekeurig aan de avond die ik met Oscar had doorgebracht. Die andere scène speelde zich stil nogmaals in mijn hoofd af. Hier zat ik, in een café tegenover een andere man, luttele dagen na die eerdere vernedering, maar dit voelde zo totaal anders dan die opgewonden spanning van toen. Ik moest dit voor Oscar doen.

'Rosemary,' begon Walter Geist meteen. 'Ken je Herman Melville?'

Ik kromp ineen. 'Ja, natuurlijk, meneer Geist. Ik ben *Moby Dick* aan het lezen. Oscar heeft me een oude paperback gegeven.'

'O, ja?' vroeg hij op een toon waar ik weinig uit kon op-maken. 'Ik houd helemaal niet van dat boek.'

'Goh,' zei ik. 'Ik ben er weg van.'

Hij trok zijn hoofd naar achteren alsof ik hem had gesla-gen.

Ik besef nu dat het ongevoelig van me was. Ik hoefde Wal-ter Geist na het lezen van dat hoofdstuk over witheid niet te vragen waarom hij een hekel aan *Moby Dick* had. Melville had witheid gelijkgesteld met vernietiging, met walging.

'Misschien weet je nog dat er in die brief die je me hebt voorgelezen,' vervolgde Geist, 'naar Melville wordt verwe-zen? En dat hij is geschreven door iemand die een manus-cript te koop heeft?'

Ik liep rood aan. 'Natuurlijk weet ik dat nog,' antwoordde ik. Het afgescheurde hoekje van de brief zat nog in mijn zak, ook een gestolen aandenken. 'U heeft die brief uit mijn handen gegrist voordat ik hem helemaal had voorgelezen.'

'Inderdaad. Dat had ik niet moeten doen, Rosemary. Het spijt me, maar ik had tijd nodig om na te denken over het voorstel van de verkoper. Het leek op dat moment ondenk-baar. Ik ben met je naar het huis van Peabody geweest om er met Sam Metcalf, mijn vriend, over te praten. Hij weet heel veel over negentiende-eeuwse Amerikaanse schrijvers. Zijn werkgever is er erg in geïnteresseerd.'

Walter Geist trok een envelop uit zijn zak.

'Deze heeft Sam me gisteren gestuurd.' Hij schoof de en-velop over de tafel. 'Maak maar open. Het is een kranten-artikel waarvan hij dacht dat het me zou interesseren, maar het is kennelijk een kopie van een microfiche.'

Er zak een dik, gevouwen document in de envelop. Ik vouwde het open en het bleek een hele krantenpagina te zijn, afgedrukt op stijf fotopapier. Hij was in een kleine let-ter gedrukt en er zaten hier en daar vegen op het papier, maar de koppen waren goed leesbaar. Ik verwonderde me over hoeveel letters er in 1855 op een krantenpagina werden gepropt; de datum stond boven aan de pagina, naast het impressum: *The New York Daily News.*

'Ik wil graag dat je hem voorleest.'

'Natuurlijk, meneer Geist, maar dat had ook in de Arcade gekund.'

'Vind je het vervelend om met me in een café te zitten?' vroeg hij fel. Zijn defensieve houding was zijn opvallendste eigenschap en het was pijnlijk eenvoudig hem te kwetsen.

'Nee, meneer Geist, dat vind ik helemaal niet onplezierig.'

'Nou, dan.'

Zijn vreemde ogen bewogen onophoudelijk. Ze zagen er schraal en gekwetst uit. Er viel een zware stilte, maar zijn handen bewogen; ze maakten gekwelde gebaren. 'Het spijt me, Rosemary,' zei hij nogmaals. 'Ik word vreselijk nerveus van dit alles. Ik heb geen enkele ervaring met... zulke zaken.'

Ik wilde vragen wat voor zaken hij bedoelde, ik was per slot van rekening geen zaak, maar ik dacht aan Oscars opdracht uit te vinden wat ik kon. Alleen te luisteren. En misschien was bedrog wel de zaak waarmee hij geen ervaring had.

'Er staat nogal veel tekst op. Wat wilt u dat ik voorlees?'

'Rosemary, je begrijpt natuurlijk wel dat dit tussen ons moet blijven, hè? Je moet het me beloven. Ik geef toe dat dit een hoogst ongebruikelijke situatie is, maar ik moet je vragen met niemand anders te praten over wat je me voorleest.'

Ik dacht aan een andere suggestie van Oscar. 'Waarom, meneer Geist?'

'Dat zul je later wel begrijpen. Ik moet je kunnen vertrouwen. En dat doe ik ook, maar jij moet mij ook vertrouwen. Ik wil dat je weet hoe belangrijk dit voor me is. Die brief die je me hebt voorgelezen is de sleutel tot iets waarop ik al heel lang wacht.'

Hij had me al in vertrouwen genomen en ik was geschokt dat hij dat zo gemakkelijk had gedaan. Ik dacht terug aan het advies dat Chaps me had gegeven toen ik nog een kind was, en had moeite met de mate waarin ik daar afbreuk aan deed. Houdt van iedereen, vertrouw een enkeling en kwets niemand, zei ze altijd. Ik kon niet van iedereen houden, antwoordde ik inwendig. Ik wist niet wie ik vertrouwde, maar ik wist wel dat ik van één iemand in het bijzonder hield.

Ik zag onder aan de pagina een stuk met het kopje AM-BROTYPIEËN. Het ging over Herman Melville.

'Hier staat iets over Melville. Wat is een ambrotypie, meneer Geist?' vroeg ik. Ik had nog nooit van het woord gehoord.

'In dit geval denk ik de titel van een autobiografische schets,' antwoordde hij. 'Maar het woord zelf verwijst naar een soort foto. Dat zou suggereren dat het een serie schetsen betreft.'

'De journalist heet Thomas Powell.'

'Aha,' zei Geist. 'Interessant. Als ik het me goed herinner, was Powell nogal een boef. Hij heeft meerdere baantjes bij kranten gekregen door te zeggen dat hij bevriend was met beroemde schrijvers. Onder wie Dickens, geloof ik, een van mijn favoriete auteurs... Daar is de serveerster. Koffie?'

'Thee, graag,' zei ik terwijl ik de fotokopie bekeek.

'Natuurlijk. Een thee en een koffie. Zwart, graag.'

Ik begon het artikel voor te lezen. Powell merkte op dat maar weinig schrijvers, zoals hij het stelde, 'abrupter populair waren geworden dan Herman Melville'. Ik schreef later wat details voor Oscar in mijn schrift en nam me voor Arthur te vragen wat een ambrotypie was.

'"Tien jaar geleden was Melville onbekend; hij is ondertussen een van onze meest succesvolle schrijvers, hoewel zijn prestige aanzienlijk is geschaad door zijn ongelukkige poging zijn gracieuze vertellingen op te luisteren met metafysische overwegingen."'

Ik hield op met voorlezen toen de serveerster kwam. Ik deed melk in mijn thee en nam een slokje. De thee voelde warm in mijn keel en ik glimlachte nadat ik een slok had genomen. Walter Geist zat elk gebaar dat ik maakte met zijn onrustige blik op te nemen. Ik hoorde zijn ademhaling. Ik bedacht dat ik precies wist hoe hij zich voelde. Uit te zijn met iemand bij wie je wilt zijn, samen met diegene in een box in een café. Geist en ik deelden een onbeantwoorde affectie voor iemand die zich niet thuis voelde in, zelfs ongevoelig was voor, onze romantische fantasie.

'Als je er klaar voor bent, Rosemary,' zei hij. 'Ga alsjeblieft verder, ik hoor je graag voorlezen.'

'Dank u, meneer Geist,' zei ik enigszins warmgelopen voor mijn taak, en hem. Ik zag hem nu anders. Ik wist hoe het voelde te worden vernederd, ik had een blauwe plek op mijn heup die dat bewees, en dat wenste ik hem niet toe. De echo van mijn avond met Oscar was voelbaar, niet alleen vanwege de duidelijke parallellen; de sfeer voelde ook vergelijkbaar.

Powell beschreef in zijn artikel ook Melvilles uiterlijk, en ik was nieuwsgierig hoe die gepassioneerde man, die zo bekoord was door Nathaniel Hawthorne, eruit had gezien.

'"Hij is een aantrekkelijke, keurige heer. Vriendelijk en beleefd en heel aangenaam gezelschap; hij heeft meer de gemakkelijke omgang van een reiziger dan het dogmatisme van een schrijver. Hij is iets langer dan gemiddeld en kleedt zich zorgvuldig."'

Net als Oscar, dacht ik, met zijn keurige zwarte broeken en op maat gemaakte witte overhemden. Aantrekkelijk en keurig. Oscar was degene die Herman Melville aan me had gegeven en ze begonnen samen te smelten in mijn hoofd.

'Rosemary,' onderbrak Geist mijn dagdroom. 'Het kan me niet schelen hoe Melville eruitzag, ik wil weten wat er over zijn werk wordt geschreven.'

Ik keek het artikel vluchtig door en las verder. Hij luisterde geconcentreerd, over de tafel naar me toe geleund.

'"Het is wellicht impertinent om te reflecteren over de onontwikkelde talenten van een auteur, maar we vrezen dat hij zijn grootste gave aan de voeten van de grootste tiran – de wereld – heeft gelegd, die altijd maar meer wil, en van betere kwaliteit. We beëindigen onze ruwe, maar naar we hopen, oprechte ambrotypie door te vermelden dat hij eens tegen ons heeft gezegd dat hij plannen heeft voor een boek, die hij nog niet heeft uitgewerkt. Dat boek moet het principe van wroeging illustreren en demonstreren dat er, heel vaak, minder deugdzaamheid in moreel fatsoen is te vinden dan in onopzettelijke misdaad. Sommige mensen behouden hun reputatie door te leven volgens een geaccepteerd gemiddelde van wettelijke onzedelijkheid, altijd borrelend tot dat bepaalde punt, maar nooit overkokend; terwijl anderen een volledig zedig en oprecht leven leiden, tot een plotselinge en oncontroleerbare impuls hen plotseling het kookpunt doet bereiken, waardoor ze levenslang hun reputatie kwijt zijn."'

'Aha,' zei Walter Geist bedachtzaam. 'Dat is, natuurlijk, zijn werk over wroeging.'

'Wroeging?' herhaalde ik, maar hij gaf geen antwoord.

Het thema van *The Isle of the Cross*. Dus dat wist Geist al. Ik nam aan dat Metcalf hem dat had verteld toen ze elkaar boven in de bibliotheek hadden gesproken, en dat hij hem de Agatha-brieven aan Hawthorne wel zou hebben voorgelezen. Maar waarom had Metcalf hem dit artikel gestuurd? Het leek een waarschuwing te geven. Want wat echt nieuws was, en wat ik zo snel mogelijk aan Oscar wilde vertellen, was dat een oncontroleerbare impuls een rechtschapen, oprechte man gek kon maken. Als we die boef Powell tenminste konden geloven en hij daadwerkelijk een gesprek met de auteur had gehad. Was dat wat Melville dacht dat er met Robinson was gebeurd nadat hij zeventien jaar lang niets van zich had laten horen? Was dat niet wat er met Walter Geist gebeurde? Het manuscript geheimhouden, diefstal van George Pike, zou hem de controle kunnen doen verliezen. Behalve dat het niet echt een geheim was. Hij deelde het met mij. Hij vertrouwde erop dat ik het geheim zou houden.

'Rosemary,' ging Geist verder, 'Sam heeft me verteld dat er een roman met dat thema verloren is gegaan. Daar ben ik achter gekomen. Ik wil dat je me helpt er zo veel mogelijk over te ontdekken. Dat zal me helpen om...' hij was even stil, op zoek naar het juiste woord, 'hem te kunnen evalueren.'

'Zodat u hem kunt aanschaffen voor de Arcade?' vroeg ik, me ervan bewust dat zelfs mijn geveinsde naïviteit hem uit zijn tent zou lokken.

'Wat ik ermee van plan ben, moet tussen ons blijven,' zei hij gewichtig. 'Ik hoop dat dit voorlopig een fascinerende puzzel is die we samen kunnen oplossen en dat je mijn geheim zult bewaren.'

Hij schoof zijn hand over de tafel om die van mij vast te pakken, maar stootte zijn koffie om, en de hete vloeistof liep over zijn overhemd. Hij boog over de tafel en er zat een grote vlek op zijn borst.

'Au!' piepte hij, en ik probeerde snel de koffie op te ruimen met papieren servetjes uit een houder die naast het zout en de peper en de melk en suiker aan de rand van de tafel stond.

'Au!' herhaalde hij, behorlijk van zijn stuk gebracht. 'Wat ben ik toch weerzinwekkend! Een onhandige kluns! Ik begrijp niet hoe je het een minuut met me uithoudt!'

'Het geeft niets, meneer Geist,' zei ik, verbijsterd over de heftigheid van zijn reactie, mijn handen vol met natte servetjes. 'Het was een ongelukje. Het was gewoon een ongelukje.'

Toen greep hij mijn handen, waardoor ik de koffie niet verder kon opruimen, en hij trok mijn rechterhand krachtig naar zijn mond. Ik voelde zijn tanden door zijn lippen heen tegen mijn handpalm.

'Meneer Geist...' stamelde ik terwijl ik ontzet mijn hand van hem loswrikte.

Ik had hem net zo plotseling weggegrist als hij in zijn kantoor die brief uit mijn handen had getrokken. Hij trok een gezicht alsof ik hem had geslagen.

Ik zag in mijn ooghoek dat de serveerster aan kwam lopen, maar ze wendde zich af van ons ongemakkelijke schouwspel.

Mijn handpalm was vochtig en ik veegde hem aan mijn broek af.

'Ik moet weg, meneer Geist.'

Ik stond snel op, griste mijn jas van de haak en sprak op een vriendelijke, ongeëmotioneerde toon, die ik niet voelde: 'Dank u. Dank u wel voor de thee.'

Ik wilde hem niet meer helpen met zijn Melville-speurtocht, ik wilde niet meer voor Oscar spioneren. Walter Geist nam het allemaal veel te serieus. Dit was heel anders dan het Wie-weetspel dat we in de Arcade speelden.

'Dank u wel en tot morgen. Goed? Tot morgen, in de winkel. Dag.'

Hij zei niets. Ik liet hem daar achter, op zijn bankje, de bruine koffievlek op zijn borst als een stigma van oneervol gedrag.

Ik vertelde Oscar natuurlijk alles behalve dat Walter Geist gepassioneerd mijn hand had gezoend. Ik vertelde hem over Powells ambrotypie en dat het titelloze werk waarnaar hij verwees het principe van wroeging zou illustreren, ironisch genoeg iets wat ik in een bepaalde mate op dat moment ervoer.

'Nou,' zei Oscar. 'Zo moeilijk was dat niet.'

'Nee,' zei ik tegen hem. 'Meneer Geist neemt me gemakkelijk in vertrouwen.'

'Ik twijfel er niet aan dat hij je heel aantrekkelijk vindt,' zei hij droogjes, heel goed op de hoogte van wat Geist wilde. 'Dan zal ik je vertellen wat ik ondertussen heb ontdekt. Het is heel interessant, en het heeft te maken met dat geaccepteerde gemiddelde van wettelijke onzedelijkheid waarover je het had.'

Oscar vertelde me, in nogal ingewikkelde termen, hoe het in de tijd van Melvilles beroemdheid werkte om een boek uit te geven. Auteurs subsidieerden hun eigen werk, maar Herman Melville deed dat wel erg extreem, vooral na de spectaculaire mislukking van zijn psychologische roman *Pierre*, het boek dat lezers deed twijfelen aan zijn mentale gezondheid.

Zijn uitgevers, de gebroeders Harper, hadden, nadat de drukkosten en voorschotten waren afgetrokken, in eerste instantie de helft van de winst gekregen. Maar ze rekenden rente over de voorschotten die ze hun auteurs gaven, en hoewel *Typee* en *Omoo* geld hadden opgeleverd, had Melville een flinke schuld bij de firma toen de verkoopcijfers eenmaal begonnen te kelderen. *Moby Dick* was een commerciële flop en de gebroeders Harper zagen Melville niet langer als waardevol. De broers bedongen bij de uitgave van *Pierre* een wurgcontract in de hoop dat hij het zou afwijzen. Maar Melville ondertekende het en ging akkoord met twintig procent in plaats van de voormalige vijftig procent na aftrek van de kosten, wat betekende dat er tweeënhalf keer zoveel exemplaren van *Pierre* verkocht moesten worden om hetzelfde bedrag op te leveren, een bedrag dat al te weinig was gebleken. Ook *Pierre* was een commerciële ramp.

'Dus uitgevers waren dieven in Melvilles tijd,' merkte ik op. 'Net als meneer Pike nu door sommigen als een dief wordt gezien. Maar wat heeft dat met *The Isle of the Cross* te maken?'

'Dat vertel ik zo, Rosemary,' antwoordde Oscar, die zijn hele verhaal tot in elk detail kwijt wilde. 'Melville heeft de gebroeders Harper een brief geschreven waarin hij nog een boek aanbiedt. Wacht even,' zei hij, en hij pakte zijn schrift, waar hij koortsachtig in begon te bladeren. Ik keek naar de pagina's, die obsessief vol waren geschreven in zijn kleine handschrift.

'Hier: "Naast het werk dat ik afgelopen voorjaar heb meegenomen naar New York, maar dat op dat moment niet kon worden uitgegeven, ben ik nu bezig met een ander boek."'

Oscar keek me aan alsof zijn bedoeling volkomen duidelijk was.

'Pardon?'

'Hij heeft het over "naast". Dat betekent dat hij het manuscript dat hij dat voorjaar bij zich had niet heeft vernietigd, dat van *The Isle of the Cross*. Hij had het nog, hoewel hij het om de een of andere reden niet kon uitbrengen.'

'Waarom kon dat niet?'

'Geen idee. Misschien was er sprake van laster, omdat Agatha en Robinson echt bestonden. Maar dat maakt niet uit. Waar het om gaat, is dat hij tegen de gebroeders Harper heeft gezegd dat hij het nog had. Hij probeerde over de helft van de winst met hen te onderhandelen, zoals hem dat met *Pierre* was gelukt.'

'Dus je denkt dat het manuscript de kopie van de gebroeders Harper is? Denk je dat het Melvilles origineel is?'

'Dat is precies het probleem. Het is heel onwaarschijnlijk dat het de kopie is die hij bij de gebroeders Harper heeft ingeleverd, maar niet omdat die hem niet zouden hebben bewaard.'

Oscar werd zo in beslag genomen door de details rond *The Isle of the Cross* dat hij bezitterig begon te worden ten aanzien van het onderwerp. Zijn fascinatie met de verloren roman leek wel een verliefdheid, en ik voelde me jaloers dat die gebeurtenissen uit het verleden hem in een mate bezighielden waarin niemand in het heden hem kon boeien.

'Ik heb ontdekt,' vervolgde hij, 'dat het bedrijf van de

gebroeders Harper in december 1853 tot de grond toe is afgebrand. Zes panden in de as!'

Zijn gezichtsuitdrukking was vreemd triomfantelijk.

'Melville nam aan dat hij failliet was, want het grootste deel van de exemplaren van zijn boeken en de ongebonden vellen zijn in die brand vernietigd. Het was een gruwelijk verlies voor hem, dat hem financieel praktisch heeft geruïneerd. Zijn reputatie was al aangetast vanwege *Pierre*. Hij had al diepe schulden. De gebroeders Harper waren meedogenloos en rekenden hem extra kosten. Alsof die brand zijn schuld was! Ze hebben hem twee keer laten betalen, aangezien de productiekosten al waren afgetrokken van het materiaal dat tijdens de brand verloren is gegaan.'

Oscar leek ten behoeve van Melville razend, maar hij verkocht zelf natuurlijk dagelijks boeken die waren geschreven door auteurs die nooit een cent zagen van wat Pike in zijn zak stak. Zelfs de nieuwe recensie-exemplaren die Walter Geist in de kelder verkocht, leverden de auteur niets op, aangezien ze om publiciteitsredenen gratis naar journalisten en recensenten waren gestuurd, die ze verkochten aan de Arcade en er een kwart van de winkelprijs voor kregen.

Dat Oscars verontwaardiging dat Herman Melville zo was behandeld, hypocriet was, maakte hem voor mij niet minder aantrekkelijk. Maar het zette me wel aan het denken over George Pikes enorme onderneming en hoe weinig die met het creëren van literatuur te maken had. De Arcade diende natuurlijk wel verzamelaars en lezers, maar niet degenen die dom genoeg waren geweest om schrijver te worden.

'Oscar,' vroeg ik oprecht, 'wat zou jij met *The Isle of the Cross* doen?'

'Dat heb ik al gezegd. Het hoort in een bibliotheek of universiteit thuis. In de Houghton Library in Harvard bij Melvilles andere manuscripten. Of in de Berg Collection hier in de bibliotheek, bij zijn andere brieven.'

Hij vervolgde gepassioneerd: 'Ik zou het natuurlijk aan

zo'n collectie schenken! Gratis. Dat verloren boek is geen commercieel product, Rosemary. Zie je niet hoe Melville zelf zijn hele carrière het slachtoffer is geworden van commercie? Hoe dan ook, ik heb er alles voor over om te voorkomen dat Peabody het in handen krijgt. Dan zouden we het net zo goed in een kist kunnen stoppen en die naar de bodem van de oceaan sturen. Wat ik zo schokkend vind, is die eindeloze inbezitneming. Die man wil alleenrecht over objecten.'

Dat klonk een beetje vreemd uit de mond van iemand die dagelijks verzamelaars tevredenstelde. 'Ik zie niet in waarom het uitmaakt wie het heeft,' zei ik. 'Het zal hoe dan ook worden gepubliceerd. En dan kan iedereen het lezen.'

'Dat is helemaal niet zo zeker,' snauwde Oscar. 'Peabody is gek genoeg om het tussen zijn rariteiten te verstoppen en te ontkennen dat hij het heeft.'

'Waarom denk je dat?'

'Ik weet hoe verzamelaars in elkaar zitten, Rosemary. Ik ken hen veel beter dan jij. De exclusiviteit voedt mannen als Peabody. Jij komt uit Tasmanië,' zei hij. 'Jij hebt geen idee hoe de hiërarchie werkt.'

Maar hij had dat wel. De kern van zijn aard en het geheim ervan waren precies dat hij die hiërarchieën wel zag, en dat hij wist dat hij er niet in thuishoorde. Dus was *The Isle of the Cross* voor hem een manier om alles waar hij buiten was gehouden tegen te werken, ook al was hij er niet in geïnteresseerd zelf iets met een ander te delen. Hij wist exact wat er van hem werd verwacht, hij schreef alles op in zijn schrift. Wat dat betreft waren zijn schriften een dagboek van wraak, een kasboek van verliezen. Maar hij raakte alleen zichzelf door zo om zich heen te slaan... Julian Peabody was exact hetzelfde soort duistere figuur dat Oscar Jarno ook was. Het grootste verschil tussen hen was dat Oscar geen middelen had, tenminste geen financiële. Dat had hij lang geleden al gecompenseerd door van zijn kennis zijn ruilmiddel te maken.

'Arthur,' riep ik de kunstafdeling in, en ik struikelde bijna over hem. Hij zat wijdbeens in een hoek op de vloer, met een groot boek op schoot, zijn grote hoofd achterovergezakt en met open mond te slapen. Een draad speeksel liep van een boventand naar een ondertand, bewoog, en brak toen Arthur oppervlakkig uitademde.

'Arthur!' Ik liep naar hem toe en schudde hem aan zijn schouder.

'Wat!' Hij schrok op en sloeg zichzelf tegen zijn vlezige wangen. 'Wat is er, TD! O, ik was in slaap gevallen. Bewusteloos. Ik zat net te dromen... een geweldige droom. Jammer dat ik hem niet af kan maken. O...' Hij fronste zijn voorhoofd in een poging zich de droom te herinneren. 'Ik droomde dat de winkel een museum was en dat ik het enige levende wezen was dat er bewoog...'

'Nu even niet, Arthur. Als meneer Pike of meneer Geist je betrapt, ben je je baan kwijt; je zit midden overdag te slapen!'

'Het was maar een hazenslaapje, hoor.' Hij probeerde op te staan en gebaarde met zijn dikke hand naar me om hem te helpen. 'Zie het als een moment van overpeinzing,' pufte hij terwijl ik aan zijn arm trok. 'Dat doe ik ook.' Hij stond ondertussen buiten adem op zijn voeten en trok zijn gekreukte overhemd over zijn buik.

'Ik wilde je iets vragen,' zei ik terwijl ik vooroverboog om het boek op te pakken dat hij op de vloer had laten liggen. Ik gaf het aan hem. Hij zette het op een plank.

'Jij altijd met je vragen,' pruilde hij. 'Waarom vertel je mij niet eens wat!'

'Ik? Ik heb helemaal niets te vertellen,' mompelde ik.

'O, nee?' Hij zwaaide glimlachend met een wijsvinger naar me. 'Heb jij niets te vertellen? Je bent gezien, wist je dat?'

'Gezien?' Ik liep rood aan. 'Door wie?'

'Bedoel je niet: "Met wie"?' plaagde Arthur.

'Ik...' Verwarring snoerde me de mond en ik was bang iets te vertellen wat ik voor me moest houden.

'Met Walter Geist, natuurlijk. Je zat hem voor te lezen in een café!' kraaide Arthur.

'Wie heeft me dan gezien?'

'Dat doet er niet toe, TD. Je hebt zo je bewonderaars. Hoewel jouw keuze wel erg apart is.'

'Ik heb helemaal niemand gekozen!'

'Nou, als je maar voorzichtig bent, of in elk geval vriendelijk. Walter is... nou ja, laten we maar zeggen dat hij tussen de melancholieke zielen de melancholiekste is. Je mag hem niet aan het lijntje houden,' ging hij verder. 'Je mag je niet al te duivels gedragen...'

'Houd op, Arthur!' riep ik gegeneerd. 'Hij heeft gewoon mijn hulp nodig. En roddel niet zo over me!'

Hij sloeg geveinsd geschokt dat ik hem ervan betichtte dat hij over me roddelde, zijn vuist tegen zijn borst.

'Ik wil je iets over fotografie vragen,' zei ik snel. 'Dat is toch je specialiteit?'

'Een ervan,' grijnsde hij.

'Weet je wat een ambrotypie is?'

'Natuurlijk. Die komt in de evolutie van de fotografie na de daguerrotypie. Zij is een tijdje populairder geweest omdat zij goedkoper was. Ik kan wel een reproductie laten zien. Wil je dat?'

'Ja, graag.'

Arthur slenterde naar zijn favoriete plekje en pakte een boek over de geschiedenis van de fotografie uit de kast, ondertussen gewoon verder kletsend. 'De ambrotypie was goedkoper omdat het beeld op glas in plaats van koper stond. Beide maakten gebruik van een zilvernitraatoplossing, maar je kunt de ambrotypie van de daguerrotypie onderscheiden, en zelfs van de latere tintypie, omdat zij een beetje driedimensionaal is. Dat komt door het glas. En zij is heel bleek, bijna wit.'

Hij opende een groot boek en wees nadat hij even in de index had gekeken een tamelijk spookachtige foto van een soldaat uit de Burgeroorlog aan. 'Je kunt je wel voorstellen dat ze tijdens de Burgeroorlog heel populair zijn geworden, aangezien ze gewone mensen de mogelijkheid boden een afbeelding van hun geliefde te laten maken.' Hij keek tevreden naar het portret van de soldaat. 'Mooi,' merkte hij op. 'Je kunt er maar één afdruk mee maken, zonder negatief, en zij is in spiegelbeeld.'

Ik bestudeerde het ongelooflijk jonge gezicht van de Uniesoldaat. Hij was zo te zien van mijn leeftijd en de ambrotypie gaf hem de gebleekte, enigszins weifelende uitstraling van iemand die al aan het verdwijnen is. Arthur leunde naar het boek toe.

'Arme kerel,' zei hij. 'De kans is groot dat hij kort nadat die foto is gemaakt, is gesneuveld.'

Hij deed het boek weer dicht en zette het op de plank terug. 'Ambrotypieën zijn rond 1860 uit de gratie geraakt,' zei hij. 'Ze waren natuurlijk te kwetsbaar; al die scherven. Ze zijn overgenomen door tintypieën en uiteindelijk door papier.'

Hij gebaarde met zijn dikke hand om zich heen naar de berg papier die ons in de Arcade omringde.

'Papier,' herhaalde hij terwijl hij uitgebreid gaapte. 'Waar al onze dromen op staan.'

'Hoe ver ben je in dat boek met brieven? Heb je nog informatie over Agatha gevonden?'

Oscar vatte me nu overdag bij mijn kraag; hij zocht me op in de Arcade, een omdraaiing van omstandigheden waarvan ik erg genoot. Dat ik informatie kon hebben die hij wilde, voelde als een soort vooruitgang in mijn wens om op hem te lijken, en ik voelde me volwassen, zelfs aangepast aan de vreemde compositie van de Arcade. Ik stond in het geschiedenispad van Oscars afdeling en gaf hem mijn eigen schrift, dat ik had opengeslagen bij mijn aantekeningen over Melvilles brieven.

'Deze heb ik gisterenavond overgeschreven,' zei ik tegen hem. 'Melville heeft hem geschreven na die lange brief met al die details over het verhaal.'

Oscar nam het schrift van me aan en ik keek toe hoe zijn gele ogen heen en weer gingen over het papier terwijl hij las:

Maandagochtend
25 oktober 1852
Mijn beste Hawthorne,

Als je het de moeite vindt om het verhaal over Agatha te schrijven en ermee bezig bent, heb ik nog een suggestie, hoe onbelangrijk ook, die je wellicht zou kunnen gebruiken. Maar misschien heb je dit zelf ook al bedacht... Het gemak waarmee Robinson zijn vrouw verlaat en vervolgens met een ander trouwt, kan, mogelijk, worden toegeschreven aan de opmerkelijk vrijzinnige ideeën die de meeste zeelieden hebben aangaande romantische verbindingen. Robinson had in zijn voormalige leven in elke haven een ander liefje. De betekenis van zijn huwelijksgelofte aan Agatha maakte in eerste instantie weinig indruk op hem. Pas toen hij enkele jaren aan wal had doorgebracht, begon zijn morele gevoel zich wat dat betreft te ontwikkelen. Vandaar zijn latere gedrag: wroeging &c. Denk er maar eens over na en beoordeel of het klopt. Als dat niet het geval is... bedenk dan iets wat wel klopt.

'Hij heeft wel gevoel voor humor, hè?' zei Oscar.

'Ik vind van wel,' stemde ik in. 'Maar wat bedoel je precies?'

'O, die opmerkelijk vrijzinnige ideeën. Volgens mij was Melville zelf ook behoorlijk vrijzinnig, hij was per slot van rekening ook zeeman geweest.'

'Dat betekent volgens mij niet dat hij Robinsons gedrag goedkeurde, als je dat bedoelt, dat hij Agatha zomaar in de steek heeft gelaten.'

Oscar gaf me met een geïrriteerde blik in zijn ogen mijn schrift terug. 'Is het weleens in je opgekomen dat Melville best aan de kant van de weggelopen echtgenoot kan hebben gestaan? Dat het idee van verlating hem aansprak?' vroeg hij.

'Nou, nee...'

'Nee? Misschien wilde hij zelf ook wel weglopen, terug naar zee. Hij had niet zo'n gelukkig huwelijk, wist je dat? En hij werd gek van al die verplichtingen. Misschien hoopte hij dat Hawthorne dat herkende. Dat die ook de aanlokkelijkheid van weglopen voelde.'

De stelligheid die ik in Oscars bewering hoorde, bracht me plotseling op een idee. 'Hoe oud was jij toen je vader ervandoor ging, Oscar?' vroeg ik hem ronduit.

'Dit gaat niet over mij,' zei hij, en hij maakte een geïrriteerd geluid. 'Je verbeeldingskracht neemt weer een loopje met je. Het kan heel onpraktisch zijn, Rosemary, om altijd overal wat achter te zoeken. Niet alles is de sleutel tot iets anders, hoor!'

'Ik was nog niet eens geboren toen die van mij is vertrokken,' zei ik. 'Net als de dochter van Agatha. En zij was bijna net zo oud als ik nu toen ze hem leerde kennen.'

Oscar gaf geen antwoord, maar hij keek me aan alsof hij me vreselijk saai vond. Hij zette achter mijn hoofd een paar boeken recht op de plank.

'Mensen bedriegen elkaar, Rosemary,' zei hij lankmoedig. 'Soms zelfs zonder het zo te bedoelen. Iets wat heel boosaardig overkomt, kan gewoon voortkomen uit onhandigheid. Misschien is dat wel het verhaal van *The Isle of the Cross*!'

'Nou, we weten niets zeker,' antwoordde ik. Ik voelde aan dat hij genoeg van me begon te krijgen. 'Maar ik denk dat het een verhaal is over de lijdzaamheid van vrouwen.'

'O, dat is hun specialiteit,' zei Oscar op een vreemde toon. 'Ze doen alsof lijdzaamheid een of andere ongeëvenaarde prestatie van hen is.'

'Wat zou het anders zijn?' Ik begreep hem niet. Had zijn eigen moeder niet volgehouden en hem ondanks de verscheidene tegenvallers goed opgevoed? Had die van mij dat niet ook gedaan? Was dat niets waard? En ik wist hoe sterk Lillian was.

'Wat is dat dan precies voor prestatie? Leven? Zo kun je er ook naar kijken,' zei Oscar. 'Wat is er niet vergankelijk? Wie verliest er niet op een bepaalde manier?' Hij keek me scherp aan. 'Dingen zijn lijdzaam, Rosemary, mensen niet. Dat heb ik wel geleerd van al die verzamelaars.'

Ik hoorde moeders stem: ze vertelde me nogmaals dat niets eeuwig is; dat eeuwigheid niet menselijk is. Ze leefde natuurlijk voort in mij, zoals Oscars moeder in hem voortleefde, maar dat kon ik toen nog niet hardop zeggen. Ik observeerde Oscar stil en het drong, eindelijk, tot me door dat hij in staat was tot buitengewone wreedheid. Die ingetogenheid die me zo fascineerde was in feite een soort handicap. Ik had zijn afstandelijkheid geïnterpreteerd als tegenwicht voor mijn intensiteit, maar ik begon in te zien dat Oscar iets behoeftigs had, iets noodlijdends.

'Laten we het maar niet over de motivatie achter het verhaal hebben,' rondde hij het onderwerp af. 'Die is hoe dan ook een bijkomstigheid. Heb je Geist nog gesproken? Heeft hij je nog iets verteld?'

'Ik heb hem nog geholpen, maar nee, hij heeft verder niets gezegd.'

'En je hebt het er verder met niemand over gehad?'
'Nee.'

'Mooi. Ik ga vanavond naar de centrale bibliotheek. Ik heb een aanwijzing gevonden die misschien kan leiden naar de persoon die het manuscript heeft.'

Ik wist dat ik niet mee mocht. Ik durfde het niet eens te vragen. 'En dan moet ik zeker de rest van die brieven lezen?' vroeg ik. Ik had behoefte aan zijn aanwijzingen. Hij moest me vertellen wat ik voor hem moest doen. Wat ik wilde, was onbelangrijk. Ik was ondertussen net zo gefascineerd door het verhaal van Agatha als dat ik ernaar verlangde Oscar te geven wat hij wilde.

'Ja,' bevestigde hij. 'Ga jij die brieven maar lezen, maar let wel op of Geist nog iets te vertellen heeft. Ik wil weten wat hij precies met Metcalf heeft afgesproken. Dat zou heel nuttige informatie zijn. Het gaat per slot van rekening meer om het bestaan van die roman en minder om waarover hij gaat. Ik moet weten wie hem heeft.'

Er kwam een klant onze richting op lopen; hij riep vriendelijk Oscars naam. Oscar antwoordde beminnelijk; als een acteur die op zijn aanwijzingen reageert. Hij draaide zich om en sprak me met zijn normale stem aan: 'Je zou de hele kwestie eens vanuit de optiek van een man moeten bekijken. Je eigen perspectief, Rosemary, is per definitie beperkt.'

Ik zat die avond in mijn leunstoel brood met boter te eten en bedacht dat er misschien meer achter de Agatha-brieven stak dan ik had gedacht. Ik was er in eerste instantie in geïnteresseerd geraakt vanwege de gepassioneerde manier waarop Melville Hawthorne aansprak, maar begon nu te vermoeden dat Herman Melville me een verhaal had te vertellen dat op dat van mij leek, dat hij me iets over mezelf zou kunnen vertellen. Zijn invloed voelde bijna vaderlijk. Ik had verlating in mijn eigen leven als een actieve, boosaardige handeling gezien, maar misschien had Oscar wel gelijk. Was er een andere interpretatie mogelijk? En was dat die van Melville? Misschien dat onhandigheid inderdaad meer impulsen opwekte dan ik ooit had willen toegeven. Misschien had ik mijn hele bestaan wel aan onhandigheid te danken.

Ik zette een pot thee en ging met het boek in mijn stoel

zitten. Ik bladerde naar de lange brief die Melville aan Hawthorne had geschreven, die brief die hij op de verjaardag van mijn moeder had geschreven, 13 augustus 1852, vergezeld door die pagina uit de notities van de advocaat:

> Bij het beschrijven van het karakter van Robinson moet naastenliefde een grote rol spelen. Ik neem aanstoot aan die passage in de notities waarin staat dat "hij in zijn leven moet zijn gestraft", waarmee meer straf in de toekomst wordt geïmpliceerd. Ik denk niet dat hij zijn vrouw met voorbedachten rade heeft verlaten. Als dat het geval was geweest, zou hij zijn naam hebben veranderd, waarschijnlijk meteen nadat hij haar had verlaten. Nee: hij was zwak en zijn verleiding (hoewel we er weinig over weten) was sterk. Zondigheid heeft hem irrationeel overvallen, waardoor het wellicht moeilijk voor hem is geweest om het exacte moment te bepalen waarop hij tegen zichzelf kon zeggen: 'Nu heb ik mijn vrouw verlaten.'

Ik dacht hardvochtig dat de dag waarop hij met die andere vrouw was getrouwd best eens de dag kon zijn geweest dat Robinson uiteindelijk had toegegeven dat hij zijn eerste vrouw had verlaten! Maar ik had niet stilgestaan bij de notie dat het misschien een kwestie van zwakte en niet een van opzet was, en dacht terug aan de brief die ik aan Oscar had laten zien. Melville had gesuggereerd dat Robinson in eerste instantie niet meer dan de verplichting van een zeeman jegens Agatha had gevoeld. Maar zijn morele geweten was zich gaan ontwikkelen en hij was wroeging gaan voelen. Zo groeien we allemaal, en we leren hoe we ons moeten gedragen door het gedrag van anderen te imiteren. Maar kan wroeging ooit het effect van zulk onbezonnen gedrag verzachten? Wroeging kon niets veranderen aan het feit dat Agatha had geleden.

Ik pakte de oorspronkelijke brief er weer bij. Herman

Melville had opvallend veel te zeggen over een verhaal dat hij in eerste instantie aan Hawthorne had willen geven, en de manier waarop hij erop aandrong hem het verhaal cadeau te doen, was bizar. Als Agatha's omstandigheden veelvoorkomend waren in de tijd van Melville, waarom vond hij ze dan zo enorm interessant? Er stonden genoeg fictieve details in de brief aan Hawthorne om een diepe interesse in het verhaal te suggereren. Of wilde Melville zijn geschenk gewoon zo interessant mogelijk maken, gebruikte hij elk detail om het verleidelijk voor Hawthorne te maken om het verhaal te gaan schrijven? Er stond in Melvilles brief zelfs:

Ik kan nog veel meer details opsommen; maar dat doe ik niet, je zult zelf wel ontdekken hoe aanlokkelijk het is: & het is misschien maar beter ook dat ik me er niet mee bemoei.

Hij kon zichzelf echter niet inhouden, en vervolgde:

De jonge Agatha (die je een andere naam moet geven) dwaalt over het klif. Ze merkt op hoe de constante aanval van de zee het kapot heeft geslagen; de hekken zijn omgevallen & de zee rukt op. Zo ver dat er woningen in gevaar zijn, in de buurt van de vuurtoren. Ze loopt peinzend langs de rand van het klif & staart naar de zee. Ze ziet wat wolken aan de horizon en denkt dat het ondanks de stilte gaat stormen. (Ze komt uit een familie van zeelieden en heeft verstand van dit soort zaken.) Ook dat zet haar aan tot nadenken. Ze ziet plotseling de lange schaduw van het klif dertig meter onder zich op het strand; dan ziet ze dat er een schaduw langs die schaduw beweegt. Hij wordt naar beneden geworpen door een schaap in de wei. Het loopt vlak langs de rand en kijkt onschuldig over het water. We zien hier het vreemde & mooie contrast tussen de onschuld van het

land dat vredig de boosaardigheid van het water aan-
schouwt. (Wat allemaal poëtisch refereert aan Agatha
& haar zeeman/minnaar, die tijdens de storm arriveert:
de storm brengt haar haar geliefde; ze ziet in de verte
zijn schip voordat ze van het klif wegloopt).

Wat als Hawthorne het verhaal zo helemaal niet wilde beginnen? Wat als Hawthornes eigen verbeelding een heel
andere, tegenovergestelde versie van Agatha's benarde omstandigheden voorstelde? Een andere interpretatie van dezelfde feiten, net zoals die van Oscar anders was dan die van
mij? Maar Melville liet het niet bij een beschrijving van de
omgeving... hij gaf ook een omschrijving van de karakters:

De vader van Agatha moet een oude weduwnaar zijn,
een man van de zee, die er al vroeg door is weggejaagd
vanwege herhaalde rampspoed. Vandaar dat hij ingetogen, stil & wijs is. En nu werkt hij in de vuurtoren, om
mensen voor dezelfde gevaren te waarschuwen waaronder hij zelf zo heeft geleden.

Ik zag wel hoe het verhaal Melvilles verbeeldingskracht had
gegrepen, maar ik begreep nog steeds niet waarom hij Hawthorne zo gedetailleerd een verhaal zou aanbieden dat van
hem zou zijn. Maar net zoals ik de zoektocht naar *The Isle of
the Cross* met Oscar wilde delen, en Geist hem met mij wilde
delen, wilde Melville misschien dat Hawthorne er samen
met hem over zou schrijven... zodat ze een gemeenschappelijke interesse hadden. Hij legde zelfs uit wat we moeten
doen als we de details verklaren:

Na een bepaalde tijd, als Agatha zich zorgen begint te
maken om de lange afwezigheid van haar jonge echtgenoot & koortsachtig zit te wachten op een brief van hem,
moeten we de post introduceren, of nee, dat is niet de

juiste term, maar het gaat om het ding. De vuurtoren is zo afgelegen dat correspondentie die plaats niet bereikt. Maar een kleine twee kilometer verderop is een weg die naar twee poststadjes leidt. En op het kruispunt van wat we de Vuurtorenweg en de Postweg zullen noemen, staat een paal met een kist erop, met een deksel & een leren hengsel. De postbode doet alle brieven voor de mensen van de vuurtoren & de directe omgeving, waar vissers wonen, in die kist. Ze moeten hun brieven daar ophalen. En Agatha loopt er natuurlijk dagelijks naartoe... zeventien jaar lang. En naarmate haar hoop meer vervliegt, beginnen die paal en de kist ook te slijten. De paal verrot uiteindelijk. Aangezien hij zo weinig wordt gebruikt – bijna nooit – groeit er hoog gras omheen. Er nestelt uiteindelijk een vogeltje in. De paal valt om.

Er komen geen brieven voor Agatha.

De radiator tikte omdat hij uitzette van de hitte, een rivaal van de groene klok, en ik had ook het gevoel dat ik ergens op wachtte toen ik daar zo in mijn flatje zat. Het was een naamloos gevoel van ongerustheid dat ik alleen maar wachten kon noemen. Maar het gevoel had net zozeer met een omhullen van de tijd te maken – dat de brieven van Melville naar me toe leek te brengen op het moment dat ze waren geschreven – als het gevoel dat er geen enkel moment bestond dan het moment dat me nu omhulde, zittend in mijn stoel, terwijl ik zijn brieven las.

Melville vroeg Hawthorne in november 1852 alle correspondentie aangaande het Agatha-verhaal, inclusief de bladzijde uit de notities van de advocaat die hij met zijn eerste brief had meegestuurd, terug te sturen. Hij hoopte dat zijn vriend hem alle goeds wenste: 'Ik vraag je zegen voor mijn pogingen; moge er een gunstige wind over me waaien.'

Hij had eindelijk besloten om het verhaal zelf te schrijven.

Deel Vier

Twintig

'Goed dan, lieve kind,' zei meneer Mitchell geveinsd ernstig, 'hier ben ik, je slaaf, een arme, gebrekkige, zwakke en geminachte oude man. Zet me maar aan het werk!'

Hij was de eerste die arriveerde op de kerstavondborrel die Geist me had gevraagd te organiseren. Hij had in zijn rode gilet, dat dichtgeknoopt zat over zijn grote torso, met zijn plukjes wit haar en paarse neus gemakkelijk kunnen doorgaan voor een losbandige kerstman in vrijetijdskleding.

Ik gaf meneer Mitchell een paar van de plastic bekertjes die Pearl en ik op de toonbank voor in de winkel, waar we een tafelzeil overheen hadden gelegd, bezig waren neer te zetten. Meneer Mitchell sloeg de bekertjes omver, en ze vielen op de vloer. Hij maakte aanstalten ze op te rapen, maar had moeite met vooroverbuigen. Zijn rode gezicht werd bijna paars van inspanning en zijn ademhaling versnelde.

'O, jee,' hijgde hij. 'Ik vrees dat ik te veel heb gegeten tijdens de lunch vandaag, lieve kind. Ik heb last van Arthurs indigestie.' Hij wreef met zijn grote roze hand over zijn borst.

'Dat geeft niets, meneer Mitchell. Pearl en ik hebben alles onder controle,' zei ik, en ik raapte zelf de bekertjes op.

Pearl was bezig kaas op een plastic bord te leggen en af en toe spietste ze met een lange nagel (haar nagels waren rood met groen voor de gelegenheid) een blokje, dat ze in haar mond stak. Ze had de crackertjes in een cirkel neergelegd.

'Je ziet wel dat ik volledig nutteloos ben buiten de afdeling zeldzame drukken,' vervolgde meneer Mitchell. 'Een feit waarop ik regelmatig wordt gewezen door mevrouw Mitchell. Ik kan nog geen lamp vervangen, lieve kind.' Hij was duidelijk trots op zijn nutteloosheid.

'Ik schenk wel een glas wijn voor u in,' bood ik aan. 'Dan wachten we even tot de laatste klanten zijn vertrokken.'

Er waren een paar achterblijvers en Jack en Bruno deden hun agressieve best om hen de winkel uit te werken. Pearl had de kassa stipt om zes uur gesloten, maar er bleven altijd mensen hangen.

'Aha, château migraine,' zei meneer Mitchell, die het etiket van de wijn bestudeerde terwijl ik een glas vol schonk. 'Precies het medicijn dat ik nodig heb. Wat is Pike toch een krent.'

Hij nam een grote slok rode wijn.

'Walgelijk,' zei hij terwijl hij een smakkend geluid maakte en het ondoorzichtige plastic bekertje tegen het licht hield. 'Of misschien kan ik beter weerzinwekkend zeggen. Ik zal het eens aan een vinoloog vragen. Ah, daar zie ik er al een.'

Hij greep Bruno vast, die een zware boodschappentas op de toonbank zette. 'Nog meer bocht,' zei Bruno. De flessen sloegen tegen elkaar in de tas. 'Ze hebben ze bij de achterdeur bezorgd. Waar zal ik ze zetten?'

'Daar is prima. Ik dacht al dat ze te weinig hadden bezorgd,' zei ik terwijl ik de flessen uit de tas pakte en veronderstelde dat de slijter erachter was gekomen dat hij te weinig had geleverd. Ik had vanwege het beperkte budget dat Pike me had gegeven de allergoedkoopste wijn moeten bestellen. En ik zou het verschil toch niet proeven.

'Kom eens hier, mijn Slavische kameraad. Laat me een glas van dit gruwelijke druivennat voor je inschenken. Ik ben vroeg begonnen, aangezien mijn laatste klant om vijf uur al was vertrokken.'

'Lekker,' zei Bruno. Hij schonk zelf een bekertje tot de rand vol en proostte met meneer Mitchell. 'Op literatuur,' zei Bruno met een ironische gezichtsuitdrukking.

'Daar drink ik op,' zei meneer Mitchell een beetje amechtig. Ze dronken allebei hun bekertje leeg.

Ze waren vastberaden snel dronken te worden, en als eersten.

'Ik wilde dit drankje weerzinwekkend noemen, maar jij bent natuurlijk de expert,' zei meneer Mitchell.

'Ik denk dat smerig een betere omschrijving is,' zei Bruno, die een harde boer liet.

'Ik voeg me naar jou,' zei meneer Mitchell, die een beetje huiverde. 'Laten we het op onuitsprekelijk houden.'

Ze schonken hun bekertje nog eens vol en toostten op het onuitsprekelijke, waarna ze de wijn als water achteroversloegen.

'Rustig aan, meneer Mitchell,' zei ik. 'U moet nog ongedeerd thuis zien te komen. Bruno heeft een voorsprong op u; hij begint gewoonlijk 's ochtends vroeg al te drinken.'

'Zo jong en tactloos,' zei meneer Mitchell, die me onder mijn kin aaide.

'Hé, meid, drink er een met ons,' bood Bruno met een wellustige blik in zijn ogen aan; hij raakte mijn mouw aan. 'Mooie blouse, sexy hoor,' zei hij, en hij gaf meneer Mitchell, die de kaas stond te inspecteren, een por.

'Zo is het wel weer genoeg, Bruno,' zei Pearl van achter de toonbank.

'Rosemary ziet er betoverend uit, vanavond,' zei meneer Mitchell. 'Die blouse staat je prachtig, lieve kind.'

'Dank u,' antwoordde ik, en ik begon te blozen. 'Ik heb hem van een vriendin uit Tasmanië gekregen, juffrouw Chapman.'

'Duidelijk een dame met goede smaak,' zei meneer Mitchell, die een blokje kaas in zijn mond stak.

Ik schonk twee halve bekertjes wijn in en gaf er een aan Pearl.

Jack kwam aanlopen en pakte een bekertje voor zichzelf.

'Geen bier?' vroeg hij terwijl hij de wijn inschonk. 'Nou ja, dit is ook lekker,' zei hij, en hij dronk in één teug zijn bekertje leeg. Hij schonk er meteen nog een vol, en vulde die van meneer Mitchell en Bruno bij. Zijn vriendin, Rowena, stond op het raam te kloppen, zwaaiend van de straatkant van de gesloten glazen deuren in de hoop te worden binnengelaten.

'Alleen personeel,' fluisterde Pearl tegen me. 'Ik haat die poedel.'

Meneer Pike kwam aanlopen; hij glimlachte zijn behoedzame maar milde glimlach. 'George Pike wenst iedereen een vrolijk kerstfeest,' zei hij met zijn hoge, vreemde stem. Hij had voor de gelegenheid een colbertje aangetrokken. Hij had zijn das rechtgetrokken en zag er parmantig uit, op een armoedige manier.

'Wilt u een glas wijn, meneer Pike?' vroeg ik.

'Ik raak dat spul nooit aan, juffrouw Savage. Ik ben geheelonthouder.'

'In tegenstelling tot alle anderen hier,' zei meneer Mitchell te hard.

'Het is belangrijk om je gezondheid in de gaten te houden,' zei Pike tegen Pearl terwijl hij opzettelijk langs meneer Mitchell heen keek, tegen wie het commentaar was gericht. 'En je gedrag.'

'Alcohol heeft een goede invloed op beide,' mompelde meneer Mitchell sarcastisch. 'Bezorgdheid is een vijand van het leven.'

'Het leven is kort en kunst is lang,' grapte Arthur, die van zijn afdeling aan kwam slenteren. 'Is het al borreltijd?' Hij had een takje hulst achter zijn oor gestoken en zag er ongebruikelijk vrolijk uit. 'Dat betekent dat ik beschikbaar ben,' zei hij tegen Pearl en mij. 'Specialiteit van het seizoen, net als plumpudding.'

Dat was precies hoe Arthurs hoofd eruitzag met die feestelijke versiering: als een plumpudding. Oscar kwam ook aanlopen, met zijn haar netjes gekamd, maar verder zonder tegemoetkoming aan de feestelijke gelegenheid in zijn witte overhemd met zwarte broek.

'Wat zie je er duivels uit in die blouse, TD,' zei Arthur. Hij leunde over de toonbank heen om hem te bestuderen. 'Hij is bijna doorzichtig, gedurfd hoor! En rood!'

'Hij is van Kamerijks linnen gemaakt,' zei Oscar, die nauwelijks opkeek van de kaas. 'Het zal wel de bedoeling zijn geweest dat hij op organdie zou lijken. Kamerijks linnen is goedkoper, maar wordt gewoonlijk niet in die kleur geverfd. Ze zullen de kalamkari-techniek wel hebben gebruikt: meerdere verfbaden.'

Arthur haalde zijn schouders op alsof hij daarmee wilde aangeven dat Oscar een hopeloos geval was, en ik hem moest negeren.

'Waar het om gaat,' zei Pearl, die het altijd voor me opnam, 'is dat je er geweldig uitziet, meid. Heel kerstig.'

Ik voelde me gegeneerd.

'Waar is meneer Geist?' vroeg ik in een poging van onderwerp te veranderen.

'Waarom wil je dat weten?' vroeg Arthur met een grijns op zijn gezicht.

'Walter zit op kantoor de boekhouding voor vandaag te doen,' zei Pike. 'Hij komt er zo aan.'

'Laten we maar hopen dat dat het enige is wat hij doet,' zei meneer Mitchell met een lage, boosaardige stem. Zijn bekertje was weer leeg en Jack schonk het snel vol, net als dat van zichzelf. Maar zijn opmerking had Oscars aandacht getrokken. Hij bestudeerde hem.

'Robert,' zei Pike bits, 'dit is niet de tijd en het moment voor paranoia.'

'Ik heb je al verteld wat hij van plan is,' mompelde Mitchell strijdlustig. 'Hij heeft een verbitterd hart en gaat toeslaan. Wacht maar af!'

Hij was dronken en zijn gezicht was donkerrood.

'Robert!' Pike pakte het bekertje uit meneer Mitchells hand en gaf het aan Pearl, die het wegzette.

'Hij zit vast op dit moment met dat apparaat van hem jouw en mijn post te lezen,' voegde meneer Mitchell eraan toe met een krakende, lage stem. 'Voor je het weet, heeft hij je winkel verkocht!'

'Zo is het genoeg!' zei Pike, die hem de rug toekeerde.

Niet iedereen had de woordenwisseling gevolgd, maar Oscar had er geen woord van gemist. Hij staarde me onderzoekend aan. Wiens post zat hij te lezen? Zijn razende blik vroeg wie het nog meer wist. Aan wie heb je het verteld? Wat speel je voor spelletje?

Ik schudde wanhopig mijn hoofd en probeerde Oscar met een stille blik gerust te stellen, hem woordeloos te verzekeren dat ik niets tegen meneer Mitchell had gezegd. Hij weet niets over *The Isle of the Cross*, probeerde ik telepathisch over te brengen. Oscar beantwoordde mijn smekende blik met een minachtende.

Hij was ervan overtuigd dat ik hem had verraden.

Walter Geist kwam aanlopen; hij zag er verwilderd uit en Pike sprak hem met valse jovialiteit aan: 'Walter! Daar ben je... het beste komt altijd het laatste! Hebben we vandaag genoeg verdiend om een feestje te vieren?'

'Het was geen slechte dag,' mompelde Geist; hij staarde naar de vloer.

'Fantastisch!' riep Pike, en zijn dunne stem klonk hol in de lege Arcade, blikkerig onder het enorme koepelvormige plafond. Al het personeel stond nu bij de toonbank voor in de winkel, en iedereen stond met een drankje in zijn hand te kletsen, behalve Pike en Oscar.

Meneer Mitchell staarde Geist onvast maar razend aan, zijn gezicht een masker van dronken vijandigheid.

Oscar liep naar hem toe, pakte hem bij zijn arm en leidde hem weg van het groepje dat we vormden. Ik keek toe hoe

Oscar hem vurig iets in het oor fluisterde. Ik nam een slokje wijn, niet lettend op de gesprekken om me heen, gefixeerd op Oscar en zijn stille beschuldiging.

Je vergist je! wilde ik over de hoofden van het personeel schreeuwen. Hij weet niet wat je denkt dat hij weet. Ik heb hem niets verteld. Hij weet niets over de Melville-roman. Niets. Het is ons geheim.

Maar er was nog iets heel erg mis.

Ik keek als in slow motion verbijsterd toe hoe meneer Mitchell met zijn hand naar zijn borst greep en achterover begon te vallen. Hij viel zwaar neer, met het enorme gewicht van zijn postuur, zo stijf als een boom. Oscar probeerde hem op te vangen, zijn gezicht verbijsterd en wit weggetrokken, maar meneer Mitchell was te zwaar voor hem. De anderen reageerden toen ze hem hoorden vallen en we renden allemaal naar de plek waar meneer Mitchell op de vloer van de Arcade lag te hijgen. Oscar rukte de das van de oude man los en knoopte zijn gilet en overhemd open terwijl George Pike iedereen aan de kant duwde. 'Geef hem wat frisse lucht! Geef hem wat frisse lucht!' gilde hij. Hij zag er een moment radeloos uit.

Pearl sprong in een soepele beweging over de toonbank heen en legde haar oor tegen de zwetende borstkas van meneer Mitchell. Hij probeerde iets te zeggen, maar dat lukte niet.

'Bel een ambulance,' blafte Pearl tegen Oscar.

Hij rende naar Pikes podium en ik hoorde hem kalm een ambulance voor de winkel bestellen.

Meneer Mitchell leefde een heel klein beetje op toen ik een bekertje water naar zijn lippen bracht. Hij mompelde iets onhoorbaars, misschien: 'Lieve kind.'

Er schoten in de daaropvolgende angstige minuten allerlei vluchtige, irrationele gedachten door mijn hoofd. Als meneer Mitchell doodging, moest ik terug naar Tasmanië. Ik zou het niet aankunnen. Zijn dood zou een blijk zijn van mijn ontrouw, van mijn zwakke karakter. Ik zou hem op een bepaalde manier hebben gedood. Hebben vermoord. Ik had met mijn aanwezigheid de balans in de Arcade verstoord. Geheimen waren fataal en ik wilde er in geen enkel betrokken raken; ik kon hoe dan ook geen geheimen bewaren. Oscar moest tegen hem hebben gefluisterd dat ik niet te vertrouwen was; dat ik onbetrouwbaar en leugenachtig was.

Er bonkte een politieagent op de glazen deur en op straat was het rode zwaailicht van een ambulance te zien. Jack rende naar voren om de dubbele deuren open te doen en er werd een brancard naar binnen gerold. Bruno en Jack pakten meneer Mitchell bij zijn voeten terwijl de broeders zijn schouders pakten. Hij was bij bewustzijn en had duidelijk pijn, en voordat er een zuurstofmasker over zijn gezicht werd geschoven, zwaaide hij zwakjes met zijn hand en probeerde iets te zeggen. Pike stond naast hem en pakte zijn hand. Hij liep met de brancard mee en klom achter hem aan de ambulance in. Er hadden zich al ramptoeristen op de stoep verzameld en we liepen allemaal naar buiten; we stonden verbijsterd in de koude avondlucht. Er viel natte sneeuw, die oploste zodra hij de gepekelde stoep raakte.

'Walter! Walter, jij neemt het over!' riep George Pike voordat de deuren van de ambulance dichtsloegen en de sirene begon te gillen.

We liepen terug de winkel in. Bruno deed de deuren op slot tegen de menigte die zich buiten had verzameld, een moment nadat Oscar, met zijn jas aan en dichtgeknoopt, naar buiten was geglipt. Hij was verdwenen voordat iemand had opgemerkt dat hij wegging. Behalve ik.

'Het komt wel goed met meneer Mitchell,' probeerde Walter Geist iedereen met een hardere stem dan gebruikelijk gerust te stellen. 'Dit is al eerder gebeurd en hij herstelt er altijd prima van.'

Ik nam een grote slok wijn om mijn zenuwen tot bedaren

te brengen. Bruno, Jack en Rowena zaten dicht tegen elkaar aan. Ze hadden alle drie een bekertje in hun hand. Ze fluisterden iets tegen elkaar en iemand schoot in de lach, ze waren zo te zien niet al te aangeslagen door wat er was gebeurd, of ze waren te dronken om het goed te begrijpen. Arthur ging op een stapel boeken naast de toonbank zitten; het takje hulst was achter zijn oor vandaan gevallen. Pearl klopte hem op zijn brede rug.

'Het gaat wel,' zei hij tegen haar met zijn mond vol blokjes kaas. 'Ik heb alleen vreselijke honger.'

Toen ik zo om me heen keek, kreeg ik de indruk dat ik de enige was die overstuur was. Ik was doodsbang dat meneer Mitchell zou sterven en bedacht hoe verachtelijk het was dat Oscar hem was gesmeerd. Wat laf van hem dat hij me geen kans had gegeven het uit te leggen. Wat had hij tegen meneer Mitchell gefluisterd? Waar was hij naartoe?

'Rosemary,' riep Geist, en hij gebaarde een meter van me vandaan met een opgestoken hand naar me.

'Pas op,' zei Jack toen ik langs zijn groepje liep. 'Het beest brult.'

Bruno en Rowena begonnen te grinniken om wat zo te horen een grapje ten koste van mij, en Geist, was. Ik vroeg me af of Jack degene was die ons in dat eetcafé had gezien.

'De geest van het Heden roept je en je rent er meteen naartoe,' hijgde Bruno met zijn stinkende adem in mijn haar.

'Wat is er, meneer Geist?' vroeg ik met een rood gezicht. Mijn hoofd bonkte van de goedkope wijn. Ik voelde me traag, alsof ik niet in mijn lijf zat, niet in staat me te concentreren. Was Oscar zo plotseling weggegaan omdat hij razend op me was?

'Nu meneer Mitchell er niet is, zal de afdeling zeldzame drukken op slot moeten. Het licht moet uit en zijn koffertje en sleutels moeten naar zijn echtgenote worden gebracht.'

'Ik kan de afdeling zeldzame drukken niet onder mijn

hoede nemen!' flapte ik eruit, geschokt bij de gedachte alleen al.

'Dat vraag ik ook niet,' zei hij niet ongeduldig. Geist kwam onmogelijk rustig op me over; misschien was hij uitgeput. 'Ik wil graag dat je met me mee naar boven gaat als iedereen weg is. Je moet me helpen. Begin maar vast met opruimen. Ik heb je nodig...' hij aarzelde, 'om te zorgen dat ik niets over het hoofd zie, en daarna wil ik dat je het koffertje bij de portier van het gebouw waar Mitchell woont, aflevert. Zijn vrouw zal tegen die tijd wel in het ziekenhuis zijn. Ik ga haar even bellen.'

'Natuurlijk,' zei ik. Ik werd rustig van zijn duidelijke aanwijzingen. Ik verzamelde de servetjes en de plastic bekertjes en borden, en deed alles in een grote vuilniszak. Ik nam met een omhelzing afscheid van Pearl.

'Ik heb met Mario afgesproken, anders zou ik helpen,' zei ze terwijl ze haar jas aantrok.

'Dat geeft niets,' zei ik. 'Ik ruim even op met meneer Geist en dan ga ik het koffertje van meneer Mitchell wegbrengen. Dat is wel het minste wat ik kan doen. Tot morgen. Lillian komt om vier uur.'

'Prima,' zei Pearl, en ze gaf me een kus. 'Dan ben ik er ook. Maak je geen zorgen, het komt wel goed met hem. Dat weet ik zeker.'

De anderen vertrokken mopperend, met de paar overgebleven flessen onder de arm, vastberaden hun drinkgelag ergens anders voort te zetten. Arthur blies me nadat hij zich in zijn jas had geworsteld een kus toe. Ik draaide de voordeur op slot en schoof de grendel erop.

Toen ik terugliep naar Pikes podium, hoorde ik Walter Geist zacht tegen mevrouw Mitchell praten. Hij vertelde haar wat er was gebeurd en naar welk ziekenhuis haar echtgenoot was gebracht. Hij klonk heel vriendelijk. Nu ik hoorde hoe geweldig hij zijn stem kon inzetten om iemand gerust te stellen, drong het tot me door hoe anders zijn opmerkingen tegen mij waren: de vertaling van de tekst op de klok in het kabinet van Peabody; zijn raadselachtige opmerking over slapeloosheid; mijn hand vastgrijpen en hem naar zijn mond brengen. Ik had hem in verlegenheid gebracht door zijn gebaar te negeren. Ik voelde me beschaamd en onvolwassen dat ik niet was ingegaan op de moeite die het hem moest hebben gekost die geste te maken.

Hij hing de zware hoorn op de haak, zo te zien heel rustig, maar toen struikelde hij de twee treden van Pikes podium af. Hij herstelde zich en greep mijn arm in plaats van de leuning.

Ik hielp hem zijn balans terug te vinden.

'Dank je,' zei hij.

We hielden elkaar even bij de onderarm vast; hij had zijn gezicht afgewend. 'Je bent altijd zo behulpzaam, Rosemary Savage,' zei hij tegen de vloer. 'Wat zou ik zonder jou moeten beginnen?'

'U zou het wel redden, meneer Geist,' zei ik luchtig.

'Nee. Niet meer. Niet zonder jou,' verklaarde hij waardig.

We liepen samen naar de lift bij de ingang van de Arcade en ik bedacht dat ik toch blij was met zijn gezelschap, met zijn mannelijke gezelschap. Oscar was hem gesmeerd zonder me een kans te geven uit te leggen hoe het zat, zonder te willen dat ik het zou uitleggen. En als meneer Mitchell zou sterven? Ik zou het niet aankunnen. Geist leunde een beetje op mijn arm en ik voelde geen afkeer.

De albino zit net zo degelijk in elkaar als andere mensen, moest zelfs Melville toegeven.

We stonden in stilte in de lift naar de afdeling zeldzame drukken. De gammele liftkooi bleef steken toen ik hem probeerde open te rukken, en we moesten ons door een gat tussen de deuren persen dat net groot genoeg was om ons er één voor één door te laten.

'Kijk jij of je Mitchells koffertje ziet,' zei Geist, die op de tast naar de lichtschakelaar zocht en het licht uitdeed in de eerste van de ruimtes die samen Robert Mitchells domein vormden. 'En er moet ook ergens een grote sleutelbos liggen.'

'Oké,' antwoordde ik. 'Maar laat het licht nog even aan, anders kan ik niets zien.'

Ik liep naar de grootste ruimte en inhaleerde een teug van de vanillegeur van zijn pijp. De geur en het zachte aslaagje dat op alles in de kamer lag, bevestigden dat meneer Mitchell bestond. Zijn overvolle bureau stond tegenover een hoek, erachter en ernaast hingen planken. De pauwenveren keken toe hoe ik over het bureau heen boog op zoek naar het koffertje. Een bos sleutels hing aan een rood lint aan zijn stoel. Ik vond het hoesje en liet de sleutels erin zakken.

Toen ik zo tot mijn middel voorovergebogen stond, voelde ik zijn aanwezigheid.

Walter Geist was van achteren naar me toe komen lopen. Toen hij zijn hand licht op mijn rug legde, schrok ik er niet van. Hij had me daar per slot van rekening al eerder aangeraakt. Ik ging rechtop staan en draaide me naar hem om.

Hij deed een stap naar achteren en stond nu tegen de planken met de boeken die meneer Mitchell het dichtst bij zijn bureau wilde hebben, de kwetsbaarste. Geist ging opzij om ruimte voor me te maken, om aan te geven dat hij me niet bedreigde. Om te zien of ik zo ruw afstand zou nemen als ik in het eetcafé had gedaan. Hij gaf me ruimte om te beslissen. Het was een subtiel gebaar, kenmerkend voor hem, en het drong tot me door dat wat er tussen ons zou gaan gebeuren, onontkoombaar was.

'Ik scheld je je schuld kwijt,' zei hij heel formeel.

'Mijn schuld?'

'Dat voorschot. Het is goed zo. Ik houd verder niets meer in op je loon.'

'Bedoelt u dat ik de lening heb afbetaald? Nu al?'

'Wat ik bedoel, Rosemary, is dat je geen schuld hebt. Je bent vrij en schuldeloos.'

'Dank u wel, meneer Geist,' zei ik.

Ik deed een stap naar hem toe. Ik herinner me nog dat ik degene was die toenadering zocht. Ik was de enige die dat op dat moment kon doen. Ik kan het niet uitleggen.

Geist legde zijn hand op mijn gezicht, zijn vingertoppen naast mijn oog, zijn handpalm op mijn wang. Ik zag zijn mooie vingers. Het enige wat op dat moment vreemd aan hem was, was dat hij een man was.

De ogen van de stoffige pauwenveren keken toe, sluw en decadent, spionnen voor meneer Mitchell. Maar ze veroordeelden niet, dat had hij me zelf verteld.

'Meneer Geist...' Ik wilde met hem praten. Niet om te protesteren, maar om hem te vragen wat hij dacht. Zijn beweeglijke blik was onpeilbaar.

'Sst,' zei hij, weerstand verwachtend. 'Ik weet het. Ik weet dat ik lelijk ben en dat jij, Rosemary, beeldschoon bent. Het spijt me dat het verschil zo groot is. Het spijt me vreselijk.'

Hij sprak fluisterend, enorm geduldig, alsof hij een angstig dier probeerde gerust te stellen. Ik was niet bang. Zijn nabijheid maakte me onrustig, maar ik wilde dat hij zo dichtbij was, en ik voelde me meer nieuwsgierig dan angstig.

'En ik ben oud, maar ik kan je iets geven, Rosemary. Iets wat niemand anders je kan geven.'

'Wat? Ik wil helemaal niets van u,' zei ik. Dat was een leugen, hoewel het waar genoeg voelde om het hardop te kunnen zeggen.

Ik legde mijn hand op die van hem, mijn gezicht nu aan een kant bedekt door twee handen.

'Ik weet dat je niets van me wilt,' fluisterde hij. 'Daarom kan ik het je geven.'

Ik wilde dat hij verder sprak, dat hij niet ophield met

tegen me te praten met die geruststellende, zachte stem. Het was hypnotiserend om zo te worden toegesproken, zijn stem dik van emotie.

'Ik weet niet hoe ik het onder woorden moet brengen. Dat gevoel dat we op elkaar lijken, dat we verschillend zijn. Ik wil je zo veel vertellen, alles, maar ik weet niet hoe ik met je moet praten. Ik heb...' hij aarzelde, 'ik heb maar heel weinig ervaring met vrouwen. Met praten over mijn gevoelens,' mompelde hij, en toen sprak hij gehaast verder, zijn woorden tegen elkaar vallend, teder en snel, een beetje dronken. 'Een moment,' zei hij. 'Misschien is dit een moment dat om poëzie vraagt...'

'Poëzie?' vroeg ik verward. De wijn, mijn zorgen om meneer Mitchell, zijn intensiteit; alles maakte dat mijn hoofd tolde. Waar had hij het over? Die poëziebundel die op Oscars afdeling was achtergelaten? Had hij die daar neergelegd?

Hij trok me naar zich toe.

'Laat me je dit vertellen, Rosemary,' fluisterde hij in mijn oor. Zijn hand lag in mijn nek, onder mijn haar. Zijn andere hand duwde tegen mijn rug, met de vingers gespreid zoals ik ze op de kaft van boeken had zien liggen als ik hem op Oscars afdeling had aangetroffen, als ik heel even had gezien hoe waardig hij was en ik hem bijna aantrekkelijk had gevonden.

'Laat me dit tegen je zeggen, Rosemary Savage.' Zijn adem was zacht en de hand in mijn nek trok mijn oor naar zijn mond. 'Alleen zoals ik ben, kan ik je liefhebben zoals jij bent.' Zijn vreemde woordkeus was overwogen, precies. 'Begrijp je dat?'

'Nee. Ik... Meneer Geist...' Mijn eigen dikke stem klonk ver weg.

Zijn hand bewoog van mijn nek naar beneden en gleed naar mijn borst. Er kwam een laag geluid uit zijn keel. Er ging een golf van hitte door mijn lichaam en hij trok me met zijn andere arm naar zich toe. Ik was langer dan hij en zijn wollige kruin lag een vreemd moment tegen mijn kin, zijn hoofd op mijn borst rustend. Ik vroeg me af of ik iets moest doen, of ik hem actief moest aanraken, maar ik wilde dat hij de actie ondernam. Ik wilde het weten. En ik wilde die golf van hitte blijven voelen.

'Ik hoor je hart,' zei hij met zijn oor tegen mijn borst. 'Je bent vol van leven.'

'Meneer Geist...' Hij tilde zijn hoofd op en bracht mijn gezicht naar dat van hem om me te kussen. Ik duwde hem niet weg. Ik was door hem geraakt. Ik was opgewonden. En ik vond zijn nabijheid, zijn stilte, prettig. Ik voelde iets in me smelten. Ik had behoefte aan tederheid, ik had er behoefte aan verlangen te voelen. Ik wilde dit met Oscar, en ik zag hem voor me, daar in de kamer in mijn hoofd, omringd door boeken, precies op de plek waar Geist stond.

Ik stond met Oscar in de kamer.

Hij duwde zijn mond tegen die van mij en ik voelde zijn gelijkmatige tanden door mijn lippen heen. Hij wist net zomin als ik hoe hij moest zoenen. Hij hield gewoon mijn gezicht tegen dat van hem, mond tegen mond. Hij ademde diep in, in vervoering, alsof hij handen vol bloemen of bladeren tegen zijn gezicht hield en de geur inademde, mij inademde. Zijn handen vonden mijn haar en ook daar bracht hij handen vol van naar zijn gezicht. Hij ademde en ademde, alsof ik van lucht was gemaakt, en zo voelde ik mezelf worden: licht en etherisch. Dat was hoe hij me zag.

'Je moet begrijpen, Rosemary,' zei hij op dringende toon, 'dat ik, omdat ik ben hoe ik ben... lelijk, langzaam...'

'Sst,' zei ik nu op mijn beurt, en ik maande hem tot stilte. Ik wilde niets over zijn pijn horen.

'Je moet begrijpen dat ik daardoor ben bevrijd,' sprak hij verder. 'Om lief te hebben. Dat zul je nooit meer tegenkomen. Dat weet ik zeker.'

Ik kon niets zeggen over zijn zekerheid. Ik voelde er de

waarheid van, hoewel ik wist dat ze weinig met mij had te maken. Hij wil leven, dacht ik, maar ik ook. Hij was in de herfst van zijn leven. Dat wist ik niet zeker, maar ik voelde het. Ondanks al zijn vurigheid rook ik het in hem: beginnende ouderdom.

Hij leek meer geïnteresseerd in mijn geur, in mijn nabijheid, dan in eenwording. Meer geïnteresseerd me te voelen dan me te zien. Het leek zelfs minder om mij te gaan dan om mijn levensenergie, de realiteit van mijn lichaam. Hij knoopte mijn blouse open en tilde mijn borsten uit hun harnas; hij duwde mijn beha naar mijn middel. Zijn lichte handen bewogen in een subtiel zoekende beweging van mijn schouders, die nu bloot waren, naar mijn borsten. Ik had er zo naar verlangd de handen van een man op mijn lichaam te voelen. Zijn aanraking was intens zachtaardig, zijn gezicht verwonderd, zijn ogen gesloten in een andere realiteit.

Maar hij zag me, dat weet ik zeker, ondanks het feit dat hij maar weinig anders kon zien dan licht en donker. Hij zag me zonder te hoeven kijken.

Toen duwde Walter Geist zijn kleine lichaam tegen mijn dijbeen aan en ik voelde zijn erectie door zijn kleding heen.

Hij maakte in een snelle beweging zijn riem los, deed zijn broek open, pakte mijn hand zoals hij dat in het eetcafé had gedaan en duwde hem tegen zich aan.

Op het moment dat mijn hand zich om hem heen sloot, ging er een siddering door zijn lichaam, en hij deed kreunend een stap van me vandaan, tegen de boekenplanken achter hem aan. Er vielen boeken naar beneden; één boek balanceerde even op de rand van de plank en viel toen ook.

Ik was ineens weer in de gewone wereld, alsof ik was wakker geschud, en voelde me vreselijk eenzaam.

Er lag een melkachtige vloeistof in mijn hand, een poeltje

van hem, zo wit als zijn lichaam. Ik staarde er verbijsterd naar. Mijn eigen versmelten was abrupt tot stilstand gekomen, de nabijheid verdwenen als een boek dat wordt dichtgeslagen.

'Rosemary,' fluisterde Geist, die zijn gezicht tegen de plank verborg. Er viel nog een boek. 'Rosemary.'

Ik staarde naar mijn handpalm, naar wat ik van hem vasthield. Ik voelde me een beetje misselijk, afgestoten door de textuur. Ik had geen zakdoek bij me, dus ik schoof mijn hand in mijn zak en veegde de smurrie aan de binnenkant af. Ik pakte mijn rode blouse, trok mijn beha omhoog en kleedde me snel aan. Mijn broekzak voelde nat en koud tegen mijn dij. Ik duwde de onderkant van mijn blouse onder mijn broekzak om zo nog een laagje te creëren. Toen dacht ik aan het stukje papier, het hoekje van de brief, nu gegarandeerd kapot. Ik had het willen bewaren, de aanwijzing uit een puzzel die ik nog niet begreep. Oscar had gezegd dat hij geen dief was, maar de droefheid van de man was ineens tot me doorgedrongen. Ik werd erdoor overweldigd.

Geist stond met zijn rug naar me toe aan zijn broek te sjorren. Het leek wel of hij in een andere taal stond te fluisteren... Duits, of nonsens.

'Meneer Geist,' zei ik met een onzekere stem. 'Gaat het wel?'

Hij draaide zich naar me om; zijn broek was dicht en zijn riem vastgegespt. 'Ja, ja,' zei hij. Toen voegde hij er op vreemd familiaire toon aan toe: 'Maar de vraag is, Rosemary, of het met jou wel gaat.'

'Ja, hoor,' zei ik terwijl ik gal in mijn keel voelde prikken. Ik boog voorover om de boeken die rond zijn voeten waren gevallen op te rapen. Mijn handen beefden toen ik ernaar reikte.

'Maar,' vroeg hij tactvol, 'onbevredigd?'

'Het gaat wel,' zei ik terwijl ik de boeken oppakte. Mijn knieën beefden terwijl ik mijn rug rechtte.

Meneer Mitchell zou het zien als ik de boeken niet op

dezelfde plek terugzette. Hij zou weten dat ze van de plank waren gevallen. De binnenkant van mijn broekzak en de onderkant van mijn blouse kleefden stijf tegen mijn huid. Als ik me niet schaamde over wat er tussen mij en meneer Geist was gebeurd, waarom kon het me dan schelen wat meneer Mitchell dacht? Ik moest de boeken oprapen. Zeldzame drukken op de vloer! Geist dacht dat hij me iets gaf, maar hij wilde me aan zich binden met een geschenk. Hij dacht dat we het geheim van het Melville-manuscript deelden en dat we nu ook zijn geheime intimiteit samen beleefden, maar die wilde ik helemaal niet. Ik kon niets met zijn eenzaamheid, en voelde alleen maar wanhoop bij wat ik ervan had gezien.

Hij zei ineens geagiteerd: 'Stop. Maak je niet druk om die boeken.' Hij besefte dat ik ze per se wilde oprapen en ze goed terug wilde zetten. Het waren kwetsbare boeken, het oude leer broos en beschadigd. Ze waren zo mooi, ze straalden zo'n oeroude verlokking uit. Een bladzijde dwarrelde naar de vloer als een blad dat van een boom viel. Ik schoof hem voorzichtig terug, diep geschokt door de aangerichte schade.

'Maar meneer Mitchell zal het zien,' perste ik de woorden uit mijn keel. Wat als hij sterft! 'Dat weet ik zeker, en dan wordt hij kwaad. Ik wil hem niet kwaad maken.'

'Laat liggen!' snauwde Geist.

Zijn woede deed me verstarren. 'Ik kan ze niet zomaar achterlaten,' zei ik verbijsterd.

'Waarom niet?' schreeuwde hij geïrriteerd. Ik had geen flauw idee waar zijn woede vandaan kwam. Hij keek verwilderd om zich heen, alsof hij niet zag waar ik stond.

'Die godvergeten boeken! Het zijn maar boeken, Rosemary. Objecten! Ze leven niet, ze ademen niet!'

Hij maaide met een arm om zich heen om nog meer boeken van de plank te gooien, maar miste zijn doel en viel bijna om. Ik ving hem nogmaals op.

Op dat moment leek hij plotseling helemaal verloren. Zijn handen gebaarden wanhopig om zich heen. Zijn schouders zakten naar beneden.

'Ik zie ze niet,' zei hij uiteindelijk, en hij liet zijn hoofd tegen mijn schouder zakken. 'Weet je dan niet dat ik ze niet kan zien?'

'Jawel,' zei ik, en ik liet hem los, duwde hem een beetje van me weg. Ik zette het laatste boek terug in de kast achter hem. Ik moest hier weg voordat hij nog meer schade zou aanrichten.

'Jawel,' herhaalde ik. 'Ik weet dat u ze niet ziet.'

'Ik ben blind,' tuimelden de woorden uit zijn mond.

'Dat weet ik,' herhaalde ik. 'Iedereen weet het.'

Eenentwintig

Ik heb weleens ergens gelezen dat blind worden voor sommigen een opluchting is, maar voor Walter Geist had het niets verlossends. Het was voor hem geen romantisch respijt van de drukke wereld om hem heen, van de accumulatie van kennis. Voor hem betekende het het eind van wat hem overeind hield.

We verlieten die avond samen in stilte de afdeling zeldzame drukken. Ik hielp hem afsluiten, pakte zijn armoedige jas en zijn slecht passende hoed en ging die van mezelf halen. Toen ik terugkwam naar het kantoor stond hij met een dikke envelop te friemelen, die hij uit een lade in zijn bureau had gepakt. Hij deed hem in een leren portefeuille en schoof die in de binnenzak van zijn jas. Zijn hand rustte op mijn schouder terwijl we de trap af liepen. Hij gaf me de sleutels en ik deed de achterdeur op slot, toetste de alarmcode in die hij me gaf. We stonden buiten op straat, natte sneeuw viel op ons neer, en hij hield mijn arm vast alsof hij bang was dat ik wilde ontsnappen. Ik wilde niets liever.

'Rosemary, ik moet vanavond iets doen. Iets wat heel belangrijk voor me is,' zei hij op dringende toon. 'En ik hoop dat het voor jou ook belangrijk zal zijn.'

Ik gaf geen antwoord. Ik wilde het niet weten. Ik wilde zijn geheimen niet kennen; ik wist dat ik ze niet kon bewaren: ik zou alles wat ik over *The Isle of the Cross* wist aan Oscar vertellen.

'Ik heb een overeenkomst met die verkoper gesloten,' vervolgde hij. 'Een overeenkomst het manuscript van Herman Melville te kopen. Het is heel veel geld waard. Maar we moeten heel discreet te werk gaan. Ik heb nog maar weinig tijd...'

'Alstublieft, meneer Geist, dat gaat mij allemaal niets aan.'

'Je hoeft alleen maar te luisteren. Ik kan hier niet blijven, het is beter dat ik ga. Ik zou hem vanavond ontmoeten, hier vlakbij, maar ik ben erg laat, vanwege... vanwege Mitchell. Maar ik wil dat je weet dat ik zeer binnenkort de Arcade ga verlaten.'

'Dat zijn mijn zaken niet, meneer Geist. Ik...'

'Maar het gaat je wel aan. Als ik het je vertel, zul je begrijpen waarom. Je geeft toch om me?'

Ik gaf geen antwoord. De sneeuwvlokken prikten in mijn gezicht. Ik hield het koffertje van meneer Mitchell als een schild tegen mijn borst gedrukt. Ik had het koud en mijn stijve broekzak en blouse jeukten tegen mijn been. Ik wilde naar huis, in bad, vergeten wat er was gebeurd. Maar ik wist dat ik het niet zou vergeten, en hij ook niet.

'Rosemary, laat me later naar je toe komen. Ik kom vanavond naar je toe. Dan vertel ik je alles.'

'Nee,' zei ik intonatieloos. 'Nee. Dat kan niet.'

'Ik zal je alles uitleggen, dat beloof ik. Ik kom vanavond naar je toe, in het Martha Washington.'

Hij luisterde niet.

'Nee, ik...'

Ik schudde mijn hoofd en hij leunde naar me toe. Hij probeerde me te kussen, maar miste mijn lippen. Zijn mond raakte met een onhandige bonk mijn kin. Ik was ontzet over wat het betekende: de gepoogde kus bijna net zo intiem als wat er op de afdeling zeldzame drukken was gebeurd, vanwege wat hij impliceerde. Walter Geist ging uit van een voortgezette intimiteit. Hij draaide zich zonder op een antwoord te wachten om en liep weg, richting het centrum, gevaarlijk de weg overstekend zonder ook maar even te wachten. Hoe moest dat aflopen? Het was bijna alsof het toegeven van zijn blindheid hem roekelozer had gemaakt.

'Nee,' riep ik zwakjes, maar hij hoorde me niet. De ijzige natte sneeuw voelde als zand en viel zacht sissend op de stoep. Hij liep snel, gleed een beetje uit, zijn silhouet misvormd door de straatlantaarns, een spookverschijning die verscheen en verdween in de poelen licht op de donkere straat. Hij vond de stoeprand bij een straatlantaarn en begon wild naar de auto's te zwaaien. Er stopte een taxi.

'Nee!' riep ik nog een keer zinloos. 'Meneer Geist!' Hij stapte in. 'Ik woon daar niet eens! Luister nou!'

Maar hij was al weg. Ik had het akelige gevoel dat hij me iets had afgenomen, dat ik iets kwijt was van mijn binnenste zelf, van mijn autonomie. Hij had gemompeld dat hij me iets gaf, maar ik voelde me ergens van beroofd. Het was net alsof hij me, door me te willen geven wat hij dacht dat hij me kon geven, er eenvoudigweg aan hielp herinneren wat ik hem schuldig was.

Ik dacht aan moeder, alsof ze alles had gezien, maar ik duwde de gedachte aan haar weg. Wat zou Chaps nu tegen me zeggen? Waar was Oscar? Ik slofte naar de metro. Het was droog, warm en helder verlicht onder de grond, en ik voelde me opgelucht zo veel mensen om me heen te hebben. Ik had hoofdpijn, maar hield me aan mijn verantwoordelijkheid meneer Mitchells koffertje af te geven. Ik had er behoefte aan iets te doen wat verantwoordelijk en aardig was. Ik had het gevoel dat het terugbrengen van dat koffertje hem beter zou maken. Dat hij dan niet zou sterven.

Het echtpaar Mitchell woonde aan de Upper West Side en hoewel er niemand thuis zou zijn, zou meneer Mitchell zijn papieren en sleutels ooit een keer nodig hebben, en hij zou willen weten dat de afdeling zeldzame drukken veilig was afgesloten tot hij ernaar zou terugkeren. Ik maakte me zorgen om de kwetsbare boeken die op de grond waren gevallen. Hij zou het Geist kwalijk nemen; hij haatte hem om redenen die me niet helemaal duidelijk waren. Waar rivaliseerden ze om, behalve om Pikes goedkeuring?

Ik zag in de metro de hele scène in die kamer weer voor me. Mijn huid gloeide van de herinnering aan Geists handen die me aanraakten... door de hitte van de sensatie, de schokkende gebeurtenis door een ander te worden aangeraakt. Er hadden witte, vederachtige handen over mijn lichaam gestreeld. Er was door de liefkozingen iets afgewend, en ik had meer gewild. Maar het was Walter Geist geweest die me aanraakte en niet Oscar Jarno. Ik voelde me beschaamd, beschaamd dat het Geist was geweest die zijn mond naar mijn oor had gebracht en had gefluisterd: poëzie! Het was een regel uit een boek dat ik op de plank had gezet. In het gedicht stond: 'Alles wat we niet zijn, staart wat we wel zijn in de ogen. Poëzie... het geheime symbool van een denkbeeldige affiniteit geworden.'

De metro denderde verder. Misschien voelde ik me zo leeg omdat ik het nu wist en het me niet meer kon afvragen. Geen aanwijzingen meer interpreteren, me niet meer afvragen wat Geists motieven waren en wat zijn handelingen betekenden. Hij was te echt geworden en was uit het kabinet gebroken waarin ik hem had bewaard. Hij was per slot van rekening een mens en geen rariteit. Hij had wensen. Ik kon hem niet rationaliseren tot hij niet meer echt was, of, zoals Oscar het wilde, hem onderzoeken tot hij alleen nog maar een object was. Ik werd misselijk bij de gedachte dat hij me alles zou vertellen. Oscar wilde alles over *The Isle of the Cross* weten. Als ik het hem zou vragen, zou hij het me geven. Maar wat moest ik daarvoor terugdoen?

Het stukje papier zat aan de binnenkant van mijn broekzak geplakt en scheurde toen ik het lostrok. Ik peuterde alle stukjes los en legde ze in mijn handpalm. Ik liet ze los en keek toe hoe ze naar de smerige vloer dwarrelden. Het waren uiteindelijk alleen maar snippers papier, wit en betekenisloos.

Ik zou er nooit achter komen wie die brief had geschreven.

Ik stapte uit op een station in de buurt van de bibliotheek waar ik die avond met Oscar had gezeten, in de buurt van de plek waar ik was gevallen. Mijn heup deed geen pijn meer, maar toch voelde ik pijn. In hoeverre had Oscars afwijzing me voorbereid op Walter Geist?

Ik liep westwaarts naar de rivier, de natte sneeuw nu ijzige regen, en dacht met een ellendig gevoel aan de avond dat ik over *The Isle of the Cross* had gelezen, aan Agatha, die verlaten en verraden was. Aan de gepassioneerde Herman Melville en hoe ik ook gepassioneerd had willen zijn; hoe ik ook een pantheïst had willen zijn. Ik zag Oscars gezicht voor me, verwrongen van walging, en die avond ook van minachting.

Het appartementencomplex waar het echtpaar Mitchell woonde, stond op een hoek van Riverside Drive en er zat een portier in uniform in de warme lobby. Hij was zo te zien ongeveer even oud als meneer Mitchell, maar slank in zijn getailleerde jasje met glimmende knopen en epauletten. Ik vertelde wie ik was en overhandigde hem het vochtige koffertje.

'Dat is aardig van je, juffrouw,' zei hij terwijl hij het koffertje aannam. 'Mevrouw Mitchell is een uur of twee geleden helemaal overstuur vertrokken. Ik heb een taxi voor haar gebeld. Hij ligt in het Beth Israel.'

'Ja,' bevestigde ik. 'Ik hoop maar dat het goed gaat,' voegde ik er met geforceerd optimisme aan toe.

Wat als hij zou sterven?

'Hij zorgt niet goed voor zichzelf,' vertrouwde de portier me toe, gretig met me te delen wat hij vanuit zijn begrensde perspectief in de lobby van het gezinsleven van het echtpaar Mitchell kon zien.

'Ze wonen hier al dertig jaar, en zij is de enige die weleens gaat wandelen. Hij komt altijd binnen met een geopend boek voor zijn neus. Hij zou me niet eens herkennen! Zo'n grote man die altijd maar leest; hij zou wat meer moeten bewegen.'

'Denkt u?' zei ik. Ik voelde me een beetje ongemakkelijk bij zijn beweringen over meneer Mitchell. Ik vroeg me af of hij wist dat hij dronk. Ga alstublieft niet dood, meneer Mitchell, ging er als een bezwering door mijn hoofd.

'Je kunt ook te veel nadenken.' De portier tikte tegen zijn slaap. Het was een sufferd, maar hij had me op een idee gebracht door over het ziekenhuis te beginnen.

'Nou, goedenavond,' zei ik, en ik maakte aanstalten te vertrekken.

'Goedenavond, juffrouw, en nogmaals bedankt voor het koffertje.' Hij klopte er liefhebbend op, alsof het van hem was en hij het eindelijk terug had gekregen.

Ik had het verontrustende gevoel dat de portier het koffertje van meneer Mitchell zodra ik uit zicht zou zijn verdwenen zou openmaken en door zijn papieren zou gaan, niet met een misdadige bedoeling, maar uit nieuwsgierigheid. Nieuwsgierigheid naar het leven van mensen die je vaak zag, zelfs dagelijks, maar die je nooit echt leerde kennen. Je was in de stad heel dicht bij mensen, maar dat betekende niet dat je hen duidelijk zag. Ik had het koffertje uit zijn handen willen grissen, een lijstje willen maken van de inhoud, en alles wat privé of waardevol was eruit willen halen.

Ik liep terug naar de metro, de bezwering nog in mijn hoofd, en stapte bij halte 14th Street in een impuls uit. Ik wist dat het ziekenhuis daar vlakbij was, ik was er tijdens mijn wandelingen al heel vaak langs gelopen. Als meneer Mitchell was overleden, moest ik het weten. Ik had het gevoel dat dat alles voor me zou bepalen. Als ik zou zien dat meneer Mitchell nog leefde, zou dat de betovering verbreken waarvan ik het gevoel had dat ze over me was uitgesproken. Als hij over *The Isle of the Cross* wist, als Oscar hem erover had verteld, zou ik mijn eigen verraad opbiechten en zou hij me misschien vergeven.

Ik vond de ingang van het ziekenhuis aan First Avenue en liep de eerstehulppost binnen. Er brandde fel tl-licht en het rook er naar een desinfecterend middel. Achter de ronde balie zat een vrouw. Een computerscherm wierp blauwig licht op haar bruine gezicht.

'Kan ik je helpen?' vroeg ze toen ik voor haar stond.

Ik was even stil, overweldigd door emotie, door alles wat er die avond was gebeurd.

'Wie zoek je?' Ze klonk een beetje ongeduldig.

'Mijn vader,' ontglipte de woorden me, en mijn stem brak.

'Hoe heet hij?' vroeg ze werktuiglijk.

'Robert Mitchell,' zei ik in een poging mezelf tot rust te brengen. 'Hij heeft vanavond een hartaanval gehad.'

'Ik zal even kijken,' zei ze, en ze typte iets in op haar toetsenbord. 'Hij ligt nog op de eerstehulppost,' zei ze.

'Mag ik naar hem toe?'

'Dat moet je aan de verpleegster vragen. Daar, de klapdeuren door.' Ze wees naar de andere kant van de grote ruimte, die was gevuld met mensen die in stoelen hingen.

'Ja?' vroeg een verpleegster in de hal aan de andere kant van de deuren.

'Ik kom voor Robert Mitchell,' zei ik. 'De receptioniste zei dat hij nog op de eerstehulppost ligt.'

'Ben je familie?'

De tranen biggelden over mijn wangen, ik wilde zo graag dat dat zo was. 'Hij is mijn vader,' herhaalde ik.

'Natuurlijk,' zei ze. 'Je bent je moeder net misgelopen.'

'Mijn moeder?' vroeg ik verbijsterd. Ze draaide zich om en wees naar een hokje met een gordijn eromheen, aan het einde van de gang.

'Tien minuten, dan moet je weer weg. Het komt wel

goed,' zei ze. 'Ik denk dat hij morgen na wat onderzoeken naar huis mag.'

Ze zag mijn bezorgde gezicht en leunde naar me toe. 'Hartbeklemming,' voegde ze eraan toe, alsof ik dan zou weten waarover het ging. 'Geen hartaanval.'

Meneer Mitchell leek te slapen. Toen ik mijn hand op die van hem legde, deed hij zijn ogen open.

'Lieve kind!' zei hij, en hij knipperde met zijn ogen. 'Wat doe jij hier?'

'Ik was zo bezorgd, meneer Mitchell. Ik wilde weten hoe het met u was.'

'Je wilt altijd alles weten, hè, Rosemary Savage? Je bent tenminste wel consequent.'

'De verpleegster zei dat uw vrouw net weg is.'

'Ik heb haar naar huis gestuurd om te slapen.' Hij gaapte zonder een hand voor zijn mond te houden. 'Ik ga morgen naar mijn eigen cardioloog. Het heeft geen zin om iedereen wakker te houden.'

Hij keek me vragend aan, hij vroeg zich vast af wat ik kwam doen. Hij zag er stokoud uit in zijn ziekenhuispyjama, de huid in zijn hals hing in gelige plooien naar beneden; zijn pupillen waren groot in zijn melkachtige ogen.

'Ik was bang dat u doodging,' fluisterde ik.

Hij sloot zijn ogen en glimlachte een beetje.

'Deze keer niet, lieve kind, deze keer niet.' Toen hij zijn ogen weer opendeed, glinsterden ze. 'Maar het gaat wel een keer gebeuren, dat is zeker.'

Hij zuchtte zwaar en ik ving een vleugje vanille op, dat meteen werd overstemd door de ammoniaklucht van urine.

'Ik lig om de een of andere reden steeds maar aan Rilke te denken,' zei hij. 'Gek hoor, wat je je op dit soort momenten ineens herinnert. Ik heb een prachtig exemplaar van de *Duineser Elegien* en ik zag het voor me: uit 1923, originele zalmkleurige kaft, met stofomslag...'

Zijn witte haar stond in plukjes omhoog, als een pluim zachte veertjes.

'Je mag wel eventjes blijven,' zei hij, en hij gebaarde met zijn hand.

'Dank u.'

Ik schoof een metalen stoel bij het hoge bed aan.

'Leuk dat je er bent,' sprak hij vermoeid verder. 'Dat boek... ik lag mezelf te vermaken met de regel: "Wie heeft er niet gespannen voor het doek van zijn eigen hart gezeten? En dan gaat het plotseling open."' Hij begon te grinniken en moest ervan hoesten. 'In mijn geval dacht ik eerlijk gezegd dat het doek juist viel.' Hij glimlachte. 'Wie is er dapper genoeg om te leven, hè, Rosemary?'

De enige kleur in zijn gezicht was die in de gesprongen adertjes van zijn neus.

'Vindt u uzelf dapper, meneer Mitchell?'

'Niet dat ik het kan bewijzen,' zei hij ronduit. 'Ben jij dapper, lieve kind?'

'Nee,' zei ik. 'Ik ben niet dapper.'

Mijn gedachten gingen naar Walter Geist en ik wist dat het dapperder zou zijn geweest om zijn avances te trotseren, het vluchtige genot dat ik had gevoeld in zijn nabijheid af te wijzen. Hem te vertellen wat ik al wist. Maar ik was niet eerlijk genoeg om dapper te zijn en er zit niets dappers in medelijden. Ik wilde het hele Melville-verhaal aan meneer Mitchell bekennen, en dan ook meteen opbiechten hoe dubbelhartig we allemaal waren.

'Ik ben helemaal niet dapper,' herhaalde ik beschaamd. 'Ik heb net tegen de verpleegster gezegd dat ik uw dochter ben.'

'Dat vind ik anders best een dappere uitspraak,' zei hij met een beetje een iele stem.

'Was het maar waar,' zei ik.

'Maar dat is het niet, lieve kind. Ik heb mijn enige kinderen op de afdeling zeldzame drukken achtergelaten, en een wijze vader kent zijn eigen kind... ik mis dat ene exemplaar...'

Ik schrok. Hij zou het weten, hij zou zien dat de boeken op de vloer hadden gelegen.

'Maak je geen zorgen, Rosemary,' zei hij terwijl hij zijn hoofd naar me toedraaide; hij interpreteerde mijn schrik verkeerd. 'Het komt allemaal goed en ik mag morgen naar huis.'

Hij klopte op mijn hand.

'Ja,' antwoordde ik. 'Dat is een hele opluchting.'

'Je ziet er helemaal niet opgelucht uit.'

'Ik ben vreselijk geschrokken, vanavond. Ik was zo bezorgd,' zei ik. 'Ik heb uw koffertje naar uw flatgebouw gebracht voordat ik hiernaartoe kwam. Het is vreselijk weer, er valt natte sneeuw. Het is kerstavond, de eerste zonder mijn moeder. Ik ben zo moe...'

'Ga dan maar gauw.'

'Zo meteen.'

'Heel attent dat je je om mijn spullen hebt bekommerd. Ik ben blij dat ze veilig zijn. Wie heeft de Arcade afgesloten? Dat die boef van een Pike met me is meegekomen, hè? Die man is na veertig jaar nog steeds onvoorspelbaar. Nog steeds een mysterie.'

'Meneer Geist en ik...' stamelde ik. 'Ik heb hem geholpen met afsluiten.'

'Ongetwijfeld,' zei hij zacht. 'Geist zou verloren zijn zonder jou.'

'Hoe bedoelt u, verloren?'

'Die man is stapelgek op je. Jij bent degene die blind is als je dat niet ziet.'

'Dat weet ik ondertussen.'

'Ondertussen?' Meneer Mitchells vogelachtige gezicht stond vragend.

'Ik weet dat hij op me is gesteld,' gaf ik toe.

'Luister naar het advies van een heel oude man, Rosemary, en daarna moet je me laten rusten.' Hij ging een beetje overeind zitten tegen de opgestapelde kussens en zijn gezicht vertrok.

'Blijf aan de zonzijde, lieve kind. Verwerp perversiteit. Dat is jouw kleur niet. Als je je voelt aangetrokken tot ongepastheid, wens ik je iets toe wat, laten we zeggen, conventioneler is. Word geen martelaar van je eigen verbeeldingskracht.'

Ik wist even niet of hij het over Geist of Oscar had, maar durfde het niet te vragen. Hoe dan ook, het ging op voor beiden.

'Die man is niet helemaal in orde,' ging hij verder. 'Hij bereidt verraad voor. Ik weet al een tijdje dat hij wat van plan is en zou het vreselijk vinden als jij erbij betrokken zou raken...' Zijn stem ebde weg, verloor kracht.

'Ik vind mezelf niet pervers, meneer Mitchell,' zei ik vaag.

'Dat vind ik ook niet. Maar wellicht dat niemand vrij is van de aantrekkingskracht die uitgaat van perversiteit?'

'Ik begrijp u niet.'

'Laat maar, dan. Ik ben uitgeput en ik haat advies, vooral dat van mezelf. We hebben allemaal geheimen nodig, toch?'

'Geheimen?' vroeg ik hem schuldbewust.

'Ik vraag er niet naar, ik geef alleen toe dat ze bestaan.'

Zo hoffelijk was ik niet; ik moest het vragen. Ik moest weten waar ik stond, bij allebei. Ik leunde tegen het bed.

'Wat heeft Oscar tegen u gefluisterd voordat u die aanval kreeg?'

'Ah, zie je nu wel? Geheimen. Ik zou het echt niet meer weten, lieve kind, en op dit moment kan het me ook niet schelen. Er is iets van me af gevallen en ik voel me een stuk lichter.'

'Hoe bedoelt u?' Ik raakte zijn hand nogmaals aan, gevlekt als een oude boekband.

'Kunnen we zonder wereldse zaken overleven? Dat vroeg Rilke zich al af.'

'Kunt u dat?'

'Helaas niet.' Hij glimlachte. 'Het enige wat we hebben, is deze wereld. Ik ben niet gemaakt voor oneindigheid.'

Tweeëntwintig

Toen ik uiteindelijk terugkwam in mijn flatje was het na tweeën. Ik liet mezelf binnen, zette meteen het bad aan en maakte een blik soep open. Ik ging in mijn stoel zitten wachten tot de soep warm was en het bad was volgelopen. Ik was klaarwakker sinds ik meneer Mitchell had gezien, nu ik wist dat hij niet zou sterven. Ik was me bewuster van mijn eigen levenskracht sinds ik hem had gezien. En er was misschien ook wel wat van mij af gevallen. Onervarenheid, of tenminste een deel van mijn naïviteit.

Ik probeerde in de ovale spiegel te bepalen of ik er anders uitzag; of de kussen van Geist, zijn handen op mijn lichaam, me zichtbaar anders hadden gemaakt. Hetzelfde vurige meisje staarde me aan, met een schaduw over haar groene ogen. Ik greep Chaps' amulet, die ik nog om mijn hals droeg.

Wat had Geist gezien toen hij me aanraakte? Naar wie verlangde hij? Ik zag voor me hoe hij de donkere straat op liep. Waar ging hij naartoe? Ging hij *The Isle of the Cross* kopen, met geld dat niet van hem was? Ging hij naar Samuel Metcalf? Wat had hij in zijn jas verstopt? Hij zei dat hij me iets wilde geven, maar ik wilde niets van hem. Hij had naar me toe willen komen, maar ik was hem nu niets meer schuldig. Ik had Geist nooit verteld dat het geld dat hij me had geleend voor mijn verhuizing was, maar nam hij echt aan dat ik al die maanden in het Martha Washington had gewoond? Ik had een leven voor mezelf gecreëerd en het meisje dat me in de spiegel aanstaarde, had het gezicht dat bij dat leven hoorde. Maar was ik nu minder een verzameling van snuisterijen dan die jongere Rosemary, die in een zomer uit Tasmanië was vertrokken?

Ik pakte het Huon-kistje uit de alkoof, ging achterover in de leunstel zitten en zette het op schoot. Ik vond dat het tijd was om moeder op de hoogte te brengen van wat er allemaal was gebeurd. Maar toen mijn hand over het hardhout streelde, kon ik niet hardop praten; ik kon mijn stem niet vinden. Ze was te ver van me weg, verloren. Ik was op de een of andere manier tot stilte gebracht en moest het kistje zien voor wat het was: een gedenkteken, een object dat vergetelheid uitstelde. Ik moest ook inzien dat ik haar dood had willen ontkennen door tegen haar te praten, door haar aan te spreken. Misschien moest ik de as inderdaad naar Chaps sturen en het kistje, moeder, toestaan thuis te worden begraven en in vrede te rusten.

Ik zette het kistje weg en pakte haar zwart-witfoto van de plank. Hij bevestigde hoe ver weg ze was. Ze was van mijn leeftijd geweest toen die foto werd gemaakt en hij toonde haar aanwezigheid in een leven waarvan ik niets wist, dat niets van mij wist. We hadden nooit op elkaar geleken, maar ik zat ergens op die foto verstopt, wachtend op haar toekomst. Ik stond ergens op die foto.

Als moeder niet zou zijn gestorven, zou ik niet naar New York zijn gegaan, dan zou ik niet in dat flatje, waarvan ik mijn thuis had gemaakt, wonen; dan zou ik niet op kerstavond in die stoel zitten, weerspiegeld in mijn oude spiegel. De Arcade – mijn leven zoals ik dat bewoonde – alles was zoals het was omdat moeder was verdwenen.

Haar dood had me tot mezelf geroepen.

Ik zou mijn moeder de rest van mijn leven missen, maar het drong die avond op de een of andere manier tot me door, tijdens die eerste kerst zonder haar, dat ik moest toegeven hoe groot het geschenk was dat haar dood me had gegeven. Het was een onvoorwaardelijk geschenk: het beste leven leiden dat ik kon, en gedenken. Maar het besef dat haar dood me vrijheid had gegeven, dat dit was wat de doden de levenden schenken, verbijsterde me.

Ik was het bad vergeten. Het was overgelopen en het water stroomde in straaltjes op de houten vloerdelen. Ik sprong op en draaide de kraan dicht, veegde mijn tranen met mijn mouw van mijn gezicht en gooide een handdoek op de vloer, die meteen doorweekt raakte. Ik kleedde me uit en gebruikte mijn kleren om de rest van het water op te vegen. Alles moest worden schoongespoeld.

Ik stapte in het bad en ging achteroverliggen, omhuld door het warme water. Omhelsd.

'Vrolijk kerstfeest!' zei ik tegen Lillian, en ik begroette haar hartelijk bij de deur.

Ze was de eerste die arriveerde op eerste kerstdag; het was meer twee uur dan de afgesproken vier uur. Ik had een paar uur geslapen en was vroeg opgestaan om boodschappen te doen bij de winkel een paar straten verderop, de enige die open was in de buurt. Ik had geprobeerd iets feestelijks te maken en er stond vlees uit blik in de oven op te warmen, de groente stond op en ik wilde met ijs en frambozen nog wat maken van een oude cake. Ik had al mijn boodschappengeld voor een hele week uitgegeven. Lillian stond met een zware boodschappentas in de deuropening. Ze zag er gespannen uit.

'Ik ben blij dat ik er ben. Maar ik moet je eerst vertellen dat er gisteren een heel vreemde man voor je is geweest in het Martha Washington.'

Ze had geen tijd voor beleefdheden, gaf me de tas en trok haar jas uit, die ze op de leunstoel gooide.

'Ik was al bang dat dat zou gebeuren,' zei ik.

'Het was ontzettend laat, na middernacht, en het hotel was dicht. Hij bleef maar aanbellen. Hij kwam voor jou. Er stond een taxi te wachten.'

'Dat was Walter Geist, de manager van de Arcade.'

'Ja, dat zei hij, ja. Hij is een albino,' zei ze overbodig. 'Heel vreemd. Is hij blind?'

'Volgens mij is hij ziek, Lillian. Het spijt me dat hij je heeft gestoord. Ik heb hem niet verteld dat ik ben verhuisd.'

'Gelukkig maar. Hij gedroeg zich bizar en was heel kwaad. Dat hij mij heeft wakker gemaakt, is minder erg dan dat hij jou was komen lastigvallen. Hij geloofde in eerste instantie niet dat je er niet was. Wat wil hij van je?'

'Dat weet ik niet precies, Lillian.'

'Ik kan wel bedenken wat hij om middernacht van je zou willen,' zei ze, ongeduldig door mijn ontwijkende antwoord.

'Hij is betrokken in een niet helemaal eerlijke kwestie. En ik weet er het een en ander over, en ook over hem, en dat had ik helemaal niet willen weten.'

Lillian pakte haar jas en liet zich zwaar op de stoel zakken.

'Wees eens duidelijk, Rosemary. Vertel me geen leugens door vaag te zijn. Een man komt midden in de nacht naar een vrouw zoeken. Hij gedraagt zich idioot als ze er niet blijkt te zijn. Vertel nou maar gewoon wat er aan de hand is. De waarheid.'

'Ik weet niet of ik je die nu kan vertellen,' zei ik, gekwetst door haar woorden.

'Was het die man met wie je naar de bibliotheek bent geweest? Toen je bij mij hebt geslapen, toen je zo overstuur was?'

'Nee. Dat was Oscar. Oscar is mijn vriend.'

'Een vriend die je aan het huilen maakt? Die man, die Geist, was wanhopig je te vinden. Ik heb tegen hem gezegd dat ik niet wist waar je woont. Ik heb tegen hem gelogen en dat vind ik niet prettig. Maar ik vond hem eng. Is hij verliefd op je?'

'Dat weet ik niet.'

'Heb je enig idee?' vroeg Lillian op eisende toon.

'Hij wil dat ik hem help. Hij kan niet meer in de Arcade blijven werken en hij wil dat ik hem help.'

'Dat je hem waarmee helpt?' vroeg ze. 'Bemoei je er niet mee, Rosemary! Jij bent een kind en die man is een *extraño, misterioso*... ik ken het Engelse woord niet.'

'Ik denk niet dat hij nog lang in de Arcade zal werken, Lillian. Hij ziet niets meer. Iedereen heeft het genegeerd, maar het is erger geworden en hij heeft er nauwelijks vrienden, behalve meneer Pike. Ik ben de enige die hem helpt.'

'Je moet geen reddende-engelfantasieën koesteren. Ik kan het weten. Je moet voor jezelf zorgen. Of het wel of niet goed met hem gaat... is niet aan jou. En er zijn zo veel blinde mannen die voor boeken zorgen. Weet je nog, mijn Borges? Die was ook blind, toen hij directeur van de Biblioteca Nacional werd. En hij was niet eens de eerste blinde directeur! Die Geist redt het ook wel zonder jou.'

'Mijn vriend Oscar zei dat het niet uitmaakt of hij het redt of niet. Hij zei dat er allerlei manieren zijn om te leven.'

'En dat is ook zo. Blindheid heeft ook voordelen en je moet er niet iets zieligs van maken. Maar het gaat mij om iets anders. Die man is ernstig gewond, in zijn hart. Heb je de indruk gewekt dat je om hem geeft? Wil hij met je naar bed? Durf je geen nee te zeggen? Als hij denkt dat hij van je houdt, gaat hij misschien...'

'Ik ben niet bang, Lillian!' onderbrak ik haar. Ik wilde niet dat ze hardop ging speculeren over Geists seksuele interesse in me. Het was zo ook wel duidelijk. En ik was echt niet bang voor hem, maar ik was wel in de war en onzeker. Ik dacht dat ik wel zou weten hoe ik me moest gedragen als ik precies wist wat hij van plan was. En als ik alles zou hebben uitgepraat met Oscar.

'Gaat het om geld? Heeft hij geld gestolen? Als jij erbij bent betrokken...' vervolgde ze, 'je bent geen staatsburger. Misschien zit je wel in de problemen.'

'Ik heb helemaal niets gedaan!'

'Dat weet ik, maar blijf bij hem uit de buurt. Hij is gestoord. Ik ben bang, zelfs in Amerika. Jij weet niet wat er allemaal kan gebeuren. Ik heb je verteld wat er kan gebeuren!'

'Lillian, er gebeurt heus niets met me.'

Er werd op de deur geklopt. Lillian sprong geschrokken op.

'Dat is Pearl,' zei ik. 'Rustig nou maar, en begin alsjeblieft niet over Geist tegen haar. Laat mij het maar oplossen.'

'Nee. Je hebt advies nodig over hoe je met vreemde mannen moet omgaan,' zei ze vastberaden. 'Pearl kent hem toch? Vraag haar maar over hem!'

Er werd nogmaals op de deur geklopt.

'Ik zie zijn gezicht,' zei ze geagiteerd. '*Embrujada*, als een geest. Pearl weet wel of hij gevaarlijk is.'

'Lillian, ik ben oud genoeg om voor mezelf te zorgen,' zei ik.

'Je bent een kind! En je vergeet dat ik moeder ben,' antwoordde ze terwijl ze met een belerende vinger naar me wees. 'Vergeet dat niet.'

'Dat was ik helemaal niet vergeten,' zei ik terwijl ik mijn arm om haar heen sloeg. Ik gaf haar een kus op haar voorhoofd.

Pearl begon op de metalen deur te bonken.

'Oké!' Lillian gebaarde ongeduldig met haar hand. Ze hield me half vast en duwde me half weg. 'We hebben het er nog wel over. Laat haar nu maar binnen!'

Ik deed de deur open en daar stond Pearl. Ze leunde, van top tot teen in een donzige witte bontjas met bijpassende hoed gehuld, tegen de sponning.

'Vrolijk kerstfeest!' zong ze, en ze slenterde naar binnen en maakte een pirouette in haar bontjas alsof ze op een catwalk stond. 'Ik begon al te denken dat ik nooit mijn entree kon maken!'

'Zo koud is het toch niet?' grapte ik.

'Is hij niet geweldig? Cadeautje van Mario. Hij is vandaag naar zijn ex en kinderen, dus we hebben gisterenavond ons feestje gevierd.'

'Prachtig, Pearl,' zei ik. 'Hoewel ik eigenlijk tegen bont ben.'

Mijn vreemde identificatie met de levenloze vachtjes in de achterkamer bij Foys (die enge grafkamer), had me sinds mijn kindertijd een ongemakkelijk gevoel over bont gegeven. Je had veertig konijnenhuiden voor een goede bontmuts nodig, hoeveel zouden er in een jas gaan?

'Je lijkt wel een sneeuwkoningin,' zei Lillian fronsend. 'Of een ijsbeer.'

'Dank je wel, allebei! Is eerlijkheid een eigenschap die op het zuidelijk halfrond wordt gewaardeerd? Maar ik moet nog iets anders laten zien...'

Pearl stak haar grote bruine hand met de rood-groene nagels uit. Ze droeg een ring. Een donkere opaal met twee diamantjes ernaast.

'Een ring!' gilden Lillian en ik in koor. We inspecteerden Pearls hand; Lillian ging staan om hem beter te kunnen zien.

'Is het een verlovingsring?' vroeg ik.

'Nou, nee,' zei Pearl, duidelijk geëmotioneerd. 'Maar hij betekent wel veel voor me. Als ik de operatie achter de rug heb, zien we wel weer verder. Eén ding tegelijk.'

'Hij is prachtig, Pearl. Gefeliciteerd. Mario treft het maar met jou.'

'Ik ben degene die het treft,' zei Pearl met een glimlach op haar gezicht.

'Heel mooi,' zei Lillian, die nog eens beter keek. 'Zijn die kleintjes diamanten?'

'De grote is een opaal,' zei Pearl, die haar arm strekte en de ring aan haar hand op afstand bewonderde.

'Opalen brengen toch ongeluk?' vroeg Lillian achteloos.

'Zo kan hij wel weer,' zei Pearl snibbig terwijl ze haar

hand liet zakken. 'Het is mijn geboortesteen, Lillian... voor oktober.'

Lillian haalde haar schouders op en ging weer zitten.

'Dat is gewoon bijgeloof, hoor. Het is de vorige eeuw in Engeland ontstaan, toen er in Australië opaal werd ontdekt,' vertelde ik. Mijn moeder heeft me het verhaal verteld toen we een keer naar Sydney gingen om inkopen te doen. Het was haar manier om me uit te leggen dat de waarde van objecten subjectief is.

'Opaal werd ineens heel populair, dus toen hebben diamantairs het gerucht verspreid dat het ongeluk bracht, omdat ze niet wilden dat het met hun handel zou concurreren en de prijs van diamanten zou doen kelderen. Volgens mij hadden ze het idee uit een boek van Sir Walter Scott.'

'Interessant,' zei Lillian. 'Dus dat het ongeluk brengt, is een leugen?'

'Precies, een leugen om de prijs van diamanten hoog te houden. Ik heb bij Julian Peabody een enorme opaal gezien, net een wereldbol. Shakespeare noemde de steen de koningin van de edelstenen.'

'Wat toepasselijk,' zei Pearl. 'En wat ben jij een bron van informatie, zeg,' ging ze verder terwijl ze de ring bedachtzaam rond haar vinger draaide. 'Je lijkt Oscar Jarno wel.'

'Echt? Vind je?' Ik wilde nog steeds niets liever dan als Oscar klinken. Als Oscar zijn. 'Ik weet ook best het een en ander,' zei ik, een tikje zelfingenomen.

De twee vrouwen keken elkaar over mijn hoofd heen aan.

'Weet je wat je je gasten te eten moet geven?' vroeg Pearl terwijl ze haar bontjas en hoed in de alkoof gooide. 'En hoe zit het met de kerstborrel? Je hebt er een mooi flatje van gemaakt, meid. Leuk, al die kleuren, en al die grappige dingetjes.'

'Dank je, Pearl. Ik vind het leuk dat je er bent.'

Ik was ontzettend blij met hun gezelschap, en opgelucht

dat ik niet alleen was. Ik voelde me veilig bij mijn twee vriendinnen, en overdreven beschermd. Ik legde een deken op de vloer en nodigde hen uit erop te komen zitten, aangezien ik geen tafel en stoelen had.

'Een kerstpicknick!' zei Pearl enthousiast terwijl ze in kleermakerszit ging zitten.

Lillian was een beetje stil; ik zag dat ze zich nog zorgen maakte om mijn vage verhaal over Geist en waarom hij op kerstavond na middernacht bij het Martha Washington op de stoep had gestaan. Maar ze trok een fles wijn uit haar boodschappentas en maakte hem behendig open met haar zakmes. Ik pakte drie verschillende glazen uit de kast, zette ze op de deken en stak de votiefkaarsen aan die ik in huis had. Lillian had kaas en noten meegenomen, en Argentijnse chocolaatjes als dessert. Ik was zo met mijn eigen beslommeringen bezig geweest dat ik geen cadeautje voor hen had gekocht. Niet dat ik daar geld voor had. Ik bood mijn excuses aan en ging zitten.

'Je hebt ons toch te eten gevraagd,' zei Lillian. 'Dat is jouw cadeau.'

'En trouwens,' zei Pearl, 'na gisterenavond kan ik me voorstellen dat je niet bepaald zin had om kerstinkopen te gaan doen!'

'Hoe bedoel je?' zei Lillian, die me terloops aankeek.

'Heeft Rosemary dat niet verteld?' vroeg Pearl.

'Wat?'

'Meneer Mitchell, van de afdeling zeldzame drukken in de Arcade, heeft een hartaanval gehad.'

'Ik ben gisterenavond bij hem op bezoek geweest in het ziekenhuis en het gaat prima met hem, Pearl.'

Beide vrouwen keken me verrast aan.

'Dat weet ik,' zei Pearl, duidelijk verbaasd dat ik die moeite had genomen. 'Ik heb meneer Pike gebeld voordat ik hiernaartoe kwam. Ben je echt naar het ziekenhuis geweest?'

'Ja,' zei ik. 'Heb jij echt het privénummer van meneer Pike?'

'Natuurlijk,' zei Pearl niet zonder trots. 'Ik doe tegenwoordig de bankzaken. Hij wil aan de lopende band weten hoe het ervoor staat.'

'Meneer Mitchell heeft geen hartaanval gehad,' zei ik. 'Hij heeft last van hartbeklemming en heeft gisteren een ernstige aanval gehad.'

'Maar het komt wel goed,' bevestigde Pearl.

'Mijn man, Emilio,' zei Lillian zacht, 'is aan een hartaanval overleden.'

'O, wat naar,' zei Pearl.

'Hij had nooit last van zijn hart, tot onze zoon is meegenomen,' voegde Lillian er weemoedig aan toe; ik zag haar humeur veranderen. 'Kerst is geen goede tijd voor me.' Ze stond op en liep naar de alkoof. Pearl en ik keken elkaar aan.

'Misschien was dit toch niet zo'n goed idee,' zei ik. 'Misschien dat Lillian liever bij haar broer is.'

'Doe niet zo gek, meid,' zei Pearl. 'Het is juist goed dat we bij elkaar zijn. We hebben elkaar nodig. Meiden moeten elkaar steunen, weet je nog?'

Dat had Pearl ook tegen me gezegd toen we voor het eerst samen in de toiletruimte in de Arcade hadden gestaan. Ze klopte me op mijn hand. We zaten in stilte en probeerden niet te luisteren naar Lillians ingehouden huilen achter het gordijn van Indiase zijde.

'Waar is Oscar naartoe gegaan, gisterenavond?' vroeg Pearl, en ze nam een slokje wijn.

'Hij is gelijk met de ambulance vertrokken.' Ik vroeg me af waar naartoe. Wat zou Oscar met de kerst doen? Hij was ongetwijfeld iets aan het onderzoeken, zoals altijd.

'Heb je nog problemen gehad met Geist, tijdens het afsluiten?' vroeg Pearl quasi nonchalant.

'Problemen? Nee, hoor,' loog ik. Ze hoorde iets in mijn stem en keek me nieuwsgierig aan.

Lillian kwam terug en ging op de deken zitten, haar ogen glinsterend in het kaarslicht. 'Het gaat weer,' zei ze.

We glimlachten lief naar elkaar en dronken onze wijn. Ik serveerde het eten en we aten in vriendschappelijke stilte.

'Ik heb een cadeautje voor je, Rosemary,' zei Lillian nadat ze klaar was met eten. Ze stond op en zette haar bord in de gootsteen. Ze haalde een ingepakt cadeautje uit haar boodschappentas en gaf het aan mij. Ik bedankte haar en pakte het uit. Het waren een potje lavendelbadzout en een leren portemonneetje uit Argentinië.

'Wat heerlijk, badzout! Ik ga sinds ik warm water heb elke dag in bad, Lillian.'

'Ik wist nog dat je een bad hebt,' zei ze. 'Met pootjes!'

Ze wees naar de klauwtjes van het bad en dacht misschien terug aan de avond waarop ze me over Sergio had verteld, toen hij eruit op had lijken te rijzen en weer tot leven had lijken te komen toen ze in het Spaans tegen hem sprak.

'Een portemonnee cadeau geven brengt geluk,' zei ze terwijl ze me alle vakjes in het zachte leer liet zien. Dan krijg je geld om hem mee te vullen!'

'Ik hoop dat je gelijk hebt,' zei ik, en ik bedankte haar nogmaals. 'Dat kan ik wel gebruiken.'

Geist wilde me iets over geld vertellen, over geld krijgen, en ik woonde in dit gezellige flatje omdat hij me geld had geleend. Misschien moest die portemonnee maar leeg blijven. Van geld kreeg je problemen, hoewel je die van gebrek aan geld ook kreeg. Ik ruimde de borden op en schonk onze glazen nog eens vol.

Pearl had ook een cadeautje voor me, en ik zag meteen dat het een boek was. Een boek is altijd een geschenk, zou Chaps hebben gezegd als ze erbij was geweest. Ik had haar ingepakte cadeau nog steeds, maar dit was er een dat ik meteen uitpakte. Er zat een paperback van Ovidius' *Metamorfosen* in, die Pearl op een van de tafels voor in de Arcade had gevonden. De titel was een grapje dat alleen wij begrepen.

'Die zou ik aan jou moeten geven, Pearl,' zei ik, en ik gaf haar een kus. 'Dank je wel.'

'We zijn allebei aan het veranderen,' zei Pearl.

'Dat is waar. We zijn allebei aan het veranderen.'

'Alles verandert,' zei Lillian, die anders ging zitten, met haar benen elegant naar een kant gevouwen. 'Alles verandert constant.'

Pearl en ik keken elkaar aan.

'Alleen verdriet blijft hetzelfde,' voegde Lillian eraan toe. 'Alleen verdriet.'

Onze feestelijke stemming verdween. Lillian staarde naar de bakstenen muur met de spiegel, haar aristocratische gelaat en profil verlicht door de glinsterende kaarsen. Haar gedachten dreven van ons weg en ik voelde hoe ze ons verliet, hoewel ze nog op de deken zat.

Ze zou teruggaan naar Argentinië om haar zoon te begraven, drong op dat moment tot me door. Ik dacht aan moeder, aan het terugsturen van het Huon-kistje aan Chaps, die ons allebei miste, en het drong op dat moment ook tot me door dat ik moeders as naar Tasmanië zou sturen, net zoals Lillian naar huis zou gaan.

'Mijn moeder zei altijd dat ik niet mocht vergeten dat niets eeuwig is,' zei ik terwijl ik Lillians melancholieke blik opving en vasthield als een aandenken aan haar.

'Verdriet blijft,' zei ze. 'Het vult elke lege ruimte.' Ze legde haar hand op haar hart.

'Oké, meisjes,' zei Pearl abrupt. 'Laten we nou niet sentimenteel gaan doen omdat we een beetje wijn hebben gedronken.'

Ze legde Lillians hand in die van haar. De donkere opaal glinsterde aan haar vinger.

'Ik heb een cadeautje voor je, Lillian. Het is alleen niet ingepakt.' Ze draaide zich naar mij om. 'Het komt uit dat stuk dat ik had voorbereid, weet je nog? Uit *Orlando*? Liefde geneest hem van waanzin. Het is een lamento.'

Pearl stond op, schraapte verlegen haar keel en begon met een lieflijk bevende stem te zingen. Het geluid vulde mijn flatje met schoonheid, die Lillians opmerking over verdriet zowel tegensprak als bevestigde. Pearl zong een triest lied, maar ze vulde elke lege plek met haar prachtige, rijke stem. Het geluid was volledig en levendig en gaf vorm aan de melancholie, vervormde haar voor onze ogen tot iets onverwoordbaars moois, iets wat we nooit zouden vergeten.

Drieëntwintig

'Goedemorgen, mijn Tasmaanse duiveltje,' zei Arthur terwijl hij de kunstafdeling uit kwam sjokken. 'Jij en ik zouden beter moeten weten dan op tweede kerstdag hiernaartoe te komen. Zo te zien zijn we de enigen!'

'Meneer Pike zou hier ook ergens moeten zijn, Arthur, ik heb hem de winkel open zien doen,' antwoordde ik, en ik volgde hem terug naar zijn afdeling.

Ik was al eerder gearriveerd, en had aan de overkant van de straat staan wachten tot ik Pike zag. Ik was op zoek naar Walter Geist, en wilde hem op mijn eigen moment tegen het lijf lopen, net als Oscar, maar zo te zien waren ze er allebei niet. Ik hield niet van stiekem rondhangen, maar dat was exact wat ik had gedaan. Ik zat nu gevangen tussen Geist en Oscar, en was bang dat de ontdekking van mijn dubbelhartigheid bijna net zo erg zou zijn als Oscars beschuldiging.

'Hoe is het, Arthur?' vroeg ik terwijl ik nerveus om me heen keek, onwillig dat de dag in de Arcade zou beginnen. Ik had mijn jas niet uitgetrokken en dit was de eerste keer dat ik de behoefte voelde rechtsomkeert te maken en naar huis te rennen.

'Prima,' zei Arthur. 'Altijd beter als ik een dagje vrij heb gehad. Hoewel ik blij ben weer op mijn afdeling te zijn. Blij al mijn vrienden weer tussen hun kaften op me te zien wachten.'

Zijn dikke hand klopte op een hoge stapel monografieën die op de vloer stond. Ik zag dat er geen enkel boek van Goya voor kerst was verkocht.

'Ik ben bij meneer Mitchell in het ziekenhuis op bezoek geweest, Arthur. Het komt goed met hem. Het bleek hartbeklemming te zijn.'

'Gewoon het giftige venijn in zijn hart?' vroeg Arthur luchtig. 'Niets ernstigs of verrassends, dus.'

'Het is niet leuk, Arthur. Je moet er geen grapjes over maken,' zei ik geïrriteerd. 'Ik dacht dat hij dood zou gaan!'

'Er zal meer nodig zijn dan een paar borrels om die oude vogel te vellen,' zei Arthur.

Hij gaf niets om meneer Mitchell, maar aangezien ik op beiden was gesteld, reageerde ik maar niet op Arthurs woorden.

'Ik wilde je iets vragen, Arthur.'

'Nog meer vragen! Waarover gaan ze deze keer? Fotografie of Oscar?' vroeg hij terwijl hij een wenkbrauw optrok, waardoor zijn hoge, platte voorhoofd rimpelde. 'Ik wil alles over dat eerste onderwerp beantwoorden, maar het ontraadselen van het tweede moet ik afslaan.'

'Nee,' zei ik een beetje gegeneerd. 'Het gaat niet over Oscar.'

'Mooi, want daar kan ik je niet bij helpen.'

'Ken jij deze dichtregel: "Alleen zoals ik ben, kan ik je liefhebben zoals jij bent"? Weet je wie hem heeft geschreven?'

'Ha! Dat je het aan mij vraagt, geeft aan dat je denkt dat ik het weet,' zei hij glimlachend.

'Bedoel je dat hij van Auden is?'

'Natuurlijk,' zei hij. 'Uit het boek dat je laatst aan het lezen was.'

'Ik was het niet aan het lezen,' zei ik. Ik had gehoopt dat de regel ergens anders uit kwam.

'Blijkbaar wel.' Hij haalde zijn schouders op.

'Nou ja, een paar regeltjes,' gaf ik toe.

'Dit is wel een heel indrukwekkend regeltje,' merkte Arthur op.

'Misschien dat ik het daarom nog weet,' loog ik.

Geist die het in mijn haar mompelde, zijn hand in mijn nek, onder mijn haar.

Ik had een haar in het boek gelegd, om een plaats te markeren. Ik had niet geweten voor wie ik dat had gedaan. Ik wilde niet geloven dat Walter Geist het boek daar had neergelegd, misschien op zoek naar poëzie om voor mij te declameren. Om te gebruiken om me in te palmen. Hij kon toch niet goed genoeg zien om die regels te kunnen onderstrepen? Het was niet bepaald romantisch. En waarom zou hij het boek op Oscars kruk leggen? Op de non-fictieafdeling?

'Natuurlijk weet je die regel nog,' ging Arthur verder. 'Je lijkt er zelfs door te worden achtervolgd, aangezien hij heel mooi is. En hoewel schoonheid toevallig en ongrijpbaar is, is ze ook onvergetelijk.'

'Ik word nergens door achtervolgd, Arthur...' begon ik terwijl ik mijn jas open begon te knopen. 'Helemaal niet.'

George Pike begon zo hard hij kon om Pearl te roepen; dat was zo ongebruikelijk dat het ons opviel, Pike schreeuwde bijna nooit.

'Dat is geen goed begin van de dag,' verzuchtte Arthur. 'Als er een donderwolk boven zijn hoofd hangt, betekent dat storm voor ons. Het kan geen winkeldief zijn. Daar is het te vroeg en te stil voor...'

Pearl was er nog niet, dus ik rende naar Pikes podium om te kijken of ik kon helpen.

'Pearl is er nog niet, meneer Pike. Kan ik iets doen?' bood ik aan.

'Wat! Is ze er niet?' Hij was extreem geagiteerd. 'De bank heeft net gebeld!'

Hij praatte over mijn hoofd het luchtledige in.

'Riep u mij? Ik ben er al, meneer Pike,' zei Pearl, die buiten adem naar het podium kwam rennen. Ze zag er in haar nieuwe jas met bijpassende hoed uit alsof ze in donzige sneeuw was gehuld. Ze bedankte me woordeloos dat ik meteen naar Pike was gerend.

'Pearl Baird, waarom is de balans niet gelijk aan mijn berekeningen? En aan je vorige rapport?' sputterde George Pike. 'Wat weet jij over een opname, een overschrijving van de rekening?'

'Niets, meneer Pike. Ik heb op kerstavond de gebruikelijke storting gedaan. Walter heeft me zelf de portefeuille gegeven.'

'Dat vroeg ik niet!' snauwde hij.

'Ik probeer te begrijpen wat u vraagt,' zei Pearl geduldig.

'Juffrouw Savage,' zei Pike toen hij me bij het podium zag staan luisteren. 'Dit begint een onbetamelijke gewoonte te worden. Wegwezen!'

'Sorry,' zei ik terwijl ik verschrompelde onder zijn razende blik. Ik wist zeker dat de portefeuille die ik Geist die avond had zien meenemen, hiermee te maken had. 'Het spijt me. Ik ging net mijn jas ophangen,' stamelde ik.

Pike kwam van zijn podium en gebaarde Pearl hem naar het kantoor te volgen. Ze gaf me snel haar jas en hoed.

'Wil je die even voor me ophangen?' vroeg ze terwijl ze de donzige witte dingen in mijn armen duwde. 'Zo heb ik hem nog nooit meegemaakt.'

Ze liep achter Pike aan de krakkemikkige trap op, naar de overloop in de rifachtige structuur, bijna tegen het plafond aan achter in het pand. Ze verdwenen het kantoor in. Zat Walter Geist daar? Verstopte hij zich? Zou hij worden ontmaskerd als dief?

'Rosemary.'

Ik schrok op en draaide me snel om.

Het was Oscar; zijn gouden ogen stonden koel en afstandelijk.

'Ik moet je spreken,' zei hij ferm. 'Nu.'

'Oké,' antwoordde ik, en ik verzamelde al mijn moed. 'Ik wil jou ook spreken, over meerdere zaken. Je vergist je, Oscar. Ik heb helemaal niets tegen meneer Mitchell gezegd. Dat zweer ik.'

Hij luisterde onbewogen. Pearls donzige lading gleed bijna uit mijn handen en ik had mijn eigen jas nog niet eens uitgetrokken.

'Ik moet deze even ophangen voor Pearl. Ik kom zo naar je afdeling. Ik kom er meteen aan.'

'Ik wacht op mijn kruk,' zei hij. Hij knikte kort en ik keek toe hoe zijn rechte vorm het pad in liep met het bordje KRITIEKEN erboven.

Ik zou hem over Geist vertellen en over wat er op kerstavond was gebeurd. Ik zou natuurlijk niet alles zeggen, maar wel dat ik vermoedde dat Geist geld had meegenomen voor de aankoop van *The Isle of the Cross*. Dan zou hij geloven dat ik niets belangrijks tegen meneer Mitchell had gezegd. Dan zou hij weten dat hij me kon vertrouwen. Ik zag voor me hoe Oscar alles in zijn schrift schreef. Het was uitermate belangrijk voor me dat hij zou weten dat ik zijn vertrouwen niet had beschaamd, ook al betekende dat dat ik dat van Geist moest verspelen.

Ik liep de damestoiletruimte binnen en maakte Pearls kastje open, dat tegenover de kapotte bank stond. Ik hing haar jas op en stond even het zachte bont te aaien terwijl ik aan al die witte konijntjes dacht die er nodig waren geweest om hem te kunnen maken.

'Arme beestjes,' zei ik hardop.

'Rosemary.'

Walter Geist zat op de bank, hij hing tegen de kapotte armleuning aan. Ik had hem niet eens gezien. Hij zag er afschuwelijk uit.

'Meneer Geist, wat doet u hier?' riep ik terwijl ik naar hem toe liep en naast hem knielde. Hij had zijn versleten jas aan, alsof hij op het punt stond weg te gaan. Zijn hoed lag naast hem.

'Wachten,' zei hij met een onvaste stem.

'Wachten?'

'Op jou.'

'Mijn vriendin Lillian heeft me verteld dat u op kerst-avond naar het Martha Washington bent geweest.'

'Waarom heb je me niet verteld dat je daar niet was?' snauwde hij. 'Ik wilde naar je toe komen. Ik had gezegd dat ik zou komen!'

'Meneer Geist, u was al weg voordat ik iets tegen u kon zeggen,' zei ik, hoewel ik had kunnen zorgen dat hij me wel had gehoord. 'U was ineens weg.'

Ik had het tegen hem kunnen zeggen, maar ik had niet hard genoeg mijn best gedaan om het hem te laten horen en dat wisten we allebei. Hij zag er afschuwelijk uit, alsof hij niet had geslapen en geen andere kleren had aangetrokken sinds kerstavond. Hij had een flinke tijd zitten wachten, of verstopt gezeten.

'Ik zal u even helpen, meneer Geist, u mag hier niet zijn.'

Ik bewoog naar hem toe, maar hij greep mijn armen en trok me naar de bank. Ik verloor mijn balans en viel naast hem neer. Hij hield me in bedwang.

'Luister naar me,' zei hij met een hese stem. Zijn adem stonk en zijn gezichtsuitdrukking stond fel, zijn ogen be-wogen heen en weer in hun oneindige onrust. 'Ik wil geen misverstanden meer, Rosemary. Luister goed naar me.'

Zijn grip op mijn armen werd nog sterker.

'Ik heb de verloren roman. Ik heb hem van een man die hem niet kan verkopen voor wat hij waard is omdat hij hem heeft gestolen. Ik wil hem voor 800.000 dollar aan Julian Peabody verkopen. Sam gaat hem authentiseren, hoewel ik in mijn hart weet dat hij echt van Melville is. Ik heb afge-sproken met Sam dat ik hem drie ton van het geld van zijn werkgever geef. Begrijp je me, Rosemary? De rest is voor mij. Snap je? Ik ga weg bij de Arcade. Ik ben niet langer de schaduw van Pike. Ik ben mijn eigen man.'

Hij sprak koortsachtig en nerveus; hij greep me vast door de mouwen van mijn jas.

'Meneer Geist, wilt u me nu loslaten...' Ik probeerde mijn armen los te wrikken. 'Rustig maar.'

Hij was geagiteerd en maakte me bang.

'Waar was je?' jammerde hij. 'Het is je werk om hier te zijn. Ik wilde later naar je toe komen...'

Hij bracht zijn gezicht naar dat van mij en ik trok mijn hoofd weg. Zijn grip werd sterker.

'Ik wil dat je bij me blijft, Rosemary. Ik zal je betalen... Begrijp je het niet? Ik geef je alles wat je wilt als je bij me blijft. Luister naar me!'

Hij schudde me met onthutsende kracht heen en weer.

'Meneer Geist! Stop! Anders ga ik gillen!'

Ik moest die ruimte uit. Ik moest bij die man weg. Ik wrikte me van hem los en stond op. Hij hijgde van de inspanning en het tafereel schokte me zo dat ik me even als verlamd voelde. Zijn hoofd zakte tegen de muur.

'Rosemary,' fluisterde hij uitgeput. 'Het spijt me.'

Ik torende ontzet boven hem uit. Hij was meelijwekkend en ik had geen idee wat ik moest doen. Ik moest nadenken. Ik wilde hem helpen... ik wilde bij hem weg. Ik moest Oscar vertellen wat hij had gedaan, maar ik voelde me op een bepaalde manier verantwoordelijk. Die avond op de afdeling zeldzame drukken had ik hém benaderd. Ik was medeplichtig, en medeplichtigheid betekende dat ik een bepaalde verantwoordelijkheid had.

'Meneer Geist,' zei ik zo rustig mogelijk. 'U moet opstaan. U moet met meneer Pike gaan praten.'

'Heb je me niet gehoord? Begrijp je me niet?' vroeg hij terwijl hij zijn wollige hoofd optilde. Zijn nek zag er dun en onmogelijk wit uit, te fragiel om zijn hoofd te kunnen ondersteunen.

'Ik begrijp u wel,' zei ik voorzichtig. 'Ik begrijp u helemaal. Meer dan u beseft. Ik weet wat u heeft gezegd en ik weet het van *The Isle of the Cross*.'

'Weet je het?' vroeg hij verbijsterd terwijl hij iets rechter op ging zitten. 'Hoe? Hoe?'

'Ik heb onderzoek gedaan, nadat ik die brief aan u had voorgelezen.'

Ik liet hem denken dat ik de enige was die het wist. 'Ik wist nadat ik dat krantenartikel had voorgelezen wat Melvilles onderwerp was. En ik had een boek met brieven gevonden. Ik heb de Agatha-brieven aan Nathaniel Hawthorne gelezen.'

'Dan weet je dat hij het boek heeft afgemaakt en dat het verloren is gegaan!' fluisterde hij gepassioneerd terwijl hij met zijn hoofd knikte alsof hij zichzelf iets bevestigde. 'Je bent slim, Rosemary,' zei hij. 'Ik heb altijd geweten dat je slim was. Nou, het is gevonden! Besef je wat de ontdekking betekent?' Hij zag er op een verwilderde manier plotseling opgewekt uit.

'Ik weet genoeg om te snappen dat het van onschatbare waarde is,' zei ik.

'Nou, ik weet precies wat het voor mij waard is. Wat het voor mij kan betekenen, is helemaal niet arbitrair. Het is waard wat ik je heb verteld. En Peabody... die gaat betalen en dan is het klaar. Hij doet er maar mee wat hij wil, het zal mij een zorg zijn...' mompelde hij tegen zichzelf.

Ik wilde hem vertellen dat Oscar vond dat het naar een instelling moest gaan; een bibliotheek waar wetenschappers het konden bestuderen, niet opgesloten als een object in Peabody's kabinet. Maar Geist zat tegen zichzelf te mompelen en het enige wat hoe dan ook belangrijk voor hem was, was dat hij zijn vrijheid kon veiligstellen. Had hij net niet tegen me gezegd dat hij zijn eigen man was?

'Wat een transactie, hè?' ratelde hij verder. 'Pike zou het zelf niet beter hebben gedaan. Het enige wat de verkoper wilde, was contant geld. En anonimiteit. Ik weet nog steeds niet wie het is. En maar goed ook. Hij heeft geen idee wat het waard is...'

'Bedoelt u dat u niet eens weet wie het heeft?' herhaalde ik ongelovig. 'Weet u niet wie die brief heeft geschreven?'

Het was net alsof hij me niet kon horen.

'Meneer Geist,' vroeg ik, bang dat ik hem overstuur zou maken, maar ik was zelf nu ook van streek. 'Wie heeft dat manuscript? Heeft Metcalf het? Heeft u het gezien?'

'Je weet dat dat niet kan, Rosemary,' zei hij met een vreemde glimlach op zijn gezicht, het toegeven van zijn blindheid als nog een intimiteit tussen ons.

Ik huiverde. Hij boog voorover naar de vloer. 'Hier is het,' zei hij eenvoudigweg terwijl hij onder de bank reikte.

Walter Geist trok een dik bruin pak onder de bank vandaan. Het was dichtgeknoopt met rood touw. Hij ging achterovergeleund zitten, zijn armen gekruist eroverheen; hij duwde het tegen zijn lichaam.

'Hier is het, Rosemary.' Hij nam iets van de houding aan die hij als manager had, hij sprak met de zalvende stem die ik hem tegen klanten had horen gebruiken, maar op dit moment was hij geheel oprecht.

'Hier is het,' zei hij. 'Het is voor jou!'

Ik had om hem kunnen huilen, zo kwetsbaar zag hij eruit, zo hoopvol.

'Breng het maar naar Metcalf,' vervolgde hij. 'Ik heb op je gewacht. We hebben het er niet meer over dat we elkaar zijn misgelopen. Er is nog tijd. Ik wil dat jij het geld int.'

Hij wiegde een beetje heen en weer, het pakje zijn steunpunt, het centrum van zijn evenwicht. Het was onmogelijk. Hij zou niet eens proberen het te begrijpen.

'Meneer Geist,' zei ik langzaam en nadrukkelijk, want ik begon in te zien hoe getroebleerd hij was, hoewel ik zelfs toen nog niet helemaal begreep wat hij van plan was.

'Hoe heeft u de verkoper betaald? Wie heeft dit gevonden?' vroeg ik hem op effen toon.

Hij glimlachte blind naar me, vanuit zijn verschrompelde positie in de hoek van de bank, zijn armen strak om het pakje.

'Ik heb geld van de rekening van de Arcade gehaald,' zei

hij bijna zakelijk. 'Pike en ik zijn de enigen die een hand-tekening voor een opname kunnen zetten. Pearl heeft de balans opgemaakt nadat ze me het geld had gegeven.'

'Hoeveel heeft u opgenomen?'

'Maar een ton,' zei hij. Hij wiegde weer heen en weer, zijn triomf vastgrijpend. 'Zie je niet hoe ik het voor elkaar heb gekregen? Maar daar hoef jij je geen zorgen om te maken. Pike hoeft zich geen zorgen te maken. Ik heb het alleen van hem geleend. Ik heb alles uitgedacht. Ik ben geen dief. Ik geef hem het geld en dan houd ik nog steeds winst over. Heel veel. Vier ton. Ik kan je betalen, Rosemary. Jij hoeft hier ook niet meer te werken. Ik kan je alles geven wat je wilt. Om me te verzorgen...' Zijn stem ebde weg.

'Om u te verzorgen?' vroeg ik, verbijsterd door zijn woord-keuze.

'Ik weet dat je niet van me houdt, Rosemary Savage,' zei hij. 'Maar ik heb je wel iets te bieden.'

Of hij nu ziek of gek was, ik kon mijn woede niet onder-drukken. 'Ik heb al eerder tegen u gezegd dat ik niets van u wil, meneer Geist,' zei ik terwijl ik naar de deur liep. 'U bent niet in orde.' Ik probeerde op zachte toon te spreken. 'Laat me u helpen, zoals ik al eerder heb gedaan. Vertel meneer Pike wat er is gebeurd. Vertel hem gewoon dat u namens hem heeft gehandeld en dat Metcalf het manuscript voor Peabody gaat aanschaffen.'

Ik wist dat het idioot was. Pike zou nooit akkoord gaan met een overeenkomst die hij niet had onderhandeld, laat staan dat hij zou accepteren dat hij was beroofd door zijn meest vertrouwde werknemer. Geist was stom geweest. Hij was met dat hij blind was geworden, ook de weg kwijtge-raakt.

Maar Oscar en ik waren ook stom geweest. We hadden gretig het spoor gevolgd van iets waarover we geen controle hadden en hadden ons nooit afgevraagd waar het naartoe zou leiden. Het lezen van Melville had me dat moeten leren: we jagen allemaal een spook na. Walter Geist zat met dat van hem in zijn armen.

'Neem het maar mee,' zei hij plotseling. Hij bedoelde het pakje, maar hij zat er nog mee tegen zijn borst gedrukt.

'Doe voorzichtig, Rosemary. Breng het naar Metcalf. Ik wacht op je. Je mag het alleen aan Metcalf zelf overhandigen. Hij verwacht je. En dan kom je terug om me te helpen.'

'U te helpen, meneer Geist?' Ik probeerde te bedenken wat ik moest doen.

Als ik het pakje uit zijn handen griste, kon ik het aan Oscar geven, die bij non-fictie op me zat te wachten. Dan zou Oscar geloven dat ik geen woord tegen meneer Mitchell had gezegd, maar het zou ook betekenen dat ik Geist volledig in de steek liet.

'Help me, Rosemary,' zei hij eenvoudigweg. Hij stak zonder iets te zien zijn hand naar me uit. 'Rosemary, je kunt bij mij blijven.'

Als ik op dat moment het pakje uit zijn armen zou grissen, zou ik geen woord meer van hem hoeven te horen.

'Waarom tutoyeer je me niet?' ging hij verder. 'Waarom? Kun je mijn voornaam niet over je lippen krijgen? Ik weet dat je niet van me kunt houden, dat vraag ik ook niet van je, maar je kunt me helpen, zoals je dat hier ook hebt gedaan, sinds je in de Arcade werkt. Alles is veranderd sinds jij hier bent.'

Hij trok zichzelf overeind om te gaan staan, het pakje onder een arm. Als ik hem een duw gaf, als ik hem een harde duw gaf, kon ik het afpakken.

'Ik heb je nodig,' zei hij terwijl hij smekend een arm naar me uitstak.

Ik stond tegen de muur, niet in staat een besluit te nemen.

Pearl duwde de deur open en kwam de ruimte binnen lopen.

'Rosemary! Ik was al naar je op zoek!' zei ze. 'Ik moet voor meneer Pike naar de bank, en dan naar het appartement van meneer Geist. Hij neemt de telefoon niet op. Wat is er?'

Haar blik ging van mijn gezicht naar de andere figuur in de ruimte.

'Mijn god!' riep ze. 'Wat doe jij hier?'

Ze draaide zich naar mij om voor een antwoord terwijl Geist onvast opstond.

'Hij heeft hier al die tijd gezeten,' zei ik zacht. 'Maar Pearl...'

'Jij gaat met mij mee, Walter,' zei ze scherp. 'We gaan naar meneer Pike.'

Ze deed een stap naar hem toe. 'Wat er ook is gebeurd, we vinden wel een oplossing.'

'Nee!' riep hij, en hij trok zich terug in het hoekje tussen de bank en de muur.

'Alstublieft, meneer Geist,' zei ik. 'Ik ga wel met u mee naar meneer Pike.'

Hij greep zijn bruine pakje nog steviger vast.

'Stop!' zei hij met een hese stem. 'Ik heb tegen je gezegd wat je moet doen. Dat ben je me verplicht.'

Pearl keek me verbijsterd aan. 'Rosemary?' vroeg ze.

Zijn woorden hadden me wakker geschud.

'Pearl, misschien is het beter als jij even tegen meneer Pike gaat zeggen dat we hier zijn.'

Ze schudde verward haar hoofd.

'Het is goed, Pearl, wij wachten hier. Ga maar naar meneer Pike.'

We keken elkaar aan en ze begreep dat ze de eigenaar van de Arcade zo snel ze kon moest gaan halen.

'En neem Oscar ook mee,' fluisterde ik tegen haar.

Ze liep de toiletruimte uit.

'Kom, meneer Geist,' zei ik terwijl ik op hem af liep. Ik wist nu zeker dat ik hem het manuscript moest afnemen. Hij was doorgedraaid. Het was per slot van rekening gestolen, gekocht met gestolen geld. Hij had gelijk dat hij me op mijn verantwoordelijkheid had gewezen. Maar die was niet jegens hem. Het was terecht dat ik hem *The Isle of the Cross* zou afnemen. Oscar was degene die moest beslissen wat ermee moest gebeuren.

Maar ik hoefde het hem niet af te nemen.

Hij gaf het me.

'Alsjeblieft,' zei hij, en hij duwde het pakje in mijn handen. 'Ik weet wat je doet. Ga snel, voordat ze terugkomen. Breng het naar Metcalf. Zeg dat het van mij komt en neem het geld in ontvangst. Het is van ons, Rosemary. Dat geld is van ons.'

Ik nam het pakje aan en liep naar de deur.

'Ik wil dat geld niet, meneer Geist,' zei ik zo gewetensvol als ik kon nu ik het manuscript in handen had. 'Ik wil er niets mee te maken hebben. Ik kan niet zijn wie u wilt dat ik ben. Het spijt me dat het zo is gelopen. Het spijt me dat het tussen ons zo is gelopen. Maar het was per ongeluk, begrijpt u. Een vergissing.'

'Een vergissing?' herhaalde hij. 'Het was helemaal geen vergissing.'

Vierentwintig

'Ben je daarbinnen, Walter?' schreeuwde Pike razend terwijl hij de deur opensmeet, die tegen de muur knalde.

'Ga weg!' gilde Geist.

'Wat gebeurt hier in vredesnaam?' riep Pike kwaad terwijl hij in de deuropening stond; een vreemde schroom weerhield hem ervan de damestoiletten binnen te lopen.

'Kom naar buiten! George Pike gaat hier niet staan wachten! Dit is absurd! Kom onmiddellijk naar buiten!' Hij was laaiend en deed geen enkele poging zijn stem of gedrag in te tomen. Oscar stond achter Pike, met Pearl naast zich, zijn ogen gefixeerd op het pakje in mijn handen.

'Walter, waar ben je mee bezig?' vroeg Pike, en hij deed behoedzaam een stap naar binnen. Geist was duidelijk wanhopig, en kromp ineen in de hoek van de ruimte. Pike schudde in ontzetting over de toestand van zijn manager zijn hoofd. Zijn woede sloeg om in kritisch afgrijzen.

'Ik voel geen enkele behoefte om met jou te praten,' mompelde Geist met hangend hoofd tegen de vloer. 'Ik ben je eigendom niet.'

'Meneer Pike,' onderbrak ik hen, 'meneer Geist is niet in orde.'

'Dat is wel duidelijk, juffrouw Savage,' zei Pike fel. Hij liep de ruimte in en greep Geist ruw bij de arm. 'We gaan naar het kantoor.'

'Rosemary!' gilde Geist. 'Ga alsjeblieft! Nu!'

'Ze gaat nergens naartoe, Walter. Juffrouw Savage, jij gaat ook mee,' droeg Pike me met een afkeurende blik in zijn ogen op.

'Ja, natuurlijk,' antwoordde ik.

Pike duwde Geist de toiletruimte uit en ik liep met het manuscript onder mijn arm achter hen aan. Oscar trok me van het vreemde paar weg.

'Is dat het? Heb je het?' fluisterde hij wild in mijn oor.

Pearl bestudeerde mijn gezicht op zoek naar een verklaring voor de bizarre gebeurtenissen. Walter Geists wollige hoofd draaide heen en weer in een poging mij te vinden.

'Ga weg!' riep hij tegen het enorme koepeldak van de Arcade; zijn woorden weergalmden in de ruimte.

Ik zei niets.

'Wat gebeurt er in godsnaam?' vroeg Pearl op eiscnde toon. 'Wat is er met hem aan de hand?'

'Rosemary,' zei Oscar, en hij duwde een vinger tegen zijn lippen.

We bleven met zijn drieën achter terwijl Pike en Geist naar boven naar het kantoor liepen. De eigenaar van de Arcade had zijn hand stevig tegen het midden van de rug van zijn manager gedrukt, hem onophoudelijk reprimandes toewerpend; hij leek wel een onverzoenlijke vader die zijn recalcitrante zoon de les leest.

'Vertel,' zei Pearl op dringende toon. 'Wat gebeurt er allemaal, Rosemary? Pike heeft me net verteld dat er honderdduizend dollar van de rekening mist. Die heeft Geist toch niet gepikt? Hij zou toch nooit stelen van Pike?'

'Jawel, Pearl,' zei ik vermoeid.

Ik wendde me tot Oscar.

'Geist heeft dat geld gepikt om *The Isle of the Cross* mee te kopen,' zei ik tegen hem. 'Hij heeft er een ton voor betaald.'

Zijn gouden ogen fixeerden zich op het pakje.

'Geist heeft me opgedragen het naar Metcalf te brengen. Hij heeft het van de rekening van de Arcade opgenomen om de verkoper contant te kunnen betalen; de enige andere voorwaarde was anonimiteit. Hij heeft me verteld dat

Peabody ermee heeft ingestemd er 800.000 dollar voor te betalen, waarvan Metcalf er heimelijk drie krijgt. Geist was van plan Pike terug te betalen en de rest zelf te houden; hij dacht niet dat het ontbrekende geld ontdekt zou worden voordat hij het weer had teruggestort. Iets in zijn plan is misgelopen.'

'Wat, Rosemary? Wat is er misgegaan?' vroeg Oscar terwijl hij me geconcentreerd aankeek.

Ik kon geen antwoord geven. Misschien dat ik niet in het Martha Washington was op de avond dat Geist me er had gezocht? Maar ik was er niet geweest en hij had niet geweten waar hij me moest zoeken. Ik wist echt niet waarom het was mislukt. Het hele plan was vanaf het begin gedoemd te mislukken omdat Geist niet *The Isle of the Cross* had willen kopen, maar zijn vrijheid. En misschien mij.

'Heeft Geist je dat pakje gegeven?' vroeg Pearl. 'Is het het geld? Heeft hij het voor jou gestolen?'

'Nee, het is geen geld, Pearl. Oscar, het is het manuscript. Hoewel Geist het natuurlijk niet heeft gezien. Hij is blind.'

Oscar haalde in een sceptisch gebaar zijn hand door zijn haar.

'Van wie heeft hij het gekocht?'

'Volgens mij weet hij dat zelf niet eens,' zei ik.

'Hoe kan hij dat nou niet weten? Bedoel je dat de verkoper het manuscript van een andere verzamelaar heeft gestolen?' vroeg Oscar terwijl hij ongelovig zijn hoofd schudde. 'Dat hij het heeft gestolen en het anoniem aan Geist heeft verkocht?'

'Dat is wat hij tegen mij heeft gezegd.'

'Ik heb geen idee waarover jullie het hebben,' onderbrak Pearl ons. 'Wat is *The Isle of the Cross?* Rosemary, vertel. Waarom zei Geist dat je hem iets was verplicht?'

'Nu niet,' zei ik.

'Wat voor verplichting?' vroeg Oscar.

'Alsjeblieft,' zei ik in een echo van Walter Geist.

Ik gaf Oscar het pakje, net zoals het aan mij was gegeven. Hij hield het met beide handen vast, en het leek een moment alsof hij was versteend.

'Het is voor jou,' zei ik.

'Wil een van jullie me alsjeblieft vertellen wat er in dat pakje zit?' vroeg Pearl, die zich nu verontwaardigd begon te voelen dat ze er niets van begreep. Ze had ons gesprek gevolgd, verward, vanaf de zijlijn.

Oscar liep plechtig naar zijn kruk in non-fictie en Pearl en ik liepen als acolieten achter hem aan. Hij legde het op de kruk en maakte zorgvuldig het rode lintje los.

'Vreemd,' zei hij tegen zichzelf. 'Het is een katoenen lint, zoals advocaten die gebruiken.'

Het bruine papier was dik en het pakje zat behalve met het lint niet dicht. Oscar maakte het voorzichtig open en stond naar het opengevouwen papier te staren.

'Nou?' vroeg Pearl. 'Is het wat je dacht dat het was?'

Oscars gezichtsuitdrukking was ondoorgrondelijk. Zijn onverstoorbare natuur maakte een masker van zijn gezicht. Ik keek naar zijn profiel, net zoals ik dat had gedaan op de avond dat we de details over *The Isle of the Cross* hadden gevonden. Zijn prachtige hoofd boog naar voren alsof hij over een rand tuurde.

Hij reikte in het pakje en pakte een dikke stapel papier.

'Het is een valstrik, hè?' zei Pearl. 'Wat je dacht dat erin zat, zit er niet in.'

Het papier was leeg en hagelwit.

Oscar hield de stapel omhoog en zijn gouden blik verschoof langzaam naar mijn gezicht.

'Waar is het, Rosemary?' vroeg hij met minachting in zijn stem.

'Is het nep? Is het bedriegerij?' stamelde ik. 'Zit het er niet in?'

'*The Isle of the Cross* is geen bedrog, Rosemary,' snauwde Oscar. 'Maar die poppenkast van jou wel.'

'Waar heb je het over?'

'Waar is het echte manuscript?'

'Oscar... Ik weet niets wat jij niet weet!'

'Oscar,' zei Pearl. 'Geist heeft haar dat pakje gegeven. Hij had het in de damestoiletten verstopt.'

'Waar is het, Rosemary?' herhaalde Oscar.

'Dat weet ik niet. Ik zweer het. Geist is op kerstavond weggegaan en ik heb hem vanochtend pas weer gezien. Echt waar.'

'Ben je bij Mitchell geweest?'

'Ja, in het ziekenhuis, om te zien of hij in orde was.'

'Heb je hem over *The Isle of the Cross* verteld? Heb je het aan hem gegeven?'

'Nee, Oscar,' smeekte ik hem me te geloven. 'Ik zweer het op de as van mijn moeder, echt, ik heb het er met niemand over gehad.'

Hij sprong op me af en ik deed een stap naar achteren, bang voor hem, voor de gruwelijke dreiging in zijn ogen.

'Wat ben je toch een tijdverspilling!' snauwde hij. 'Wat ben je toch een stom, onwetend kind.'

Hij draaide zich om, gooide de stapel papier wild in de lucht en beende de afdeling non-fictie uit, op weg naar de achterkant van de winkel.

De vellen papier dwarrelden naar de vieze vloer van de Arcade.

Pearl sloeg een arm om me heen.

'Waar ben je nu toch in verzeild geraakt, meid?' vroeg ze lief.

Ik wilde wanhopig graag achter Oscar aan, maar Pearl hield me instinctief tegen.

Hij verdween uit zicht, verborgen door de boekenkasten, maar een paar tellen later zagen we hem de trap naar het kantoor op rennen. Hij liep naar binnen en we hoorden geschreeuw; een verhitte discussie die een paar minuten duurde. Ik maakte me los van Pearl en ging onder aan de gammele trap staan om te proberen te verstaan wat er werd gezegd. Zo te horen zei Walter Geist helemaal niets; hij was ondanks zijn altijd defensieve houding stil nu het zijn eigen verdediging betrof.

'Ik weet niet wat jouw rol hierin is, Rosemary, maar ik zou me erbuiten houden,' zei Pearl, die achter me was komen staan. Ze legde haar handen op mijn schouders. Ze trok me naar zich toe, van de trap weg. Ze trok me naar Pikes podium en we stonden er samen op, onze aandacht op het kantoor gericht.

George Pike en Oscar Jarno verschenen even later op de overloop en Pike hield Oscars arm vast alsof hij hem uit het interieur had losgerukt. Hun geschreeuw galmde door de enorme Arcade, het plafond een ruimte die hun hevige ruzie deed weerklinken.

'Dat gaat je niets aan!' zei Pikes vreemd hoge stem op commanderende toon. 'Hij is gek geworden. Hij heeft de wet gebroken, maar jij mag niet...'

'Laat het me je dan vertellen! Ik leg het wel even uit!' schreeuwde Oscar tegen Pike. 'Anders zorg ik dat hij het je vertelt!'

Geist verscheen op de overloop, voorovergebogen en ge-desoriënteerd. Oscar rende naar hem toe en begon tegen hem te schreeuwen. Hij gilde dat hij een imbeciel was. Dat hij en ik vanaf het begin hadden geweten wat hij van plan was. Dat hij zich niet liet bedotten. Waar was het echte manuscript? Waar had hij het verstopt? Wie had die brief echt geschreven? Waar was de roman?

'Je hebt hem zeker aan haar gegeven, hè? Je hebt hem aan Rosemary gegeven!'

Walter Geist leek zich er niet druk om te maken dat Oscar tegen hem stond te schreeuwen, totdat hij mijn naam noemde. Walter Geist hief zijn hoofd, alsof hij wilde gaan aanvallen, en er verscheen een glimlachje rond zijn lippen.

Pearl en ik stonden met onze armen om elkaar heen op Pikes podium, en er stonden ondertussen ook klanten naar boven te kijken, als aan de grond genageld door het spektakel, het grootste schouwspel dat de Arcade ooit had gepresenteerd.

Oscar werd razend van Geists glimlach en hij gaf hem een harde duw tegen zijn borst.

De loshangende trapleuning schoot los toen Geist ertegenaan viel. Hij tuimelde naar beneden en landde met een misselijkmakende plof, verschrompeld en bewegingloos naast de vellen over de vloer verspreid papier.

Pearl en ik renden naar hem toe. George Pike was er eerder.

'Laat hem stil liggen!' gilde Pearl.

Maar Pike hield zijn hoofd in zijn handen.

Walter Geists ogen stonden open. Ze waren bewegingloos.

Vijfentwintig

Ik zag maanden en maanden lang Walters lichaam naar beneden vallen, als een lappenpop die over de leuning werd gegooid. Arthur liet me een keer een schilderij van Goya zien: vier meisjes hielden de hoeken van een laken vast en gooiden een stropop in de lucht, zijn armen en benen in een vreemde hoek ten opzichte van zijn slappe lichaam, tot een parodie vervormd. Ik bleef hem maar voor me zien, daarboven, zwevend met zijn armoedige jas open, de glimlach, die vluchtig over zijn gezicht ging voordat hij viel. Hij bleef maar op de vloer van de Arcade vallen, die vol lag met witte bladzijden. Ik zag hem maanden lang ongevraagd voor me. Hij achtervolgde me.

Zijn belachelijke hoed, die zijn vader hem had nagelaten, bleef op de kapotte bank in de toiletruimte liggen totdat ik hem mee naar huis nam. Chaps zei altijd tegen moeder en mij dat een hoed geen boek was, dat mensen geen hoeden nodig hadden. Maar ik heb zijn hoed altijd bewaard, ik heb hem toegevoegd aan mijn collectie snuisterijen. Ik heb hem door de jaren heen weleens opgezet; hij past me perfect.

George Pike sloot de Arcade één dag om te rouwen om zijn manager, maar in de daaropvolgende weken werd er weinig gesproken over de gebeurtenissen. De politie bepaalde dat het sterfgeval in de Arcade een ongeval was, veroorzaakt door een ongelukkige samenloop van omstandigheden nadat Pike zijn manager had geconfronteerd met het feit dat er geld was gestolen. Ze suggereerde dat Pike beter had kunnen bellen zodra hij was gaan vermoeden dat Geist geld had gestolen, of dat hij labiel was. Maar als George

Pike zich al schuldig voelde over wat er was gebeurd, liet hij dat nooit zien, en aangezien hij net zo onmogelijk te lezen was als de stad zelf, heb ik geen idee wat hij persoonlijk is kwijtgeraakt toen hij Walter Geist verloor. Ik kies er echter voor te geloven dat hij hem nooit is vergeten. Dat Pike op zijn eigen manier zijn nagedachtenis hooghield.

Alles veranderde natuurlijk na die dag.

Oscar Jarno verdween net zo manifest uit mijn leven als Geist. Hij verdween de dag dat Geist was gevallen, glipte ongezien weg uit de chaos die volgde.

Ik begon de weken daarop aan een eigen onderzoek. Ik vond het adres dat Oscar had opgegeven als zijn woonadres in het summiere archief dat Geist had bijgehouden. Maar het pand dat Oscar op zijn sollicitatieformulier had aangegeven, aan West 125th Street, was al lang onbewoond. Ik probeerde zijn kleermaker op te sporen, maar kon er geen vinden die overhemden maakte zoals ik wist dat Oscar ze wilde. Geen kleermaker die ik sprak, herinnerde zich een zo opmerkelijke klant.

Er stond een postadres op het oude formulier, een postbusnummer, en daar schreef ik naartoe; een paar lange brieven, waarin ik alles opbiechtte wat ik hem nooit had durven vertellen.

Als ik ze nu herlees, zie ik dat ik hem ervan probeerde te verzekeren dat niemand hem verantwoordelijk hield voor wat er was gebeurd. Maar je schrijft sommige brieven alleen aan jezelf; sommige brieven beschrijven alleen wat we hopen dat terugkomt. Ik heb mijn brieven aan Oscar in mijn plakboek geplakt, hun enveloppen bestempeld met rode hoofdletters van het postkantoor, die ze ONBESTELBAAR had benoemd voordat ze naar me waren teruggestuurd.

Ik weet niet meer wat er gebeurde in de dagen na Walters dood en Oscars verdwijning, maar ik weet dat ik, toen ik op

oudejaarsavond alleen thuiszat, kort heb overwogen Chaps'
cadeautje open te maken, dat nog steeds op de plank naast
mijn plakboek lag. Ik heb het zelfs gepakt om het blauwe
papier te strelen. Dit moest toch mijn allermoeilijkste moment zijn? Maar iets weerhield me ervan het te openen. Misschien was het belangrijker voor me dat haar geschenk lag
te wachten, dat het een verrassing bleef. Ik legde het weg
en pakte een paar doorzichtige velletjes luchtpostpapier. Ik
schreef Chaps een brief, waarin ik haar zo veel mogelijk vertelde. Toen liep ik naar de alkoof, stapte in bed en trok de
dekens over mijn hoofd.

Toen het nieuwe jaar, en het nieuwe decennium, begon,
lag ik te slapen.

Toen Chaps me terugschreef, onmiddellijk, zoals ik al
had gedacht, was haar advies eenvoudig. Iedereen behalve
degene die het betreft, kan zijn verdriet te boven komen,
schreef ze over de dood van Walter Geist. Ik wist niet zeker of ze nou zijn verdriet of dat van mij bedoelde. Ik wist
dat ik mijn verdriet niet te boven kon komen, ik wilde het
niets eens proberen, maar ik wilde wel leren hoe ik erin kon
berusten. Ik was verdriet per slot van rekening iets schuldig. Het zit zo complex in dat jaar, in mij, verweven als een
draad in een van Oscars kostbare stoffen.

Ik maakte geen aantekeningen meer in mijn schrift. De
vertelling houdt eenvoudigweg op. Ik kon Oscars voorbeeld
gewoon niet langer volgen. Als ik hem echt had willen evenaren, denk ik dat ik ook was verdwenen.

George Pike begon een maand na de dood van Walter Geist
aan een spelletje 'Wie weet het?'. Hij had meerdere nieuwe
werknemers aangenomen en toen hij aan het spel begon,
nam ik aan dat hij hen wilde laten kennismaken met het
tijdverdrijf dat de medewerkers trainde in de raadselachtige
zoektocht naar een titel in de enorme inventaris van de Arcade. Het collectieve geheugen van de Arcade was onmete-

lijk verzwakt in afwezigheid van Oscar en Walter Geist.

'Wat is de titel?' vroeg ik Bruno. Ik had het begin van het spel gemist.

Ik was met een klant naar de kelder gelopen, waar de nieuwe manager, meneer Angelo, onder het peertje snel de prijs van de recensie-exemplaren bepaalde. Hij had mijn hulp er niet bij nodig.

'Geen godvergeten idee,' zei Bruno, die al met dubbele tong sprak hoewel de middag net was begonnen.

'Pike is ermee begonnen,' mompelde Jack. 'Ik heb de titel niet gehoord.'

Ze waren niet meer geïnteresseerd in de wedijver, in het spelen van 'Wie weet het?'. Er leek nu weinig te winnen met het kennen van de inhoud van een afdeling. Pikes paperbackjongens waren hoe dan ook nooit echt geïnteresseerd in het helpen van klanten. Arthur was nergens te bekennen, dus ik liep naar het podium van George Pike, maar stond als aan de grond genageld toen ik zag wie ernaast stond te praten met de eigenaar van de Arcade.

'Aha, juffrouw Savage,' zei Pike. 'We zoeken een boek. Kun jij misschien helpen?'

'Ik hoop het,' zei ik.

'Wat was de titel ook weer?' vroeg Pike de magere man. Hij draaide zich om en ik rook een vleugje verbena.

'*The Isle of the Cross,*' zei Samuel Metcalf. 'Van Herman Melville.'

'Dat boek bestaat niet,' zei ik uitdrukkingsloos. 'Zoals u heel goed weet.'

'Daar had ik geen idee van,' zei Metcalf op beschuldigende toon.

'Ken je het?' Pike leunde over de reling op zijn podium naar me toe; hij keek me voor het eerst sinds ik in de Arcade werkte, geïnteresseerd aan. 'Wat weet je ervan, juffrouw Savage?'

'Het is een verloren roman van Herman Melville,' zei ik

tegen hem, en ik negeerde Metcalf. 'Hij is er in de herfst van 1852 aan begonnen en heeft hem in het voorjaar van 1853 afgemaakt. Het boek is gebaseerd op een waar gebeurd verhaal over verlating, over achterlating. Het gaat over lijdzaamheid en wroeging. Melville heeft het aan zijn uitgevers aangeboden, maar het is om onbekende reden nooit gepubliceerd. Het is heel goed mogelijk dat het enige exemplaar verloren is gegaan tijdens de brand die eind 1853 de kantoren van de gebroeders Harper heeft vernietigd. De roman is verloren gegaan, meneer Pike, wat meneer Metcalf weet. Het is schandelijk bedrog dat hij er hier om komt vragen. Vraag hem maar waarom hij doet alsof hij niet wist dat de roman verloren is gegaan.'

'Hoe durf je! Pike, je staat toch niet toe dat ze zo tegen me praat?' zei Metcalf terwijl hij wild met zijn armen in de rondte zwaaide. Toen draaide hij zich naar me om. 'Volgens mij weet jij waar hij is, en ik ben hier om hem te vinden. Ik heb er recht op.'

'Hij is niet in de Arcade,' zei ik. Ik was niet bang voor hem. Metcalf stond te bluffen, hij wilde me bang maken. 'U heeft helemaal nergens recht op.'

'Weet je dat zeker, juffrouw Savage?' vroeg Pike angstvallig. 'Is de roman niet in de Arcade?'

'Ja, meneer Pike. Dat weet ik zeker.'

'Ik ben onder de indruk van je kennis,' zei hij, me verbijsterend met het eerste, en laatste, compliment dat hij me ooit zou geven. 'Wil je er verder nog iets aan toevoegen?'

'Nee, meneer Pike. Er valt verder niets over te zeggen.'

'Dank je,' zei hij. Ik kon gaan.

Ik liep weg, maar Metcalf liep achter me aan, gefrustreerd door Pikes acceptatie van de eenvoudige waarheid. Hij greep mijn arm vast en draaide me om zodat hij me kon aankijken.

'Ik dacht dat je om hem gaf,' zei hij vals. 'Hij zou hebben gewild dat je het aan mij gaf. Hij wilde dat Peabody het zou krijgen.'

'U heeft geen idee wat hij wilde.'

'Ik weet dat je zijn minnares was, juffrouw Savage. Waardoor de kans dat jij er iets over weet aanzienlijk groter is dan de kans dat een ander iets weet.'

Ik deed geschokt een stap achteruit.

'Ik was zijn minnares niet,' fluisterde ik.

'Die woorden worden niet met overtuigingskracht uitgesproken,' observeerde Metcalf. 'Hoe dan ook, waar is het manuscript?'

'Ik heb geen idee.'

'Oscar is verdwenen en jij bent de enige die de details over de ontdekking kent.'

'Het is helemaal niet ontdekt,' zei ik. 'Het was bedrog. Meneer Geist is om de tuin geleid.'

'Door jou zeker!' snauwde hij.

Ik voelde me duizelig toen ik zo met die beschuldiging werd bedreigd, alsof Walter Geist het me persoonlijk verweet.

'Hij heeft het toch aan jou gegeven?'

'Het was bedrog,' herhaalde ik. 'Het was allemaal oplichterij.'

'Bedrog ter waarde van 800.000 dollar,' zei hij. 'Wie heeft dat geld dan?'

'U heeft er niets aan uitgegeven, meneer Metcalf. En hoe dan ook, dat is alleen de prijs,' zei ik terwijl ik me van hem losmaakte. 'Die komt nog niet in de buurt van wat het allemaal heeft gekost!'

'Ik wil dat manuscript,' zei hij op eisende toon. 'Ik heb er alles voor over. Om te beginnen zorg ik dat jij wordt ontslagen.'

Ik draaide me om en liep naar de achterdeur, ik moest hier zo ver ik kon vandaan. Ik werd misselijk van de verzamelaar in hem.

Ik probeerde op straat, zonder jas aan, op adem te komen. Het voelde alsof ik met elke uitademing verlies uitblies, kort zichtbaar in de koude lucht, oplossend in de februarimiddag. Ik leunde tegen de ramen van de Arcade.

'Gaat het wel?'

Er kwam een man op me af lopen. Hij had een bruine jas aan, de kraag omhooggezet tegen zijn gehavende wangen. Het was Russell – Thomas Russell, dat wist ik nog – die me ooit zijn kaartje had gegeven en me een baan had aangeboden als ik het zinkende schip wilde verlaten.

'Rosemary, toch?' vroeg hij vriendelijk. 'Ben je ziek?'

'Nee,' zei ik. 'Alleen een beetje geschrokken.'

Minnaars? Waren Walter Geist en ik minnaars?

'Gaat het niet goed in de Arcade?' vroeg hij. 'Ik heb over die tragische kwestie met de manager gelezen. Was je bevriend met hem?'

'Ja,' zei ik terwijl ik tranen in me voelde opwellen. 'We waren vrienden.'

'Dan zul je het wel moeilijk hebben,' zei Russell simpelweg.

Er viel een stilte en ik merkte dat mijn ademhaling rustiger werd. Ik knipperde met mijn ogen in het felle zonlicht, blij de Arcade uit te zijn.

'Weet u nog dat u me een baan heeft aangeboden, meneer Russell?' vroeg ik hem tot mijn eigen verbijstering. 'Een baan als boekenmaker?'

'Ja.' Hij glimlachte, en de littekens, die als kratertjes in zijn wangen stonden, werden tot streepjes getrokken. Ik vond zijn gehavende gezicht vreemd geruststellend.

'Dan heb je *Moby Dick* ondertussen zeker uit,' zei hij.

'Inderdaad,' zei ik. 'En u heeft het niet voor me verpest.'

'Nee?'

'Zoals u misschien nog weet, wordt de schipbreuk overleefd.'

Hij bestudeerde me geconcentreerd.

'Je gaat toch niet terug naar Australië, hè?'

'Nee.'

'Heb je mijn kaartje nog?'

'Ja,' zei ik. 'Bent u nog redacteur?'

'Ja,' zei hij. 'Bel me maar, Rosemary, dan kijk ik wat ik kan doen.'

New York was op dat moment een grote winterwereld en ik werd eraan herinnerd dat de seizoenen veranderen, dat de lente voorbodes begon te sturen van wat er zou komen. Elke dag was een beetje langer dan de vorige en ik begon weer aan mijn avondwandelingen. De struiken in mijn vieze park begonnen knoppen te krijgen; het leken net bruine nootjes. De takken vingen plastic zakjes, kenmerkend voor bomen in de stad, en de lucht werd warmer, sneeuwloos, waardoor ze minder melancholiek werden dan ze hadden geleken. Misschien was ik degene die was veranderd, ondanks, of dankzij, alles wat er was gebeurd.

Ik ging vaak bij Lillian op bezoek en we bespraken rustige, onbelangrijke dingen. We hielden elkaar gezelschap. Ik vertelde haar nooit over de brief die Geist me had laten voorlezen; ik vertelde haar niets over *The Isle of the Cross*. Pearl wist ervan, maar aangezien ik nooit ontdekte wie die brief had geschreven, bleef het een raadsel dat ik niet kon verklaren. Ik betreur het tot op de dag van vandaag dat ik dat hoekje niet meer heb, mijn vlokje sneeuw. Dan had ik tenminste bewijs gehad dat die brief ooit heeft bestaan; bewijs dat Walter Geist hem niet zelf heeft gefabriceerd of dat iets anders dan verlangen alles in beweging heeft gezet.

Op een avond in maart liep ik uiteindelijk naar East 26th Street 104, voorbereid op een ontmoeting die ik lang had uitgesteld. Ik had het adres gevonden in het bibliotheekboek dat ik nooit had teruggebracht en vond het heel opmerkelijk dat mijn pelgrimsoord zo dicht bij het Martha Washington was.

Het was natuurlijk helemaal niet wat ik ervan had verwacht; niets is dat ooit.

Ik had niet verrast moeten zijn dat Herman Melvilles huis was verdwenen, dat het was geabsorbeerd in de oneindige omvorming van de stad. Maar mijn teleurstelling toen ik alleen een plaquette vond, het enige bewijs dat hij ooit in die straat had gewoond, deed me beseffen hoe graag ik door de ramen wilde staren waardoor Herman Melville naar buiten had gekeken. Ik bleef er even op straat staan, hing rond alsof hij zo de hoek om zou komen lopen, op weg naar huis uit het douanekantoor, zoals hij dat negentien jaar lang had gedaan. Of stond ik op zijn tegenhanger te wachten, in een onberispelijk wit overhemd dat scherp zou aftekenen in het schemerdonker, zelfs op afstand?

Ik zag die avond op 26th Street hoe een maan in de vorm van een vingernagel opkwam in het blauwige avondlicht, niet meer dan een bleke schaal. De maan was wassend, dat weet ik nog, hij groeide weer tot volle wasdom, gaf het goede voorbeeld.

Pearl zou kort daarna worden geopereerd, dus Pike had zijn stokoude zus ingehuurd om de kassa te bemannen. Ze was Pikes dubbelgangster in haar anachronistische verschijning (maar dan zonder snor) en net zo victoriaans in haar gereserveerde gedrag. Maar in tegenstelling tot haar broer was Ethel Pike incompetent. Pearl leidde haar twee weken lang op, terwijl ze klaagde en terloops geïrriteerde opmerkingen maakte. Het leek George Pike niet uit te maken; de uitvoering van zijn mysterieuze prijsritueel werd er, ondanks de regelmatige onderbrekingen, niet door verstoord. Toen Pearl eenmaal weg was, had ik alleen Arthur Pick en meneer Mitchell om me gezelschap te houden, om me op te leiden.

Ik belde Thomas Russell en kreeg, na een paar gesprekken in een paar weken tijd, een baan als stagiaire aangeboden bij de uitgeverij waar hij werkte, voor dertig dollar meer dan ik in de Arcade verdiende. Honderd dollar per week!

'Je bent op de goede weg, meid,' zei Pearl toen ik het haar vertelde.

Ik had bij me thuis een etentje georganiseerd zodat Lillian en ik haar het beste konden wensen. Lillian was laat.

'Ik begrijp niet hoe je dat kunt zeggen, Pearl. Volgens mij willen ze alleen maar dat ik ga kopiëren. En misschien koffiezetten.'

'Het betekent in elk geval dat je eindelijk uit de Arcade weg bent en de wijde wereld in trekt.'

'Ik zal het missen, Pearl. Het voelt alsof ik van thuis wegga. En ik zal jou ook vreselijk missen.'

'Ik ben over een paar weken weer terug.' Ze maakte een afwijzend handgebaar. 'En je zou toch bij me op bezoek komen in het ziekenhuis?'

'Zeker weten,' verzekerde ik haar. 'Ik kom met de trein.'

'Dat zou ik maar doen,' zei ze glimlachend. 'Wij meiden moeten elkaar steunen.'

Ik glimlachte ook naar haar en keek naar de groene klok. Waar was Lillian?

'Meneer Pike betaalt de helft van mijn loon zolang ik er niet ben,' zei Pearl. 'Verbijsterend, hè?'

Dat was het zeker: Pike die geld betaalde om zich ervan te verzekeren dat Pearl zou terugkomen.

'Weet je wat meneer Pike zei toen ik mijn ontslag indiende?' vroeg ik haar, en ik huiverde bij de herinnering.

'Wat?'

'Hij zei dat hij gewoonlijk geen jongedames aannam en dat ik de belichaming was van alle redenen waarom hij dat nooit meer zou doen.'

'Ach,' zei Pearl, die zelfs zonder half loon een zwak voor

Pike had, 'het is ook wel begrijpelijk dat hij een beetje met zichzelf heeft te doen.'

'Ik vind het heel naar, Pearl. Dat ik hem teleurstel.'

We hadden het terwijl we op Lillian zaten te wachten over wat Pearl allemaal zou moeten doormaken. Haar transformatie voelde gedenkwaardig, en we overwogen even in stilte wat er allemaal zou gaan gebeuren. Het was zo stil dat we allebei opschrokken toen Lillian op de metalen deur van mijn flatje bonkte.

'Ik ben het, Lillian!' klonk haar gedempte stem door de deur toen ik ernaartoe liep om open te doen.

'Dat weet ik,' zei ik. Ik deed open en kuste haar. 'Wie zou het anders zijn?'

'Sorry, dat ik zo laat ben,' zei ze terwijl ze naar binnen liep met haar gebruikelijke tas vol hapjes. Ze zag er afgeleid en overstuur uit.

'Ik heb ruzie met mijn broer,' kondigde ze aan. 'Hij is razend op me. Ik mocht niet weg van hem.'

Pearl stond op uit de enige stoel in de ruimte en duwde Lillian er nadat ze haar uit haar jas had geholpen in.

'Wat is er gebeurd?' vroeg ze.

Er viel een verwachtingsvolle stilte terwijl we stonden te wachten tot Lillian haar verhaal zou gaan vertellen. Ze wrong haar handen, die op haar schoot lagen.

'Ik heb wijn meegenomen,' zei ze plompverloren.

'Wat is er gebeurd, Lillian?' vroeg ik net als Pearl.

'Rosemary,' zei ze snel. 'Ik ga weg. Ik ga terug. Naar Argentinië. Volgende week.'

Pearl bewoog instinctief naar me toe, en ik barstte zonder een woord te zeggen in tranen uit. Terwijl de tranen over mijn gezicht stroomden, was ik zo alert om op te merken dat ze geluidloos over mijn wangen rolden, zonder dat ik erbij snikte; zonder de weerstand die huilen zo pijnlijk maakt.

'Nou, dan is dit echt een afscheidsdineetje...' zei Pearl.

Lillian knikte; haar ogen glinsterden ook.

'Ik neem aan,' vroeg Pearl met een kokette grijns op haar gezicht, 'dat je nog een fles van die geweldige Mendoza hebt gekocht?'

Lillian pakte haar grote leren tas en haalde een fles te voorschijn. Pearl nam hem van haar aan. Ik liep naar Lillian, ging gehurkt naast de stoel zitten en leunde tegen haar aan. Volgens mij dachten we allebei terug aan die avond dat ik naar het Martha Washington was gekomen, koud, afgewezen en huilend om Oscar. Die avond dat ze me had ingestopt.

'Je weet het wel, hè?' zei Lillian tegen me met haar mond tegen mijn oor. 'Je weet wel waarom ik ga. Ik had er nooit weg moeten gaan, Rosemary. Het was fout dat ik er ben weggegaan. Het was mijn plicht om te blijven. Dus nu ga ik terug om Sergio een echte begrafenis te geven. Zo hoort dat, kind.'

Ik knikte tegen haar schouder. Pearl liet ons even alleen en begon bij de gootsteen bij de bakstenen muur met de fles en glazen te rommelen. Ik maakte mijn groene ketting los en deed hem om Lillians hals. Hij zou haar niet beschermen tegen een gebroken hart, net zomin als hij mij daartegen had beschermd, maar ik wilde haar iets geven wat me dierbaar was.

We zaten de rest van de avond samen op de deken op de vloer. We hadden het over boeken en muziek en over wanneer ik een geschikte man zou vinden. We vermeden alle pijnlijke onderwerpen. En terwijl ik bedacht dat al mijn moeders van me weggingen, was het deze keer anders.

Ik zou blijven.

Ik stuurde moeders as naar huis, naar Chaps, goed ingepakt in een doos, beschermd door heel veel papier. Ik moest op het postkantoor twee keer het woord Tasmanië spellen terwijl de beambte een formulier invulde; hij verdacht me

ervan dat ik een fictieve bestemming voor het pak had verzonnen. Hij dacht dat het een fantasieplaats was, uit een
boek of een sprookje, tot ik naar de kaart achter hem aan
de muur wees. Het eiland Tasmanië stond erop, als een
snipper die van een hoek van Australië was gescheurd. De
beambte begon te grinniken. 'Ongelooflijk,' zei hij hoofdschuddend, 'dat hele eind.'

'Ja,' zei ik. 'Ongelooflijk.'

Ik vond het niet meer dan een onschuldige leugen dat ik
het formulier ondertekende en daarmee bevestigde dat er
een cadeau in zat. (Ik had er moeilijk op kunnen zetten dat
de as van mijn moeder erin zat.) De beambte schreef een
nul in het hokje waar de waarde van het pakket ingevuld
moest worden. Geschenken hadden geen waarde, verzekerde hij me, tenzij ik het pakket wilde verzekeren.

Toen ik het postkantoor verliet, voelde ik me onmetelijk
veel ouder dan ik was geworden in het jaar dat was verstre-
ken. Dat had ik ook in de brief aan Chaps geschreven die ik
bij het Huon-kistje in de doos had gedaan. Ik had geschreven dat ik bij de Arcade wegging en een baan had gekregen
die beter betaalde, dat ik moeders as terugstuurde omdat
Chaps wel zou weten wat ze ermee zou moeten doen, en
omdat het niet meer goed voelde om moeder bij me te houden. Ik woonde in New York; zij was er alleen op bezoek
geweest.

25 April was mijn laatste dag in de Arcade. Alleen Pearl wist
dat het mijn verjaardag was en zij lag in Baltimore te herstellen. Ik kende niemand in de hele stad die wist dat het
Anzac Day was, of die ook maar zou weten wat er die dag
werd herdacht. Tenzij Oscar natuurlijk ergens in de stad
was.

Meneer Mitchell had me uitgenodigd die middag naar
de afdeling zeldzame drukken te komen. Ik dacht terwijl ik
stond te stoeien met de liftkooi, met pijn in mijn hart aan

Walter Geist en de kerstavond waarop we samen naast het bureau van Robert Mitchell hadden gestaan. Ik aarzelde even met naar binnen gaan en hoorde meneer Mitchell een onderhandeling afsluiten.

'Het is een uitzonderlijk exemplaar, er is alleen een kleine reparatie uitgevoerd in de hoek van de laatste bladzijde. Het is hier een daar een beetjes strak gesneden, waardoor er wat letters zijn weggevallen. Maar daarmee is rekening gehouden in de prijs, die ik heb laten zakken omdat ik weet dat u zo dol bent op George Herbert. Het is een mooie aanvulling op uw Donne-collectie. Kijk eens wat een prachtige marokijnleren kaft,' koerde meneer Mitchell. '*The Temple* is een van de mijlpalen uit de Engelse poëzie. Kijk: "Redemption", "Affliction", "Vertue"... er zijn niet veel Engelse gedichten die in zo veel anthologieën zijn opgenomen. Gesprekken met de ziel, uit 1633!'

'Kunt u echt niet onder de 40.000 zakken? Kunt u het even aan Pike vragen?' vroeg de klant, maar ik hoorde aan zijn stem dat hij al had besloten het boek te kopen.

'Ik laat u even alleen met George Herbert,' zei meneer Mitchell exact op het goede moment. 'Er staat iemand op me te wachten.'

Hij liep door de aaneengeschakelde kamers naar de lift, waar ik stond te wachten.

'Rosemary,' zei hij, en de geur van vanille die hij met zich meebracht was net zo geruststellend als de arm die hij om me heen sloeg.

'Hij gaat het kopen,' zei ik zacht.

'Ja, natuurlijk, lieve kind,' fluisterde hij. 'Ik heb hem aan de haak geslagen.'

'Hoe onthoudt u dat allemaal?' vroeg ik. 'Wat er in de anthologieën staat en wat iedereen wil...'

'Onthouden is natuurlijk niet meer dan citeren. Maar ik sta hier in het middelpunt van de actie, Rosemary. Ik kom je om zes uur uitzwaaien.'

'Dat hoeft niet, meneer Mitchell,' zei ik. Nu Pearl er niet was, had ik behalve dit geen officieel afscheid gepland. 'Dit is heus niet de laatste keer dat we elkaar zien. Ik kom heus wel bij u langs... en snel ook!'

Meneer Mitchell, die tegelijk voor mij en zijn klant wilde zorgen, stond bij de deur, en riep: 'En dan sta ik op je te wachten!' Het was wel duidelijk bij wie zijn prioriteit lag.

'Je zult een oude man toch niet vergeten, hè, Rosemary?' Hij boog naar me toe en gaf me een kus, en ik sloeg mijn armen om zijn nek om hem te omhelzen; de vader die ik nog steeds niet had gevonden.

'Ik ga volgende week vrijdag lunchen met Arthur, na mijn eerste werkweek, dan wip ik wel even aan.'

'Pas op met die uitgevers, lieve kind,' zei hij glimlachend met een scheef gehouden hoofd. 'Het zijn allemaal dieven.'

Ik liet hem achter om voor zijn klant te zorgen, die met Herberts *The Temple* in zijn handen stond te wachten. Meneer Mitchell liep zijn kamers door.

'Rozemarijn om te gedenken!' riep hij over zijn schouder terwijl ik de kooi dichttrok.

Ik kwam terwijl het nog licht was thuis met een zak dure kersen die ik bij een delicatessenwinkel had gekocht. Het was niet het seizoen voor kersen, maar ik wilde kersen eten op mijn verjaardag, op de eerste jaardag van mijn moeders overlijden. De verwarming in mijn flatje was weer stuk, lang voordat het buiten warm begon te worden. Dat maakte me niet uit; als het binnen winters voelde, hield ik mijn jas gewoon aan. Ik miste het gemompel van de radiator wel, en vooral dat ik geen heet bad kon nemen.

Ik pakte het boekje met gedichten van Auden uit mijn tas – een afscheidscadeautje van Arthur – om het op mijn boekenplank te zetten. Die arme Arthur kon niet hebben geweten wat een gemengde gevoelens het bij me opriep, en ik vroeg me af of mijn haar al uit het boek was gevallen terwijl een of andere klant erdoorheen had gebladerd. Misschien was het toch toeval dat Walter Geist een regel uit precies dit boek had gefluisterd, in plaats van dat hij het speciaal voor me had neergelegd. Misschien was het alleen toeval dat het dit boekje was dat in de enorme Arcade op Oscars kruk had gelegen. Waar was Oscar? vroeg ik me voor de duizendste keer af.

Ik zette Auden naast *Moby Dick* met de ezelsoren. De collectie in mijn boekenkastje was gegroeid en zou dat alleen maar blijven doen. Mijn blik dwaalde over de paar boeken die ik in de Arcade had aangeschaft en bleef rusten bij het in blauw papier ingepakte cadeautje dat op de onderste plank lag.

Het was tijd.

Het pakje dat Chaps me op het vliegveld had gegeven, had al die maanden op me liggen wachten en was uiteindelijk toch een verjaarscadeau. Ik had het apart gelegd voor een wanhopig moment, maar had het een jaar gered zonder het open te maken. Nu ik moeders as naar Chaps had gestuurd, voelde het een beetje alsof haar geschenk dat onherstelbare verlies een beetje kon verzachten.

Walter Geist zweefde heel even door mijn hoofd, zijn jas viel open.

Het pakje had me hier ontmoet. Een boek is altijd een geschenk, had Chaps gezegd. Ik had haar nodig. Ik moest geloven in Esther Chapman, die leefde en een constante was. Chaps, die van me hield. Die zoals dat hoorde eerbiedig voor moeders as zou zorgen. Esther Chapman, die me naar New York had gestuurd. Zou haar geschenk me vertellen waarom ze dat had gedaan?

Ik liet me in mijn gevonden leunstoel vallen en bleef heel lang zitten met het pakje in mijn hand. Ingepakt en obscuur was het net zo raadselachtig als een object in Julian Peabody's kabinet. De stad bromde buiten in een laag continuüm dat een soort stilte was geworden. Ik peuterde met een vingernagel voorzichtig een stukje plakband los, dat het bekende papier dichthield; ik wilde het niet kapotscheuren. De kleur alleen al was net een foto van Chaps, en ik zag haar voor me terwijl ze het geschenk voor mij stond in te pakken in haar keurige winkeltje. Ik zou het papier later in mijn plakboek plakken, om het veilig te bewaren.

Voordat ik nog een stukje plakband losmaakte, voordat ik in het pakje keek, kreeg ik een visioen. Ik staarde naar het blauwige papier dat op mijn schoot lag, mijn blik vervaagde en ik sloot mijn ogen in een wakende droom.

Terwijl ik daar volledig bij bewustzijn in mijn gevonden leunstoel zat, zag ik voor me dat Chaps me, op het vliegveld op de dag dat ik uit Tasmanië was vertrokken, een exemplaar van *The Isle of the Cross* had gegeven en dat het nu, onder het papier, op mijn schoot lag te wachten tot ik het zou openmaken.

Mijn hele reis door New York was een draad die zijn eind bijna had bereikt. Het openmaken van het boek zou onthullen wat ik altijd al had gehad. Het geschenk dat ik met me had meegenomen, was het geschenk dat Walter Geist me in mijn handen had geduwd en dat ik op mijn beurt aan Oscar had gegeven. Het was absurd logisch, een weg die elke gebeurtenis tot op dit moment had voorgeschreven, ingepakt in papier van Chapman's Boekwinkel. Daar lag het, op mijn schoot: een geheim dat me vertelde dat niets echt verloren gaat, dat het eenvoudigweg wordt vervangen door iets anders.

Ik opende het boek. Een elegant frontispice met een toverachtig eiland erop lag tegenover een indrukwekkende titelpagina. Het had mijn eilandstaat kunnen zijn. De dikke, ruw gesneden bladzijden van *The Isle of the Cross* werden onder mijn hand omgeslagen. Een epigram van Shakespeare bevestigde Melvilles thema:

O, ik heb geleden
Met hen die ik zag lijden! Een dapper vaartuig
(Waar ongetwijfeld een nobel wezen in zat)
Helemaal in stukken! O, de schreeuw klopte
Tegen mijn hart!

Miranda had duidelijk model gestaan voor Agatha, maar het was de kunst van Melville, niet die van Prospero, die de storm opwekte. Hij zette de wilde wateren over de zee van ruimte en tijd heen in beweging. De storm begon, Agatha's eiland werd getergd door donder en bliksem, deed het schip schipbreuk lijden en bracht haar een ontrouwe liefde. Haar eigen liefde zou hem redden, zou hem weer tot leven wekken. Maar hij verlaat haar en haar kind. Ze wacht. Ze loopt langs de kust en wacht tot de zee hem teruggeeft.

Ik las en las, de woorden als een enkele, stromende zin. Ik hield alles wat verloren was in mijn hand, teruggegeven tussen de kaften van het boek. Ik wist wat Melville wilde zeggen over medelijden, over verlangen, over de almacht van liefde. Wat de aard van onze plicht is... aan elkaar. *The Isle of the Cross*, dat ik in mijn hand had, was geen lofzang op wroeging, maar een bevrijding ervan. Het was Melvilles andere meesterwerk en ik herkende de absolute waarde ervan. Ik keek heel even in zijn ziel.

Het was alsof ik de oceaan cadeau kreeg.

Het visioen loste op in de tranen die over mijn wangen stroomden en verdween net zo plotseling als het was verschenen, geheel gevormd uit mijn verbeeldingskracht. Oscar had tegen me gezegd dat de wereld bestaat om in een boek te eindigen. Dit, *The Isle of the Cross*, was weer in de heldere lucht verdwenen.

Ik zat alleen in mijn flatje, verbijsterd in mijn gevonden leunstoel. De stad gonsde. De kraan drupte in de badkuip met pootjes. De groene klok tikte. Ik herkende mezelf, gereflecteerd in de ovale spiegel, mijn rode haar overeind om mijn gezicht alsof ik vreselijk was geschrokken, en ik trok rillend mijn jas om me heen. Het was Anzac Day, mijn verjaardag. Een dag van herdenking... van rouw. De eerste dag van mijn twintigste levensjaar.

Het pakje lag nog steeds op mijn schoot. In het blauwe papier lag Chaps' echte geschenk, dat ze me warm in mijn handen had geduwd toen ik tien maanden daarvoor was vertrokken.

Het papier opende gemakkelijk en onthulde een klein in leer gebonden exemplaar van *De Storm*, haar lievelingsstuk. Toen ik als kind boven Opmerkelijke Hoeden had gewoond, had Chaps toen ze me had leren lezen opgeschept dat ze daarmee woorden aan mijn wil gaf. Maar er waren geen woorden voor wat ik voelde.

Ik streek het papier glad, pakte het boek en kuste het rode leer. Ik hield het omhoog tegen het licht, de goudgerande bladzijden glanzend van belofte. Chaps had op het schutblad, in een mooie schuine letter, geschreven:

Voor mijn liefste Rosemary, op de dag van haar begin:
Ik zal je missen,
Maar je zult vrijheid kennen.

Dat was wat ik had gekregen. Dat was wat ik mocht houden.

Nawoord van de auteur

'Ze spekken hun dunne boeken met het vet van werk van anderen' gaat in mijn geval zeker op. Shakespeare is in de hele roman ontelbaar vaak aanwezig in veel van de adviezen van Esther Chapman, in delen van Robert Mitchells dialoog en regelmatig in Rosemary's observaties.

De Agatha-brieven van Melville aan Nathaniel Hawthorne, die worden geciteerd in hoofdstukken dertien en veertien, zijn overgenomen uit de getranscribeerde tekst uit *The Letters of Herman Melville*, onder redactie van Merrell R. Davis en William H. Gilman, in 1960 gepubliceerd bij de Yale University Press, een boek dat momenteel niet meer wordt gedrukt. De oorspronkelijke brieven liggen in de Melville-collectie in de Harvard College Library. Verdere inzichten in de Agatha-correspondentie en biografische informatie over Melville heb ik uit *Herman Melville: A Biography*, in twee delen, van Hershel Parker, een geweldig, wetenschappelijk boek dat in 1996 en nogmaals in 2002 is uitgegeven bij Johns Hopkins. Hershel Parker heeft ook een behulpzaam artikel geschreven: 'Herman Melville's *The Isle of the Cross: A Survey and a Chronology*', dat in *American Literature*, jrg. 62, nummer 1, uit maart 1990 staat. Ik heb tevens gebruikgemaakt van *Herman Melville: A Critical Biography*, van Newton Arvin, uitgegeven door de Viking Press (niet meer in druk); *Melville: A Biography*, door Laurie Robertson-Lorant, uitgegeven bij de University of Massachusetts Press; en *Hawthorne: A Life*, door Brenda Wineapple, uitgegeven bij Random House. Tijdens de laatste revisies was het opmerkelijke *Herman Melville: His World and Work*, van Andrew

Delbanco, in 2005 uitgegeven bij Alfred Knopf, een inspirerende invloed. Citaten uit *Moby Dick* komen uit de Everyman-paperback die gebruik heeft gemaakt van de tekst van de Northwestern University. Andere korte citaten en fragmenten komen uit de edities van *Whitejacket*, *The Confidence Man* en *Redburn*.

Edward Mendelson, William Meredith en Monroe K. Spears, uitvoerders van de literaire nalatenschap van W.H. Auden, hebben toestemming gegeven om te citeren uit zijn gedicht *The Sea and the Mirror*, met toestemming van uitgever Random House. Ik heb ideeën overgenomen uit de inleiding en aantekeningen van Arthur Kirsch uit de editie van de Princeton University Press uit 2003. Citaten uit *The Tempest* zijn overgenomen uit The Pelican Shakespeare Edition, onder redactie van Peter Holland, uit 1999.

Robert Mitchell en Oscar Jarno citeren in hoofdstuk negen uit Walter Benjamins essay 'Unpacking My Library,' dat in *Illuminations* staat, dat in 1969 is uitgegeven bij Shocken Books. Oscars lange citaat, ook in hoofdstuk negen, komt uit Goethes *Wilhelm Meisters Lehrjahren*. Mitchell citeert uit Brownings *Caliban on Setebos* als hij naar Geist verwijst. Details over albinisme heb ik uit informatie over albinisme van de National Organization of Albinism and Hypopigmentation (NOAH).

Het verhaal van Lillian La Paco is een fictieve weergave van de daadwerkelijke ontvoeringen die tussen 1976 en 1983 tijdens de 'Vuile Oorlog' in Argentinië hebben plaatsgevonden. De schattingen variëren, maar de meeste spreken van tussen de 10.000 tot 30.000 verdwenen mensen. Ik heb me gebaseerd op details uit de getuigenissen van de Dwaze Moeders van het Plaza de Mayo, zoals die zijn verteld aan Matilde Mellibovsky (een van de stichtsters) in *Circle of Love Over Death*, uit 1997, uitgegeven bij de Curbstone Press.

In hoofdstuk zes heb ik, geïnspireerd door het werk van

Jorge Luis Borges, behalve uit het *Boek van denkbeeldige wezens*, gebruikgemaakt van meerdere teksten. Verscheidene overpeinzingen over de aard van tijd komen uit essays in *The Total Library*, Penguin Classics (Groot-Brittannië) onder redactie van Eliot Weinberger. Ik verwijs met name naar twee essays, 'On the Cult of Books' en 'A New Refutation of Time.' Dat laatste essay eindigt met het Duitse citaat dat Geist in hoofdstuk twaalf voorleest van de klok in Peabody's kabinet. Ik heb ook variaties op twee regels uit Borges' korte verhaal 'Shakespeare's Memory' gebruikt, uit *Collected Fictions*, in het Engels vertaald door Andrew Hurley, uitgegeven door Viking in 1998.

De Rilke-citaten van Robert Mitchell in hoofdstuk eenentwintig komen uit de *Duineser Elegien*, in het Engels vertaald door Gary Miranda en in 1981 uitgegeven door Azul Editions. Algemene informatie over kabinetten en rariteiten, evenals de beschrijving van bepaalde objecten, komen uit *Cabinets of Curiosities* van Patrick Mauriès, uitgegeven door Thames & Hudson in 2002. Verscheidene beschrijvingen van zeldzame en kostbare drukken komen uit een catalogus die is uitgegeven door Lame Duck Books, Temple Place 55 in Boston. Ik heb een zeer waardevol gesprek gehad over manuscripten en bedrog met Isaac Gerwitz, curator van de Berg-collectie in de New York Public Library, die ik dank voor zijn tijd. Het schilderij van Goya, waarnaar Rosemary verwijst, is 'El Pelele' uit 1791-92, eigendom van het Museo del Prado te Madrid.

Uiteindelijk zijn boeken niet je leven, mensen zijn je leven. Dit boek is opgedragen aan Michael Jacobs, die mijn leven als schrijfster, en mijn leven in het algemeen, mogelijk, betekenisvol en uitdagend heeft gemaakt. Onze liefde is wederzijds en ik zal hem altijd dankbaar zijn voor Matthew en Emma. Ik ben hun alle drie zeer veel dank verschuldigd voor hun verdraagzaamheid.

Verder wil ik danken: de Bennington Writing Seminars, met name Askold Melnychek, Douglas Bauer, Martha Cooley en Alice Mattison. Sheila Kohler, bedankt voor je tijd en opmerkingen tijdens de eerste revisies. Bedankt, Liam Rector en Priscilla Hodgkins, dat ik nog steeds bij de Seminars ben betrokken.

Bennington heeft me tevens Joanna Meyer en Judy Rowley gegeven, lieve vriendinnen en schrijfgezellen, die me meer hebben geholpen dan ik in woorden kan vatten. Bedankt voor jullie bijzondere intelligentie, goede hart en blijvende vriendschap.

Bedankt, Elaine Koster, voor je vroege en evenwichtige steun, je professionalisme en vriendelijkheid. Bedankt, Deb Futter bij Doubleday, onze samenwerking was van het begin tot het eind een genot; je hebt het beste instinct waarnaar ik ooit heb geluisterd.

Mijn heel bijzondere dank gaat uit naar Nuala O'Faolain voor het enorme plezier dat ik haar ken, en naar Mark Stafford voor zijn ondersteunende vriendschap. Ik dank ook: Jane Otto, Daniele Menache, Brenda Marsh, Guillemette Bowler, Douglas Glover, Julia Dorff, William Vandegrift, Lillian Ferrari en mijn zus Jai Simmons. En Jack natuurlijk.